E iAL

Het schaduwritueel

Eric Giacometti & Jacques Ravenne

Het schaduwritueel

22 01. 2007

Oorspronkelijke titel: Le rituel de l'ombre
Vertaling: Margreet van Muijlwijk
Omslagontwerp en beeld: © HildenDesign, München
Foto auteurs: © Philip Matsas, via Agence Opale

Eerste druk oktober 2006
Tweede druk januari 2007

ISBN 10: 90-225-4672-1 / ISBN 13: 978-90-225-4672-7 / NUR 330

© 2005 Éditions Fleuve Noir, département d'Univers Poche
© 2006 voor de Nederlandse taal: De Boekerij bv, Amsterdam
Mynx is een imprint van De Boekerij bv, Amsterdam

Niets uit deze uitgave mag worden verveelvoudigd en/of openbaar gemaakt door middel van druk, fotokopie, microfilm of op welke wijze ook zonder voorafgaande schriftelijke toestemming van de uitgever.

Woord vooraf

Het Schaduwritueel is pure fictie, de hoofdpersonen in deze roman bestaan niet in de werkelijkheid. Wel hebben de auteurs hun inspiratie geput uit maçonniek historisch materiaal en wetenschappelijke bronnen. De beschrijvingen van de bijeenkomsten in vrijmetselaarsloges benaderen de werkelijkheid, maar deze roman heeft geen enkele binding met de vermelde maçonnieke obediënties.

Oulam

Vraag: 'Wat zag u toen u binnenkwam?'
Antwoord: 'Rouw en ontreddering.'
V: 'Wat was er de aanleiding voor?'
A: 'De herinnering aan een vreselijke gebeurtenis.'
V: 'Welke was die gebeurtenis?'
A: 'De moord op Meester Hiram.'
[...]
V: 'Wat deed men nog meer?'
A: 'Men tilde het kleed op van de kist die het graf voorstelde en men maakte het Teken van Afgrijzen.'
V: 'Maak dat teken, Br:. .'
V: 'Welk woord werd toen uitgesproken?'
A: 'M:. B:. N:. , hetgeen betekent "het vlees heeft de botten verlaten".'

Instructie voor de meestergraad van de vrijmetselarij

1

Berlijn,
de bunker van de kanselarij van het Derde Rijk,
25 april 1945

Het scheermes gleed voor de tweede keer uit en er liep een dun straaltje bloed langs zijn ruwe wang. Geërgerd bevochtigde de man in de zwarte broek de punt van een handdoek en depte het sneetje. Het was niet uit onhandigheid dat hij zich had bezeerd, maar omdat de grond beefde: bij zonsopgang waren de bombardementen weer hervat.

De betonnen bunker die was ontworpen om duizend jaar te blijven staan, schudde weer op zijn grondvesten.

Hij keek in de gebarsten spiegel die boven de wastafel hing en herkende zichzelf nauwelijks, zo getekend was hij door de laatste zes oorlogsmaanden.

Over een week zou hij zijn vijfentwintigste verjaardag vieren, maar de spiegel weerkaatste de harde trekken van een tien jaar oudere man; over zijn voorhoofd liepen twee littekens die het aandenken waren aan een ontmoeting met het Rode Leger in Pommeren.

Uiteindelijk stolde het bloed.

Voldaan trok de SS'er zijn overhemd en zijn zwarte uniformjasje aan en wierp in het voorbijgaan een vluchtige glimlach naar het portret van de Führer, dat hing in alle kamers van de bunker waarin hij als teken van onderscheiding had mogen overnachten. Hij zette zijn zwarte pet op, knoopte de kraag met rechts de twee zilveren s-vormige runentekens dicht, en zette zijn borst uit.

Hij hield van dat uniform, dat macht uitstraalde en dat maakte dat hij zich boven de rest van de mensheid verheven voelde.

Hij dacht terug aan de verlofdagen, als hij uitging met zijn kortstondige veroveringen aan de arm. Overal waar hij kwam in het nazirijk, van Keulen tot Parijs, zag hij tot zijn grote genoegen angst en eerbied in de ogen van de voorbijgangers. Waar hij ook ging zag hij onderwerping.

Zelfs kleine kinderen, die nog niet begrepen waar dit uniform voor stond, voelden zich duidelijk onbehaaglijk en deinsden terug als hij aardig tegen ze wilde zijn.

Het was alsof zijn zwarte uniform een primitieve oerangst bij de mensen wakker riep. En daar genoot hij intens van. Zonder het nationaalsocialisme en zijn geliefde leider, zou hij zijn opgegaan in de grijze massa. Hij zou een volstrekt onbeduidend leven hebben geleid, als ondergeschikte van andere naamlozen in een ambitieloze maatschappij. Maar het lot had anders beschikt en hij werd uitverkoren om deel uit te maken van de harde kern van het herenras waar de SS bij hoorde.

Maar helaas waren de kansen gekeerd voor Duitsland en de geallieerden en de Joods-maçonnieke krachten waren aan de winnende hand. Hij besefte dat hij binnen enkele dagen dit uniform niet meer zo fier zou kunnen dragen.

Dat Berlijn zou vallen stond al vast sinds juni, toen de geallieerden in Normandië waren geland. Ondanks de naderende nederlaag had hij aan het afgelopen jaar een intens en wreed plezier beleefd, 'als in een heldhaftige en meedogenloze droom', in de woorden van Heredia, een Franse dichter die niet meer gelezen werd, maar die hij zeer bewonderde.

Een mooie droom voor sommigen, een nachtmerrie voor anderen.

Nu trokken de bolsjewieken door de buitenwijken van de verwoeste stad en als een horde ratten zouden ze spoedig alles overspoelen.

Ze waren genadeloos. Logisch, hijzelf ging er ook prat op dat hij nooit een krijgsgevangene had gemaakt toen hij aan het oostfront was.

'Medelijden is de hoogmoed van de zwakken,' placht SS Reichsführer Heinrich Himmler zijn ondergeschikten voor te houden. Uit handen van die man had François het IJzeren Kruis gekregen voor zijn verdiensten aan het front.

Een nieuwe schok deed de betonnen muren trillen, grijs stof dwarrelde neer van het plafond. Deze explosie was heel dichtbij, misschien zelfs boven de bunker, in wat er nog over was van de tuinen van de kanselarij.

Hij was niet bang. Hij was bereid te sterven om Adolf Hitler, de leider van het grote Europa dat wankelde onder een zondvloed van staal en bloed, tot zijn laatste snik te verdedigen. Alles wat het nationaalsocialisme had voortgebracht zou verdwijnen; het zou worden weggevaagd door de haat van zijn vijanden.

Obersturmbannführer François Le Guermand keek een laatste keer in de verweerde spiegel.

Wat een lange weg had hij afgelegd om zover te komen... Hij, een jongen uit Compiègne, was bereid geweest zijn bloed te vergieten voor Duitsland, het land dat vijf jaar tevoren Frankrijk was binnengevallen.

Zoals veel jongeren van zijn generatie had hij direct na die nederlaag begrepen dat de val van Frankrijk de schuld was van de Joden en de vrijmetselaars. Volgens Radio Paris hadden zij het land op de rand van de afgrond gebracht.

Duitsland had zich een grootmoedige overwinnaar betoond en wilde de helpende hand bieden bij de opbouw van een nieuw Europa. Als fervent voorstander van de collaboratie en germanofiel van het eerste uur, vond hij de oude maarschalk Pétain veel te slap en hij had zich in 1942 enthousiast aangesloten bij het Franse korps van vrijwilligers dat vocht tegen het bolsjewisme.

En dat tegen de wil van zijn familie die hem, ondanks hun pétainisme, had verstoten en hem zelfs van landverraad beschuldigde. De imbecielen.

Zoals duizenden andere Fransen in die tijd, trok hij het uniform van de Wehrmacht aan en bracht hij het in twee jaar oostfront tot kapitein.

Daar bleef het niet bij. Zijn grote ideaal was de SS. Op verlof in Duitsland keek hij jaloers naar dit keurkorps van het Rijk. Toen hij hoorde dat er buitenlandse vrijwilligers dienden in eenheden van de Waffen-SS was zijn besluit snel genomen.

In 1944 kwam hij bij de SS-brigade Frankreich, vervolgens bij de divisie Charlemagne en legde hij de eed van trouw aan Adolf Hitler af. Dat kostte hem geen enkele moeite, temeer daar hij de zegen kreeg van monseigneur Mayol de Lupé, de Franse aalmoezenier van de SS. De woorden van die prelaat met de kop van een generaal bleven altijd in zijn geheugen gegrift: 'U gaat ons helpen in de strijd tegen het bolsjewisme, tegen het kwaad in zijn ergste vorm.'

Algauw stond Le Guermand bekend als een van de fanatiekste officieren van de hele divisie en hij aarzelde geen moment om een twintigtal Russische gevangenen te laten executeren die, op hun beurt, vijf van zijn mannen hadden gedood.

Zijn moed en zijn wreedheid trokken de aandacht van de bevelhebber van de divisie Charlemagne, die tevens opdracht had in de rangen van de buitenlandse vrijwilligers de meest betrouwbare elementen te vinden.

Tijdens enkele hoogst uitzonderlijke maaltijden met de generaal en een paar andere officieren, maakte de jonge Fransman kennis met een verborgen facet van de zwarte orde. Deze SS'ers verwierpen het christendom – dat was een godsdienst voor de zwakken – en hingen een wonderlijk soort paganisme aan, een allegaartje van oude Germaanse geloven en racistische doctrines.

De verbindingsofficier van de generaal, een majoor uit München, had hem een keer verteld dat, in tegenstelling tot de buitenlandse SS'ers, iedereen van puur Germaansen bloede een diepgaande historische en 'spirituele' scholing kreeg.

Ademloos luisterde François Le Guermand naar die vreemde, wrede lessen, waarin gesproken werd over de sluwe god Odin, over de legendarische Siegfried en vooral over het mythische Thule, de bakermat van de übermenschen, de ware heersers van de mensheid. Al duizenden jaren lang was het Arische ras verwikkeld in een heldhaftige strijd tegen gedegenereerde, barbaarse volken.

In andere tijden zou hij hebben gegrinnikt om deze waandenkbeelden van geïndoctrineerde geesten, maar bij kaarslicht en in de hitte van het titanengevecht tegen de hordes van Stalin, wekten die magische vertellingen bij hem het krachtige venijn van de mystiek op. Een verschroeiende drug verspreidde zich in zijn bloed en doordrenkte geleidelijk zijn denken, dat in die tijd van ontbinding te lang verstoken was geweest van de redelijkheid. In de loop van die gesprekken ging hij de grote waarheid zien achter zijn rekrutering bij de SS en het ultieme doel van de eindstrijd tussen Duitsland en de rest van de wereld. Hij vond wat men zou kunnen noemen: 'de zin van zijn leven'.

Door de entourage van de generaal onthaald als een van de hunnen, ontving hij zijn echte SS-doop tijdens de zonnewende van de winter van 1944. Op een door fakkels beschenen open plek in het bos, tegenover een geïmproviseerd altaar bedekt met een antracietgrijs laken waarop twee bleke runentekens waren geborduurd, werd hij ingewijd in de riten van de zwarte orde, ernstig gadegeslagen door soldaten die zachtjes een oude Germaans aanroeping prevelden.

Halgadom, Halgadom, Halgadom…

Nadien had de majoor dit van oorsprong Scandinavische woord voor hem vertaald als 'gewijde kathedraal', erbij zeggend dat deze kathedraal niets te maken had met de kathedralen van de christenen, maar gezien moest worden als een mystiek doel. Hij had *Halgadom* lachend het hemelse Jeruzalem van de Ariërs genoemd.

Een uur later waren de donkere uniformen die voor de ceremonie werden gedragen, versmolten met de duisternis en was François een ander mens geworden. Zijn leven zou nooit meer hetzelfde zijn; wat kon de dood hem nog schelen, als het leven slechts een overgang was naar een andere en stralender wereld?

Die avond verbond François Le Guermand definitief zijn lot aan die door de rest van de mensheid vervloekte en gehate gemeenschap. De majoor had hem te verstaan gegeven dat hij nog veel zou bijleren en dat hij, zelfs als Duitsland de oorlog verloor, voor een nieuw leven stond.

De opmars van het Rode Leger werd elke dag bedreigender en in de loop van de gevechten werd de divisie uitgedund door de slagen die de vijand, de bolsjewiek, haar toebracht.

Op een koude, natte ochtend in februari 1945, de dag waarop hij een tegenaanval moest leiden om een armzalig dorpje in de buurt van Mariënburg in Oost-Pruisen in te nemen, ontving François Le Guermand het bevel om terstond af te reizen naar Berlijn en zich te vervoegen bij het hoofdkwartier van de Führer. Hij kreeg geen enkele nadere uitleg.

Hij nam afscheid van de overlevenden van zijn door aanhoudende gevechten zwaar gehavende divisie. Pas later hoorde hij dat zijn uitgeputte en slecht uitgeruste kameraden diezelfde dag nog allemaal waren uitgeroeid door de T34-tanks van de Russische stoottroepen, die de Duitse verdediging steeds verder terugdreven naar de oevers van de Baltische Zee.

Die dag in februari redde de Führer zijn leven.

Tijdens de autorit naar Berlijn zag hij de onafzienbare stroom Duitse vluchtelingen die wilden ontkomen aan de Russen. De propagandaradio van doctor Goebbels verspreidde het nieuws dat de Sovjetbarbaren huizen plunderden en alle vrouwen verkrachtten die ze tegenkwamen.

Er werd niet bij vermeld dat zulk machtsmisbruik een antwoord kon zijn op de wandaden van de troepen van het Reich tijdens hun triomfmars door Rusland.

De doodsbange vluchtelingen vormden een kilometerslange keten.

De ironie van de geschiedenis. De gebeurtenissen deden hem terugdenken aan die ochtend in juni 1940, toen zijn eigen familie in de buurt van Compiègne met een boerenkar vluchtte voor de 'moffen'. Vanaf de achterbank van zijn auto zag hij de lijken van Duitse vrouwen en kinderen langs de kant van de weg liggen, sommige al in verregaande staat van ontbinding.

Tot zijn afschuw zag hij dat veel lijken waren beroofd van hun kleren en schoenen. Maar het deprimerende schouwspel was niets vergeleken met wat hij aantrof in de hoofdstad van het zieltogende Derde Rijk.

Even voorbij de noordelijke buitenwijk Wedding ontdekte hij met verbijstering de eindeloze rij verkoolde voorgevels van de door aanhoudende geallieerde bombardementen vernielde gebouwen.

Omdat hij de arrogantie van de Berlijners had gekend, hun trots over het aanzien van de stad als het nieuwe Rome, keek hij met ongeloof naar de massa zwijgende zombies die ronddoolden tussen de puinhopen.

Hakenkruisvlaggen hingen van kapotgeschoten daken en bedekten de gapende gaten die de explosies hadden aangericht.

In de Wilhelmstrasse die naar de kanselarij liep, op een kruispunt waar zijn auto moest stoppen voor een konvooi Tiger tanks en een detachement infanteristen, zag François een oude man spugen naar de soldaten. In andere tijden zou het onvaderlandslievende gebaar hem direct arrestatie en een lijfstraf hebben gekost; nu vervolgde de man ongehinderd foeterend zijn weg.

Op de gevel van het hoofdkantoor van een verzekeringsmaatschappij dat nog half overeind stond, pochte een spandoek in gotische letters: 'Overwinnen of sterven'.

Bij de wachtpost van de bunker gekomen zag hij op de hoek van de straat twee gehangenen aan een lantaarnpaal bungelen met een bord om hun nek waarop te lezen stond: 'Ik heb mijn Führer verraden'. Het waren deserteurs die door de Gestapo waren opgepakt en zonder enige vorm van proces opgehangen. Als voorbeeld. Niemand mocht op de loop gaan voor het lot van het Duitse volk.

Met door verstikking zwartgeworden gezichten wiegden ze heen en weer in de wind. Het tafereel deed François denken aan het gedicht van François Villon over de gehangenen op het galgenveld van Montfaucon. Morbide poëzie in een apocalyptisch decor.

Toen hij zich meldde in de bunker van de kanselarij, werd hij tot zijn grote verbazing niet door een officier ontvangen, maar door een onbeduidende burger met het insigne van de nazipartij op zijn sleetse jasje. De man deelde hem mee dat hij en andere officieren van zijn rang zouden worden toegevoegd aan een speciaal detachement dat onder direct bevel stond van Reichsleiter Martin Bormann. Wat de missie precies inhield zou hem later nog worden uitgelegd.

Hij kreeg een hokje toegewezen in een bunker die lag op een kilometer afstand van de bunker die het uitgedunde opperbevel huisvestte. Andere militairen, stuk voor stuk afkomstig van de drie SS-divisies Viking, Totenkopf en Hohenstaufen, hadden hetzelfde bevel als hij gekregen en logeerden in kamers naast de zijne.

Twee dagen na hun aankomst, werden de Fransman en zijn kameraden ontboden bij de machtigste man van het wankelende rijk, Martin Bormann, de secretaris van de nazipartij en een van de laatste mensen die nog het vertrouwen van Adolf Hitler genoten. Kil en zelfverzekerd als altijd had de man met het pafferige gezicht buiten de bunker vijftien officieren verzameld tussen de smerige muren van een half kapotgeschoten kanselarijzaal.

Hitlers kroonprins sprak hen toe met een opmerkelijk dun stemmetje: 'Mijne heren, over enkele maanden zullen de Russen hier staan. Het is heel goed denkbaar dat we de oorlog zullen verliezen, ook al gelooft de Führer nog steeds aan de overwinning en aan de slagkracht van nog geduchtere wapens dan onze V2 langeafstandsraketten.'

Martin Bormann liet zijn blik over het gezelschap gaan en ging door met zijn monoloog: 'We moeten denken aan de generaties die na ons komen en we moeten blijven geloven aan de eindoverwinning. U bent allemaal door uw meerderen uitgekozen wegens uw moed en uw trouw aan het Reich en dat zeg ik speciaal tegen onze Europese vrienden, de Zweden, Belgen, Fransen en Hollanders, die zich hebben gedragen als ware Duitsers. In de weinige weken die ons nog resten, gaat u leren hoe u kunt overleven om het roemrijke werk van Adolf Hitler voort te zetten. Omdat onze leider heeft besloten om te blijven tot het bittere einde, ook al kost hem dat zijn leven, moet u hier weg als het moment gekomen is, opdat zijn offer niet vergeefs zal zijn.'

Er ging gemompel door de rij officieren. Bormann sprak voort: 'Ieder van u krijgt een opdracht die wezenlijk is voor de voleindiging van ons werk. U zult niet alleen staan; weet dat op ditzelfde ogenblik op Duitse bodem meerdere groepen zoals de uwe worden gevormd. Uw opleiding begint morgenochtend om acht uur en zal enkele weken duren. Ik wens u veel geluk.'

In de twee maanden daarop werd hun geleerd onder te duiken in de clandestiniteit. François Le Guermand had groot respect voor het organisatietalent dat ondanks de naderende apocalyps nog zo ongeschonden was. Hij voelde allang niets meer voor Frankrijk, die natie van slappelingen die door het stof gingen voor De Gaulle en de Amerikanen.

De praktijklessen werden zonder onderbreking gevolgd door voordrachten over alle mogelijke onderwerpen en François kreeg al die dagen in de ondergrondse zalen geen sprankje daglicht te zien. Hij leefde als een rat. Militairen en burgers leerden hem en zijn kameraden een wereldwijd ondersteuningsnetwerk kennen, dat vooral sterk ontwikkeld was in neutrale landen zoals Spanje, in sommige Latijns-Amerikaanse landen en in Zwitserland.

Ze kregen zelfs een uitgebreide cursus over illegale geldtransfers en over hoe je met verschillende identiteiten over verschillende rekeningen kon beschikken.

Geld leek geen enkel probleem te zijn. De leden van de groep hadden maar één bindende opdracht: afreizen naar het land dat hun werd aangewezen, zich daar met een nieuwe identiteit onder de bevolking mengen en beschikbaar blijven.

Rond half april, toen de Russen op nog maar een tiental kilometers na voor Berlijn stonden, kreeg François een vriendschappelijk bezoekje van de verbindingsofficier uit München, die hem het ware gelaat van de SS had leren kennen.

Hij kreeg te horen dat de driehonderd Franse overlevenden van de divisie Charlemagne waren aangewezen om de bunker te verdedigen. De majoor verklapte vervolgens dat hij de man was geweest die ervoor gezorgd had dat François werd uitgekozen voor die naoorlogse missie. De Duitser gaf hem een zwarte kaart waarop een witte hoofdletter T stond gedrukt. Hij vertelde dat die kaart het bewijs was van het lidmaatschap van een heel oud Arisch geheim genootschap, het Thule-Gesellschaft, dat al bestond voor het nationaal-socialisme.

Het genootschap was een verborgen macht binnen de SS.

François had het lidmaatschap van dat genootschap verdiend door zijn moed en zijn toewijding. Na de oorlog, gesteld dat hij die zou overleven, zouden mensen van Thule contact met hem zoeken en hem nieuwe orders geven. François had al gemerkt dat Bormann een zeer hoge dunk had van de majoor, die hij vaak even apart nam alsof de man voortaan een leidinggevende was. Tot zijn grote verbazing had de majoor trouwens veel kritiek op Hitler, die hij een krankzinnige brokkenmaker noemde.

Het bloed was nu helemaal geronnen. Het sneetje in zijn wang was nog nauwelijks zichtbaar.

De dag van vertrek was eindelijk aangebroken.

De Fransman haalde nog eens de borstel over zijn glimmend gepoetste laarzen en keek voor een laatste keer in de spiegel. Voor deze laatste maaltijd met zijn kameraden wilde hij er pico bello uitzien.

De vorige avond had een van Bormanns assistenten hun opgedragen zich klaar te maken voor de ochtend van de 29ste april.

Hij verliet zijn pijpenlaatje in de bunker en liep door de lange ondergrondse gang die uitkwam bij de gebouwen van het hoofdkwartier. De twee wachtsoldaten salueerden en hij daalde af naar de vergaderzaal. De vertrekken van Hitler lagen aan de andere kant van de bunker en François had hem sinds zijn aankomst maar één keer gezien bij een parade op de binnenplaats van de kanselarij.

Hij was een beverige oude man geworden en zijn gezicht was gezwollen van de medicijnen. Van die bezielende uitstraling die de hele natie had behekst, was niets meer over. Hij kwam terug van de inspectie van een groepje hooguit veertienjarige jongens van de *Volkssturm*, die zwommen in hun uniformen en die als dodelijke speeltjes pantservuisten bij zich hadden, antitankraketten voor de korte afstand.

Het verbaasde François een beetje dat hij medelijden had met die arme knapen, die ten dode waren opgeschreven. Hij mocht Hitler-Duitsland wel onvoorwaardelijk steunen, toch had hij geen goed woord over voor de collectieve zelfmoord van een hele natie en vooral van de allerjongste leden ervan. Dat was een zinloze verspilling van het toekomstige potentieel.

In de vergaderzaal merkte François direct dat er iets aan de hand was. Zijn kameraden stonden als versteend te kijken naar een jongeman met zwart haar, die op een stoel aan het einde van de zaal zat.

De man droeg een openhangend uniformjasje van de SS, maar in zijn ogen blonk niet de hoogmoed van iemand die tot het kader behoorde.

De tranen stroomden over zijn wangen. François had nog nooit eerder een SS'er zien huilen.

Het gezicht kwam hem bekend voor: het was een van zijn eigen kameraden, een kapitein van de Viking-divisie, een radiospecialist uit Saksen. Toen hij dichterbij kwam schrok hij van wat hij zag: twee gaten bedekt met geronnen bloed in plaats van oren. De SS'er stiet een dof gekreun uit en probeerde met openhangende mond om hulp te smeken.

De stem van Martin Bormann schalde door het vertrek: 'Mijne heren, ik stel u een verrader voor die bezig was zijn koffers te pakken om zich bij Heinrich Himmler te voegen. De BBC heeft vanochtend aangekondigd dat de "getrouwe Heinrich" de geallieerden een onvoorwaardelijke overgave heeft aangeboden. Dat verraad is onmiddellijk doorgegeven aan onze Führer, die in grote woede is uitgebarsten. Hij heeft bevel gegeven iedereen die de kant van Himmler kiest op staande voet te executeren. Om zijn vastberadenheid te tonen heeft onze geliefde leider zelfs de executie bevolen van zijn eigen zwager, de man van Eva Brauns zuster, Herr Fegelein, die ook probeerde te vluchten.'

De SS'er bleef jammeren.

Martin Bormann liep kalm op de gevangene toe en legde gespeeld welwillend zijn hand op diens schouder. Glimlachend ging hij door met praten: 'Onze vriend hier wilde zich aan zijn opdracht onttrekken. We hebben hem ontdaan van oren en tong, zodat hij de beslissingen van onze onoverwinnelijke Führer niet aan zijn meester kan overbrieven.'

De nazivoorman aaide de gevangene verstrooid over het hoofd.

'Weet u, geen enkele Duitser, en een SS'er al helemaal niet, mag zijn eigen bloed verraden. U moet dit niet zien als zinloos sadisme: het is slechts een les die u goed moet onthouden. Pleeg nooit verraad! Wachters, neem dit stuk vuil mee en fusilleer hem op de binnenplaats.'

De kermende SS'er werd door twee soldaten aan zijn schouders de zaal uit gesleurd.

Door het vertrek van de gevangene ontdooide de stemming een beetje. Het was algemeen bekend dat Bormann Himmler haatte en al lang zat te wachten op een gelegenheid om de SS-opperbevelhebber van zijn voetstuk te stoten. Dat was hem nu gelukt.

'De tijd dringt, heren. Het eerste pantserleger van Joukov rukt sneller op dan verwacht en zijn troepen staan al bij de Tiergarten. Uw vertrek is vervroegd. Heil Hitler!'

Bij die op schorre toon geblafte rituele formule sprong de groep overeind en bracht als één man de Hitlergroet.

Bij wijze van antwoord deed een hevige explosie de zaal schudden.

François Le Guermand wilde teruggaan naar zijn kamer om zich te verkleden toen Bormann hem bij zijn arm te pakte. Hij keek hem doordringend aan.

'U kent uw opdracht? Voor het Reich is het van doorslaggevend belang dat u hem tot op de letter uitvoert.'

De hand van Hitlers secretaris verkrampte. François weerstond zijn blik.

'Ik ken hem uit mijn hoofd. Door wat er nog over is van het ondergrondse gangencomplex probeer ik naar Oost-Berlijn te komen, dat nog in onze handen is. Daar krijg ik het bevel over een konvooi van vijf vrachtwagens die ik naar Beelitz moet brengen, op dertig kilometer van de hoofdstad, waar ik de kisten die we vervoeren moet laten begraven op de afgesproken schuilplaats. Ik moet één aktetas met papieren bij me houden.'

'En daarna?'

'Dan sluit ik me aan bij ons negende leger dat me een vliegtuig zal bezorgen om me naar de Zwitserse grens te brengen. Die moet ik zien over te steken en dan ga ik naar een appartement in Bern, waar ik nieuwe instructies afwacht.'

Bormann leek opgelucht en François besloot: 'Ik weet alleen niet wat er in die kisten zit.'

'Dat gaat u ook niets aan. U moet alleen maar bevelen uitvoeren. Wees niet zo ongedisciplineerd als de meeste Fransen.'

Aan de toon waarop Bormann dat woord uitsprak, leidde François af dat de Reichsleiter een diepe afkeer had van Fransen.

François had nooit veel waardering gehad voor de pompeuze bureaucraat met zijn onderkoningallures en antwoordde kortaf: 'Het zijn mijn wapenbroeders van de Charlemagne-divisie die hierboven hun leven wagen om de bolsjewieken tegen te houden. Wat een speling van de geschiedenis dat nou juist Fransen Hitlers laatste verdedigingslinie vormen, terwijl alle legers van het Reich voor de vijand op de vlucht slaan...'

Bormann glimlachte flauwtjes, wilde nog iets zeggen, maar bedacht zich en draaide zich op zijn hakken om.

2

Concentratiekamp Dachau,
25 april 1945

De stralen van de zon vielen door de gebarsten ruitjes van het smerige raam en verlichtten de stofdeeltjes die ronddwarrelden in de ruimte waar een alles verpestende lijkenlucht hing. Al twee dagen geleden hadden de kapo's de deur van de vervallen barak vergrendeld zonder nog de moeite te doen er de lijken uit te halen. De gevangenen hadden al een week lang niets te eten gekregen en de bewakers hoopten dat het handjevol overlevenden vanzelf zou creperen van de honger.

In dat voorportaal van de hel, te midden van tientallen uitgeteerde lichamen die op de haveloze bedden lagen, zaten drie mannen die nog een sprankje van leven leken te bezitten.

Het toeval en het nazispook hadden hen in Dachau samengebracht. Vier maanden tevoren kenden ze elkaar niet en leefden ze ieder in compleet andere werelden.

Fernand, de oudste, was een gepensioneerde Franse ambtenaar uit Montluçon, die in december 1943 door de Gestapo was gearresteerd, nadat iemand uit zijn verzetsgroep was gemarteld en hem had aangegeven. De Duitsers hadden hem eerst afgevoerd naar Birkenau. Vervolgens maakte hij, vanwege de dreigende Russische invasie, met vijfduizend andere gevangenen een helse voettocht naar Dachau, waarbij driekwart van het konvooi bezweek.

Naast hem zat Marek, een twintigjarige Poolse Jood, die nog net voor de landing van de geallieerden in Normandië door de Franse Militie was opgepakt omdat hij zo overmoedig was geweest de muren van de Ortskommandatur in Versailles te bekladden met Lotharingse kruisen. Deze slimme timmermanszoon werd rechtstreeks naar Dachau gestuurd, waar hij zich had gered door prachtig houten speelgoed te maken voor het dochtertje van de kampcommandant en ook nog drie nieuwe galgen, die onafgebroken werden gebruikt.

De derde lotgenoot was Henri, een befaamde Parijse neuroloog van een jaar of veertig. Hij was gearresteerd op 1 november 1941, terwijl zijn vrouw op het punt stond te bevallen. Zijn traject was het grilligste geweest: door Franse Gestapo-handlangers ontvoerd uit zijn huis in de rue Sainte-Anne, werd hij overgebracht naar een onderzoekskamp bij de Baltische Zee, dat onder bevel van de Luftwaffe stond.

Henri Jouhanneau had meegewerkt aan onderzoek naar de overlevingskansen van piloten die in zee stortten. Tijdens de Slag om Engeland verloor Goerings luchtmacht veel piloten door verdrinking in Het Kanaal. De experimenten werden geleid door SS-artsen. Na twee jaar werd het laboratorium ontmanteld omdat de Russen steeds verder oprukten en werd Henri doorgestuurd naar Dachau om hem voorgoed de mond te snoeren.

En daar, omringd door zijn al even onfortuinlijke lotgenoten, begaven zijn geest en zijn lichaam het.

Fernand, Marek en Henri, die zich hadden teruggetrokken in een hoek van de barak, hadden slechts één ding gemeen.

Ze waren alle drie kinderen van de Weduwe, alle drie vrijmetselaren en aangespoeld in deze laatste cirkel van de hel. Fernand was Voorzittende Meester van een loge, Henri Meester en Marek een jonge Leerling.

Sinds de vorige avond lag Henri te ijlen. De ontbering, de kou en de lange mars naar Dachau hadden hem zijn laatste krachten gekost. Tegen de houten wand geleund, zei hij in die doodse stilte van de barak dingen die alleen zijn broeders konden horen: 'Wie denkt dat de duivel niet bestaat, vergist zich... Het kwaad bestaat wel degelijk, het is in ons midden. Het schuifelt rond op de bodem van ons bewustzijn. Het wacht slechts op zijn verlossing. Het is een slang met een gevorkte tong die zich heeft ingevreten in ons systeem. Het is een slechte broeder die het wachtwoord wil weten. En die het heeft gevonden ook.'

Marek keek naar zijn buurman.

'Als hij zo blijft, haalt hij de nacht niet.'

'Ik weet het, maar wat kunnen we eraan doen?'

De hortende stem klonk weer: 'Ze hebben de oude slang, de bron van alle kwaad, wakker geschud. Hij heeft ze de gist van de hel gevoerd... De boom der kennis heeft zijn vruchten op de grond laten vallen. Hun pitten zijn ontkiemd... hun scheuten groeien overal.'

Fernand trok een kom onder het bed uit. In zijn hand glinsterde smerig water. Hij bevochtigde Henri's lippen.

'Morgen zullen er andere duivels geboren en door ons aanbeden worden. Het kwaad kent alle vermommingen. Het zal ons overmeesteren, omdat we zijn gemaakt uit hoogmoed.'

'Ik begrijp niet waar je het over hebt, broeder,' zei Marek.

Hoongelach was het antwoord.

'Ze hebben overal naar hem gezocht. Tot aan de grenzen van de woestijn. Maar hij was er; hij wachtte slechts op ons.'

'Hij is echt aan het doorslaan...'

Er naderden stappen van gelaarsde voeten en de deur van de barak werd ruw opengestoten. Vier mannen in groene uniformen wierpen zich op de drie Fransen. Op één na droegen ze allemaal een helm. Met de hak van zijn laars verpletterde die officier de hand van Jouhanneau, die het uitgilde van de pijn.

'Meenemen,' zei de folteraar.

De soldaten tilden Henri op en sleurden hem mee naar buiten. De deur sloeg weer dicht. De twee gedeporteerden vlogen naar het vuile raam om te kijken wat er met hun kameraad gebeurde. Wat ze zagen was bloedstollend.

Henri Jouhanneau zat geknield voor de SS'er, die zwaaide met een wandelstok met een ijzeren punt. De Duitser draaide zich om en keek naar de barak waarin de twee broeders zaten, glimlachte minachtend en liet zijn stok zwiepen om hem onverhoeds op de schouder van de gevangene te laten neerkomen.

Henri krijste als een waanzinnige, en met een akelig gekraak brak zijn sleutelbeen. De SS'er beval zijn ondergeschikten de gevangene weer overeind te zetten, keek met diezelfde smalende glimlach naar de barak en sloeg opnieuw, nu op de hals.

Henri viel met zijn gezicht tegen de grond.

Fernand keek naar Marek; hij was lijkbleek.

'Begrijp je het?'

'Ja, hij weet wie we zijn. Hij doet het ritueel na! Maar waarom? Niemand heeft iets van ons te vrezen! We zijn minder dan niets!'

'Marek, als een van ons beiden het overleeft, moet hij deze moord onthouden om hem ooit te kunnen wreken. Zoals de broeders voor ons al eeuwenlang de moord op de Meester hebben gewroken.'

De SS'er rekte zich uit en boog zich vervolgens over Henri heen om hem iets in het oor te fluisteren. De Fransman leek ontkennend te antwoorden.

Vloekend stond de officier met een ruk weer recht. Hij hief de stok zo hoog mogelijk en sloeg uit alle macht op het gezicht van de gemartelde man. Weer klonk een dof gekraak.

Dat was de laatste van drie slagen; één op de schouder, één op de hals en ten slotte de slag in het gezicht.

Achter het raam van de slaapzaal begreep Fernand dat hij een beul voor zich had met gevoel voor de gebruiken van de vrijmetselarij.

De Duitser draaide zich bruusk om, gaf de twee gedeporteerden een vriendschappelijk knikje en liep gevolgd door zijn escorte weer naar de barak toe.

Fernand en Marek keken elkaar diep in de ogen. Het moment was ook voor hen aangebroken; ze omhelsden elkaar, niet wetend wie de volgende zou zijn.

De deur knalde open. Zonlicht stroomde naar binnen; het gouden licht bescheen alle uithoeken van de barak, alsof het de triomfantelijke terugkeer van de duisternis voorbereidde.

3

Zuidoost-Berlijn,
30 april 1945

François Le Guermand besefte dat hij het er niet levend zou afbrengen als hij in de vrachtwagen bleef zitten. Instinctief deed hij het enige wat hij nog kon bedenken en beval een soldaat om een brandgranaat in de kisten te gooien.

De vijand bestookte de vijf vastgelopen trucks met mitrailleurvuur.

Zijn bevel werd niet uitgevoerd, de jonge soldaat die links van hem zat was al dood. De Fransman duwde het ontzielde lichaam waarvan het halve gezicht was weggeschoten uit de vrachtwagen. Hij gooide het stuur om en reed door de berm in de richting van een verwoeste boerderij.

Hij vervloekte zijn eigen stommiteit. Toch was tot dan toe alles goed gegaan. Hij had Berlijn ongehinderd kunnen verlaten en nam, zoals afgesproken, het bevel over het kleine konvooi. Ze moesten hooguit nog tien kilometer rijden naar de bergplaats die op zijn kaart stond aangegeven, toen halverwege de rit het konvooi achter een bocht op een verkenningspatrouille van het Rode Leger was gestuit.

Wat deden die Iwans daar? Normaal gesproken moest de zone nog in handen zijn van het negende Duitse leger van generaal Wenck, dat zich terugtrok naar het westen, richting Amerikaanse linies. De nederlaag kwam zeker eerder dan gedacht.

Hij moest hoe dan ook weg zien te komen uit die fuik.

Ineens dook er uit het struikgewas een Russische soldaat op die probeerde met getrokken wapen de vrachtwagen tegen te houden. François gaf een dot gas en reed op de man in waarbij de truck door de berm slingerde. Gegil vermengde zich met het inslaan van de kogelregen tegen de achterkant van de truck.

De ss-officier schreeuwde van pijn; een van de kogels raakte zijn schouder en er spoot bloed op het stuur. Hij kreeg een wrange smaak in zijn droge mond.

Hij keek in de achteruitkijkspiegel; de andere trucks op driehonderd meter achter hem waren blijkbaar ongeschonden, behalve één die brandend midden op de weg stond. Een troepje Russen beklom roepend de laadbakken.

Hij beet op zijn lip, de kisten zouden in handen van de vijand vallen. Het was te laat om nu nog terug te rijden. Met zijn modderlaars trapte hij het gaspedaal in en de truck scheurde weg over de drassige veldweg die naar een donker bos leidde.

Zijn hart bonkte. Hij wist dat de Russen hem snel zouden inhalen. Als ze hem pakten, zouden ze hem langzaam doodmartelen, dat was de prijs van alle gruwelijkheden die er sinds het begin van de oorlog waren begaan.

Hij zag nog hoe een van de vrachtwagens van het konvooi uiteenspatte in een vuurzee. Dat gaf hem weer wat respijt.

Hij reed nog steeds in volle vaart, slipte bijna in een karrenspoor, wist de truck nog net onder controle te krijgen en berekende dat hij binnen een minuut in het bos zou zijn. Hij kreeg weer hoop toen hij zijn achtervolgers niet meer zag; ze waren vast de verlaten vrachtwagens aan het plunderen.

Hij stak zijn middelvinger op, brulde triomfantelijk en hief luidkeels het marslied van de Charlemagne-divisie aan:

Waar wij voorbijkomen
beeft alles en iedereen
en de duivel lacht met ons mee.

De woorden vermengden zich met het metalige geronk van de motor. De eerste donkere eiken aan de bosrand doemden op; ze stonden als wachters voor een grot met een onheilspellende groene schittering.

François' gezicht vertrok van pijn toen de truck weer door een karrenspoor hotste. Het bloed klopte in zijn hoofd. Het geboomte flitste voorbij. Hij minderde geen moment vaart. Het maakte niet uit wat er voor hem was, die smerige Roden zouden hem nooit levend te pakken krijgen. Hij brulde weer zijn lijflied.

Wij van de ss,
keren terug naar Frankrijk,
met het duivelslied op de lippen.
Burgers, hoed u voor onze wraak
en onze vuisten.
Ons vurige gezang overstemt
jullie kreten en bang gejammer.

De vrachtwagen reed in volle vaart de groene spelonk binnen en verdween uit het zicht van de Russen die de achtervolging opgaven. François bleef zingen, de zware afhangende takken hielden het zonlicht tegen. Misschien had hij toch nog een kans te ontkomen, of toch ten minste zijn overlevingskansen te vergroten. Maar als de Russen ook het bos al hadden veroverd, zou hij maar enkele minuten hebben gewonnen.

Satan huilt met ons mee...
En wij...

Ineens staakte de ss'er zijn gezang. Op een meter of tien voor hem lag een dikke boomstam dwars over de weg. Hij deed nog een wanhopige poging om te remmen, maar de wielen verloren hun greep op de drassige bodem en de vrachtwagen glibberde naar de berm. Uit balans gebracht door het gewicht van de lading, gleed het voertuig van de met teergroene varens overdekte helling.

De val leek een eeuwigheid te duren.

Omdat de remmen niet meer gehoorzaamden, moest de Obersturmbannführer machteloos toezien hoe takken de voorruit geselden als wilde dieren die de stuurloze wagen wilden verscheuren.

Het geluk was met hem, de helling werd minder steil en de geblutste truck kwam tot stilstand in wat eruitzag als een drabbige droge beek.

Het hoofd van de Fransman sloeg tegen het stuur, maar die nieuwe pijn voelde hij niet eens meer. Hij was in een shocktoestand en balanceerde op de rand van de waanzin.

Om hem heen was alles donker, de wagen was tot stilstand gekomen tegen een met zwartachtig mos begroeide rotswand. Slechts enkele zonnestraaltjes drongen met moeite door tot in die duistere diepte.

Er was geen enkel geluid te horen; alles was in een zware, vochtige stilte gehuld.

Met moeite klom hij uit de vrachtwagen. Zijn hoofd tolde, zijn knieën knikten, zijn voorhoofd en zijn hals zaten onder het helderrode bloed dat uit zijn slaap gutste.

Hij begon zijn bewustzijn te verliezen. Zijn verwondingen moesten erger zijn dan hij dacht. Maar ook nu wilde hij voor de zoveelste keer zijn huid redden. Zijn overlevingsinstinct dat zat ingekapseld in zijn pijnlijke spieren hield hem overeind.

Hij liep om de vrachtwagen heen en beklom de wagenladder. Hij moest koste wat het kost weten waarvoor hij zijn leven waagde. Voordat hij bezweek, wilde hij weten wat er in die vervloekte kisten zat.

Er hing een weeë lucht in de vrachtwagen: de gele vloeistof uit een lekgeschoten tank motorolie had zich verspreid tussen de vastgesjorde kisten. Hij gleed bijna uit in de olielaag en kon zich op de tast nog net vastgrijpen aan iets wat tegelijkertijd hard en week was en kleverig aanvoelde.

In de schemering realiseerde hij zich walgend dat zijn hand rustte op het aan flarden geschoten gezicht van een met kogels doorzeefd lijk. Met een ruk trok hij zijn hand terug, terwijl een golf gal zijn keel vulde.

Met zijn laatste krachten liet hij zich zakken naast een met adelaar en hakenkruis gemerkte kist, pakte het geweer dat naast het lijk lag en ramde de kolf tegen de houten deksel.

Zijn blik werd wazig. Het bloed bereikte zijn hersenen niet meer. In een laatste golf van razernij sloeg hij met een dreun het lichte eikenhout aan spaanders.

Een bundel oud papier viel tussen de houtsnippers uiteen rond zijn knieën.

Dat was wel het laatste wat François had verwacht. Papier. Een stapel stomme papieren.

Met droge mond nam hij een vel in zijn verkrampte hand en probeerde te lezen wat erop stond.

Star staarde hij naar de vergeelde teksten. Het lukte hem niet de raadselachtige symbolen die voor zijn ogen dansten te ontcijferen, maar één vreemde voorstelling zag hij heel duidelijk.

Een in zwarte inkt getekend doodshoofd staarde hem aan uit zwarte, lege oogholten.

Het was niet het vertrouwde doodshoofd van zijn SS-helm, nee, het was een haast misvormde schedel met een karikaturale glimlach, een groteske grijns.

Voordat hij wegzakte, kreeg François Le Guermand een onstuitbare, bijna hysterische lachbui. Niemand kon hem horen. Begerig slorpte de duisternis hem op.

Op hetzelfde moment, vijftig kilometer verderop, in een ijskoude kamer in een ondergrondse bunker in Berlijn, schoot Adolf Hitler, de man die Europa en een groot deel van de mensheid in het verderf had gestort, zich een kogel door het hoofd.

Boaz

'De behoefte om geheimen te doorgronden is verankerd in de menselijke ziel; zelfs de minst nieuwsgierige geest ontvlamt bij de gedachte kennis te vergaren die anderen ontzegd blijft.'

John Chadwick

4

Rome, via Condotti,
de loge Alexandre de Cagliostro,
8 mei 2005, 20.00 uur

'En tot besluit, achtbare broeders, wil ik u zeggen wat een voorrecht het was om hier voor u te spreken. Al heel lang onderhouden Frankrijk en Italië innige maçonnieke banden. Veel ritualen, die Frankrijk heeft overgenomen en verrijkt, zijn ontstaan in het land van Dante en Garibaldi. De uitnodiging van de loge Cagliostro, die valt onder de Grand Orient de France op Italiaanse bodem, is voor mij dus een grote eer.'

De spreker, een man van een jaar of veertig met gitzwart haar, liet zijn blik door de vrijmetselaarstempel dwalen. Pal achter hem was een grote kleurige zon geschilderd op een muur van strak oranje. Zijn dankwoord werd aangehoord in doodse stilte.

De vrijmetselaarstempel leek op een grote blauwachtige grot. Uit een als het hemelgewelf met sterren bezaaid plafond schenen smalle lichtbundels op de nachtblauwe muren.

Links en rechts van de spreker zaten een stuk of veertig mannen in zwarte pakken. Ze droegen schootsvellen en witte handschoenen en zaten als levende standbeelden te luisteren. Bij uitzondering waren er ook enkele vrouwen, die in hun lange witte jurken dit decor uit een lang vervlogen tijd nog enigszins opvrolijkten.

'Ik heb gezegd, Achtbare Meester,' besloot de spreker, zich naar het Oosten wendend, naar de Voorzittende Meester.

De Achtbare wachtte even en tikte met zijn hamer op de lessenaar voordat hij zich tot de aanwezigen richtte. Op de muur achter hem hing een enorm Egyptisch oog, de verlichte Delta.

'Broeders en zusters, alvorens u het woord te geven wil ik onze broeder Antoine Marcas bedanken voor zijn prachtige bouwstuk 'De oorsprong van de oude ritualen van de vrijmetselarij'. Met uw voordracht hebt u ons, eenvoudige belangstellenden, heel wat nieuwe gezichtspunten geboden. Er zijn ongetwijfeld veel vragen. Broeders en zusters, is er iemand die het woord verlangt?'

Er werd geklapt. Een broeder op de zuiderkolom aan de linkerkant, de rij die was voorbehouden aan de Meesters, vroeg het woord.

De Eerste Opziener verleende hem, met de rituele formule, het woord.

'Eerwaarde Meester, Achtbare Meesters en broeders in het Oosten en broeders en zusters, ik zou graag broeder Marcas willen verzoeken ons iets te vertellen over de oorsprong van het rituaal van Cagliostro, wiens naam onze loge met zoveel trots draagt.'

Voordat hij antwoordde raadpleegde de spreker van de avond even zijn aantekeningen. Voorzichtig bladerde hij door een stapeltje steekkaarten, die waren volgekrabbeld met een nerveus handschrift.

'Zoals u waarschijnlijk wel weet, introduceerde Cagliostro in december 1784 in de loge La Sagesse triomphante zijn "Ritus van de Hoog-Egyptische Maçonnerie". Volgens zijn eigen zeggen zou hij zelf in dit ritueel zijn ingewijd door een Maltezer ridder, een zekere Althotas. Natuurlijk was dat een schuilnaam. Volgens sommige auteurs uit die tijd was hij vermoedelijk een Deense koopman die Kolmer heette. Voordat hij zich vestigde op Malta woonde hij in Egypte, en hij beweerde daar de Egyptische raadselen van Memphis weer nieuw leven te hebben ingeblazen. Cagliostro zou volgens zijn hedendaagse biografen inderdaad in 1766 op Malta zijn ingewijd in de Schotse Johannesloge van het Geheim en Harmonie, en had daar het rituaal geschreven dat voortaan zijn naam zou dragen. U merkt dat de kwestie nog lang niet is beslecht.'

Opnieuw klonk er applaus.

Antoine Marcas bekeek zijn aandachtige gehoor nu wat beter. Behalve de Italianen waren ook alle Franse obediënties vertegenwoordigd, van broeders van de Grande Loge de France, met het roodomrande schootsvel dat de Schotse ritus symboliseerde, tot aan de zusters van de Memphis-Misraïmrite in hun witte jurken.

De Achtbare gaf het woord aan een broeder wiens zware Milanese accent de ernst van zijn vraag nog benadrukte.

'Ik grijp de aanwezigheid in ons midden van een broeder van de Grand Orient de France graag aan om hem een vraag te stellen over de situatie bij onze Franse broeders. Jarenlang heeft de Italiaanse politiek met corruptieschandalen en verloedering van de instellingen stof geleverd voor rechtbankverslagen... we waren de kweekplaats van het Europese onbehagen. Maar nu krijg ik de indruk dat Frankrijk op haar beurt aan diezelfde kwalen lijdt. Veel Franse broeders worden beschuldigd van actieve medewerking aan corruptie.'

Marcas knikte voordat hij antwoordde. Vragen over politiek hadden niet zijn voorkeur, maar hij kon er niet onderuit ze te beantwoorden.

Gedurende de vijftien jaar dat hij vrijmetselaar was, had hij een verslechtering van het maçonnieke imago in zijn land meegemaakt. Hij was tot de loge toegetreden uit idealisme, gelovend in de republikeinse en seculiere waarden en in het bezielende idee van de persoonlijke vervolmaking dat zijn obediëntie aanhing.

Zijn inwijding in de loge had plaats net nadat hij bij de politie ging werken en in de loop van een geleidelijk rijpingsproces steeg hij zowel beroepshalve als in zijn loge in rang.

Als commissaris in het profane leven en als Meester bij de vrijmetselarij, zou hij een betrekkelijke gemoedsrust moeten kennen. Maar helaas. Het leven buiten de tempel werd met de dag harder.

Voorheen hadden de media de grootste lof gehad voor de bijdrage van de vrijmetselaren in grote maatschappelijke debatten over het onderwijs, de abortuskwestie en de beëindiging van het conflict in Nieuw-Caledonië. Tegenwoordig deden ze niets liever dan schandalen onthullen, waarbij geheimzinnige netwerken van duistere invloeden werden gesuggereerd.

Enkele schurftige schapen bleven de hele kudde besmetten, ondanks de protesten van alle obediënties en alle initiatieven om schoon schip te maken.

Het gezelschap had zijn aarzeling wel opgemerkt, maar er klonk nog geen kuchje. Het ritueel eiste totale stilte.

Eindelijk sprak de Fransman: 'Ik vrees dat Frankrijk helaas niet ontsnapt aan de kwalen die alle westerse democratieën treffen: afwijzing van elites, argwaan ten aanzien van het gezag, opkomst van extremisme. Al dan niet terecht worden wij vrijmetselaars nu eenmaal met macht geassocieerd.'

Marcas zweeg even en ging verder: 'De aanvallen op onze broeders zijn vaak ronduit onzinnig. Krantenkoppen over vrijmetselaren verkopen net zo goed als specials over de vastgoedprijzen. Dat bewijst gelukkig eens te meer de waarde van ons metselwerk. Hoe dan ook...'

Marcas zocht naar de juiste woorden. Hij liet niet helemaal het achterste van zijn tong zien. Dat hij zich eigenlijk steeds onbehaaglijker voelde kwam niet alleen door de media-aandacht, maar ook door het gedrag van bepaalde broeders die hun schootsvel onwaardig waren.

Politiecommissaris Antoine Marcas had jarenlang bij een loge gezeten die ook onderdak bood aan geldkoeriers van politieke partijen, notoire schaduwboekhouders en dubieuze tussenpersonen, die heel creatief de verschillen tussen sociale en private woningbouw wisten te overbruggen. De loge, die heel onopvallend was gevestigd in een huis in een Parijse buitenwijk, was gaandeweg vanbinnen uit uitgehold door een corruptienetwerk op het hoogste politieke niveau.

Ontdaan door wat hij ontdekte, een jaar voordat de journalisten de affaires begonnen uit te melken, veranderde hij van loge, hoewel niet van obediëntie. Door zijn maçonnieke belofte en zijn idealen herkende hij zich helemaal niet in dat handjevol oplichters, die hun inwijdingsbelofte schonden, maar zijn twijfels betroffen vooral de manier waarop de andere broeders die uitwassen probeerden te dekken.

Uit reactie verdiepte hij zich in zijn vrije tijd in de geschiedenis van de vrijmetselarij en in maçonnieke symboliek, alsof het verleden de schandvlekken van het heden kon uitwissen. In de loop der jaren had zijn research veel erkenning gekregen en zijn reputatie van onkreukbaarheid snelde hem vooruit in de loges waar hij werd uitgenodigd om over zijn onderzoek te komen vertellen.

Maar telkens als hij uit de krant weer een schandaal vernam waarbij zijn foute broeders betrokken waren kreeg zijn gemoedsrust weer een opdoffer. Hij onderging het als een persoonlijke belediging.

De recente schandalen aan de Côte d'Azur die door de media waren onthuld hadden hem razend gemaakt, zelfs al betroffen ze een andere obediëntie dan de zijne. Een al te meegaande rechter was de laan uit gestuurd omdat hij zijn vriendjes had beschermd, een collega-politieman bleek betrokken te zijn bij de georganiseerde misdaad, een ex-burgemeester was verantwoordelijk voor bouwfraudes via een foute loge, waar het wemelde van onguur volk. Die salade Niçoise lag hem zwaar op de maag.

In tegenstelling tot broeders die zich niet aangesproken voelden omdat het om een andere obediëntie ging, vond hij dat dergelijke smeerlappen de hele vrijmetselarij in opspraak brachten; de profanen zien helaas het onderscheid niet.

Marcas ging door: 'Intussen is het duidelijk dat al die schurftige schapen de kudde wel degelijk hebben besmet. Wat mij betreft moeten ze uit de Tempel worden verbannen. Als we eerder en strenger waren opgetreden, zou het zover niet zijn gekomen. Een foute loge schaadt het aanzien van honderden andere tempels. Dat is niet eerlijk. Mij geeft het een nasmaak die een beetje lijkt op de bittere beker die we bij onze inwijding te drinken krijgen.'

Hierna beantwoordde Marcas de andere vragen met een sympathieke mengeling van bescheiden belezenheid en humor waar hij onwetendheid moest bekennen.

Eindelijk kwamen er geen vragen meer. De Achtbare nam het woord en besloot de bijeenkomst op rituele wijze: 'Broeder Eerste Opziener, onderzoek op de kolommen of iemand het woord verlangt.'

'Op de kolommen wordt het stilzwijgen bewaard, Achtbare Meester.'

'Laat ons dan nu de broederketen vormen.'

Daarop stonden alle aanwezigen op, trokken hun handschoenen uit en kruisten de armen. Iedereen pakte de hand van zijn of haar buurman of buurvrouw en zo ontstond er een menselijke keten rond het middelpunt van de loge.

De Achtbare sprak de rituele woorden: 'Dat gelijk met onze handen onze harten elkaar vinden; dat de broederlijke Liefde alle schakels van deze Keten verbindt, die wij uit vrije wil vormen. Begrijp de grootsheid en de schoonheid van dit symbool; dat we inspiratie mogen putten uit zijn diepe betekenis. Deze keten verbindt ons in de tijd en in de ruimte; hij komt uit het verleden en reikt tot in de toekomst. Door hem zijn we verbonden met onze voorgangers, onze gewezen Achtbare Meesters.'

De woorden schalden door de tempel.

Een van de Officieren sprak luid: 'Ik beloof het uit naam van alle zusters en broeders hier aanwezig.'

De afsluiting van de bijeenkomst verliep verder volgens vaste regels. Elk onderdeel van het ritueel lag al eeuwenlang vast. Zoals in een toneelstuk, wist elke deelnemer precies wat hem te doen stond.

De Opzichters hielden hun hamers gekruist voor de borst, de Ceremoniemeester stampte op de grond met een met metaal gepunte stok, degene die men 'Dekker' noemde hield een blanke sabel in zijn rechterhand.

Marcas kwam ook overeind en sprak hardop de laatste formule: 'Vrijheid, gelijkheid, broederschap.'

Toen werd het stil. De bijeenkomst was beëindigd, iedereen verliet de tempel.

Buiten, in de zaal die het Voorhof werd genoemd, sprak de Achtbare, een bankier met een aristocratisch voorkomen, hem aan in vloeiend Frans: 'Blijf je voor het banket?'

Marcas moest even lachen. In alle loges in de wereld werden de zittingen gevolgd door een broedermaaltijd, waarbij opgewekt werd gegeten en gedronken in de speciaal daarvoor bestemde ruimte, die in sommige landen heel toepasselijk de 'vochtige kamer' heet.

'Jammer genoeg niet, broeder. Ik heb een goede vriend moeten beloven om vanavond naar een receptie in de Franse ambassade te komen. Maar morgen kom ik terug om in jullie bibliotheek een paar zeldzame boeken in te kijken. Misschien kunnen we samen lunchen?'

'Met genoegen. Haal me tegen enen op van mijn kantoor in de via Serena. Ik reserveer een tafel bij Conti.'

De Fransman nam beleefd afscheid van zijn gastheer en daalde de zwartmarmeren trap af. Buiten was het kouder dan hij had verwacht, hij zette zijn jaskraag op en hield een van de ontelbare Romeinse taxi's aan. Hij dook in een Alfa Romeo met een neus als een haaienbek en gaf het adres waar hij naartoe moest, het palazzo Farnese aan de andere kant van de stad.

Net als na elk bouwstuk, of lezing, voelde Marcas zich merkwaardig licht. Het was een gemoedsrust die alleen het logeritueel hem gaf. Hij dacht aan de periode van zijn echtscheiding, toen zijn vrouw hem had verlaten. Echtgenotes van politiemannen blijven dat doorgaans niet lang en mevrouw Marcas was geen uitzondering op die regel geweest.

Marcas zelf had lange slapeloze nachten doorgemaakt en droevige weekends met zijn zoon die niets meer voelde voor zijn vader die altijd zo afwezig leek. Sommigen vluchten in de drank, anderen troosten zich met oppervlakkige verhoudingen, Antoine dook onder in de loge. Daar, oog in oog met de symbolen, zocht hij een uitweg. De weg naar de aanvaarding en het inzicht was lang en moeilijk geweest, bijna een therapie. Maar elke nieuwe logebijeenkomst bracht hem rust. Het was een langdurig proces geweest. Gaandeweg kwamen er telkens weer andere stukjes van hemzelf aan het licht en werd hij gevoed door nieuwe energie. Hij bekeek de recente gebeurtenissen in zijn leven nu anders. De pijnlijke momenten kwamen vaak weer boven, maar gezuiverd en verwerkt in de nieuwe man die er in hem was opgestaan.

In een jaar tijd was hij dankzij het maçonnieke ritueel wezenlijk veranderd.

De taxi stoof dwars door de binnenstad van Rome, die er op deze avond in mei opmerkelijk kalm bij lag. Je hoorde geen opgewonden geclaxonneer en de straten waren nagenoeg leeg, merkte Antoine. De chauffeur zette de radio aan en een ratelende mannenstem knalde door de auto. De uitzending leverde Antoine de verklaring voor de rust in de stad: het voetbalteam van Rome en een andere Italiaanse club speelden de halve finale.

Of liever gezegd: ze waren verwikkeld in een verheven strijd, een groots evenement dat de Eeuwige Stad in zijn ban hield.

De voetballiefde van de Italianen kennend, vroeg hij zich af hoe zijn broeders die konden rijmen met hun maçonnieke belofte, die het regelmatig bijwonen van de logebijeenkomsten eiste. Het moest sommige broeders soms voor een hartverscheurende keuze stellen. Hij dacht aan een vriend, een Achtbare Meester van een loge in Toulouse, die door de hel ging telkens als een bijeenkomst samenviel met een belangrijke wedstrijd in het stadion.

De Alfa hield even in voor een rood licht, de chauffeur keek snel links en rechts en scheurde door zonder zich te bekommeren om de overtreding. Ook de verkeerspolitie zat aan het televisiescherm gekluisterd.

Een langgerekt geloei galmde door de taxi, de verslaggever schreeuwde zijn longen uit zijn lijf. Marcas begreep dat Rome een doelpunt tegen kreeg. Zijn vermoeden werd bevestigd doordat de chauffeur vloekend op zijn stuur ramde en de wagen bijna liet slippen.

Marcas grinnikte en keek naar buiten. Ze waren net een symbolische plek in de Italiaanse hoofdstad overgestoken, de piazza Campo dei Fiori. Meer dan vijfhonderd jaar geleden was op die plek, op last van de paus, de filosoof Giordano Bruno verbrand. Hij zou een voorbeeldig kind van de Weduwe zijn geweest.

De tijden waren veranderd; hij dacht aan de drie Italiaanse prelaten, alle drie vrijmetselaar, die aandachtig naar zijn lezing hadden geluisterd. In andere tijden zou de katholieke Heilige Moederkerk de vreselijkste represailles voor hen in petto hebben gehad.

Er bleven nog wel een paar gevoelige punten over. Overeenkomstig een pauselijke beschikking van 1984, mogen vrijmetselaren wel de mis bijwonen, maar ze mogen niet ter communie gaan.

Marcas had daar geen problemen mee – hij ging allang niet meer naar de kerk –, maar hij wist dat veel van zijn vrienden, vooral mensen uit meer deïstische obediënties, gebukt gingen onder die uitsluiting. Weer zo'n vergissing van de profanen, peinsde hij, om te denken dat alle vrijmetselaren papenvreters zijn. Natuurlijk blijft secularisatie een van de pijlers van de Grand Orient de France, maar er zijn meer geloofsovertuigingen in verenigd dan men zou denken.

Hij werd uit zijn overpeinzingen gehaald toen aan het einde van de straat het palazzo Farnese opdoemde. Vanuit de verte leek het of er binnen duizend vuren brandden, op het gazon geplaatste projectoren belichtten schitterend de hoge stenen zuilen onder de geveldriehoek van het gebouw. Voor de hoge gietijzeren hekken reden dure auto's af en aan.

Werktuigelijk voelde Antoine in zijn binnenzak of hij de uitnodiging nog bij zich had. Het was hem nog nooit gelukt om van zijn manie af te raken voortdurend de inhoud van zijn zakken te controleren.

Hij genoot intens van de tegenstellingen in zijn leven. Een kwartier geleden hield hij nog een serieuze voordracht in een plechtige omgeving, over nauwelijks tien minuten zou hij zich overgeven aan futiliteiten en ijdelheden in een weelderig paleis. En binnen twee dagen zou hij weer in zijn haveloze commissariaat in Parijs zitten.

Aanschuivend in de indrukwekkende file auto's, waarvan de meeste met chauffeur, stopte de taxi een meter of vijftig voor de ingang van de Franse ambassade. Antoine betaalde de chauffeur, die zo leed onder Romes onafwendbare nederlaag op het groene veld van eer, dat hij nauwelijks opkeek.

Een zacht briesje uit het zuiden streek door de bomen voor de diplomatieke vertegenwoordiging. De vaak nog frisse avonden in dit jaargetijde waren een laatste adempauze voor de zomer die, als je de oude Romeinen moest geloven, snikheet zou worden.

Antoine meldde zich bij een veiligheidsagent in een grijs pak, een zwarte das op een wit overhemd, en met een discreet oortje in. Hij was een karikatuur van de Amerikaanse veiligheidsagent, stijl 'Man in Black' of de CIA-agent uit een spectaculaire actiefilm.

Marcas toonde zijn zilverkleurige uitnodiging en zijn identiteitskaart aan de bewaker, die hem uit de hoogte van zijn één-meter-negentig bekeek en hem zwijgend liet doorgaan.

Hij had nog nauwelijks voet op het gazon gezet toen een jonge hostess in een blauw pakje, met twee andere genodigden, aantrekkelijke vrouwen van rond de veertig, naar hem toe kwam en hem uitnodigde haar te volgen naar het paleis.

Marcas liet zich gewillig op sleeptouw nemen. De avond begon goed.

5

Jeruzalem, Israël,
Instituut voor archeologische studies,
8 mei, 's nachts

Sinds begin mei had Marek geen zin om 's avonds naar huis te gaan, hij bleef liever tot diep in de nacht in het laboratorium werken, met de ramen open vanwege de geur van de blauweregen in de tuinen van het Instituut.

De lokalen dateerden nog uit de tijd van de Engelsen. In een langwerpig gebouw van rode baksteen herinnerden hoge plafonds aan de verloren grootsheid van het eens zo machtige Engelse rijk. Toen bood het Instituut ook al onderdak aan specialisten in Bijbelse archeologie. Parker en na hem Albright hadden, gefascineerd door de eeuwenoude geheimen, de eerste opgravingen in Jeruzalem verricht.

Marek kon zich geen dierbaardere plek voorstellen. De ouderwetse, haveloze omgeving zette hem aan het dromen wanneer hij zijn werk even onderbrak; zijn kantoortje diende trouwens zo langzamerhand als opslagruimte voor zijn herinneringen.

Zijn getypte, vergeelde en verkreukelde proefschrift van vijftig jaar geleden lag naast de afgebladderde hockeystick die een aandenken was aan een verblijf in Amerika. Dat was al heel lang geleden. Marek herinnerde zich nog goed zijn wedergeboorte, in de lente van 1945. Hij was als levend lijk uit het concentratiekamp Dachau bevrijd en had zichzelf gezworen om het vervloekte Europa te verlaten en ergens anders een nieuw leven te beginnen.

De jonge timmerman uit Versailles had, dankzij financiële steun van het Joods agentschap, een overtocht geboekt op een vrachtschip dat naar New York voer. De kennismaking met dat ongelooflijke land waar geen antisemitisme heerste, was een schok voor hem. Hij greep de kans aan van beroep te veranderen, om eindelijk intellectuele kennis te vergaren en door de studie van Hebreeuwse archeologie de geschiedenis van zijn volk te leren kennen. Hij had zijn studie zelf bekostigd door parttime te werken als timmerman voor rijke families aan de oostkust die hun oude huizen lieten opknappen. Bij een van die klussen was hij verliefd geworden op een meisje uit een patriciërsfamilie uit Boston. De idylle liep op de klippen toen zijn uitverkorene hem opbiechtte dat haar ouders nooit toestemming zouden geven voor een huwelijk met een Jood. Marek kwam tot de ontdekking dat hij ook hier nooit echt thuis zou horen.

In de jaren 1950 besloot hij naar Israël te emigreren. Hij had toch kind noch kraai. Tien jaar na zijn eerste Atlantische oversteek, maakte hij de tocht een tweede keer, maar nu in omgekeerde richting en reisde hij naar Israël waar hij zich vestigde. Het was in zekere zin zijn derde geboorte, want hij had zich direct thuisgevoeld in dat nieuwe en tegelijkertijd zo oude land. In de loop der jaren werd hij een van de grootste specialisten op het gebied van de Bijbelse geschiedenis en het type van de wijze, grappige oude geleerde.

Het was doodstil in het Instituut, dat nu enkel werd bevolkt door spoken uit het verleden. Marek streek zijn baard glad terwijl hij zichzelf bekeek in de spiegel die op zijn bureau lag. Met het klimmen der jaren was hij steeds meer op een stoïcijnse aartsvader gaan lijken. Hoewel zijn ogen zich soms vulden met tranen als hij op de televisie beelden zag van de lijken uit de bussen die waren opgeblazen door de zelfmoordenaars van Hamas. En ook als hij in de ogen van Palestijnse kinderen dezelfde haat las als hij in zijn jeugd had gevoeld voor de Duitsers, hoe ongepast de vergelijking ook leek.

Sinds de Engelsen was er veel veranderd in het Instituut en in het vak archeologie. De meeste zalen stonden nu vol met meetapparatuur. Scheikunde, natuurkunde, mineralogie en zelfs de geschiedenis van het klimaat maakten deel uit van het arsenaal van methodes waarmee de geheimen uit het verleden werden gekraakt. Het kleinste kiezeltje, het nietigste stukje weefsel, vormde tegenwoordig een uitgebreide gegevensbank voor de onderzoekers.

Ze putten er een haast oneindige hoeveelheid informatie uit. Het leverde een massa heterogene data op waarvan het alsmaar moeilijker werd om er structuur in te zien. Dat was een taak die, zoals vanavond, toekwam aan Marek.

In de tuin werd de sproeier aangezet. De Palestijnse klusjesman was net gearriveerd. Marek hoorde hem in het prieel bezig met de tuinschaar.

Zuchtend keerde hij terug naar het dossier dat voor hem lag.

Tweehonderdveertig A4'tjes met enkele regelafstand. Vijf onderzoeksrapporten. Vooral de afdelingen geologie, scheikunde en microarcheologie hadden zich erg uitgesloofd met een opeenstapeling van diagrammen en bronverwijzingen.

Ze hebben zeker echt niets anders te doen, bedacht Marek. Maar de reden voor zijn bitterheid lag elders. Al sinds de oprichting had het Instituut de opdracht om de echtheid na te gaan van alle archeologische stukken die het kreeg aangeboden.

Alle, min of meer deskundige, liefhebbers, antiekhandelaren, om nog maar niet te spreken van de dwepers, stonden te trappelen om een certificaat van echtheid in de wacht te slepen dat soms miljoenen dollars waard was.

Dat was ook het geval bij Alex Perillian, een Libanese Armeniër die al dertig jaar lang voor zijn rijke buitenlandse clientèle de ondoorzichtige markt van illegale archeologische objecten afschuimde. Perillian stond bekend vanwege zijn goede relaties met Palestijnen én Joden en zijn legendarische buikpartij werd regelmatig gesignaleerd in de moslimdorpen in Gaza, waar hij op zoek ging naar vazen, beeldjes en andere objecten die het stempel van de tijd droegen.

Als er in een familie een antiek voorwerp opdook werd hij via een heel netwerk van louche contactpersonen gewaarschuwd. Meestal gebeurde dat na een overlijden. De nabestaanden probeerden dan een historisch voorwerp dat ooit door de ontslapene was gevonden tegen een goede prijs van de hand te doen. Over het algemeen waren het maar povere vondsten, maar Perillian kwam altijd kijken en kocht handje contantje, omdat hij wist dat men de minste stukken het eerst probeerde te slijten. Als daarmee het vertrouwen was gevestigd, verdween soms een gesluierde vrouw even naar achteren en kwam terug met de interessantere vondsten die voorzichtig in doeken waren gewikkeld. Zo was Perillian ook aan de nu voor Marek op een stuk linnen uitgestalde steen van Thebbah gekomen. Hij had de steen voor honderd dollar gekocht van een familie van geitenboeren en hem aan het Instituut van Marek aangeboden voor twintig keer die prijs, plus nog een bonus van drie keer dat bedrag als de ontcijfering een interessante tekst opleverde.

Aanvankelijk was de oude geleerde heel argwanend geweest toen de Armeniër hem de vondst kwam tonen. Het was niet voor het eerst dat verzamelaars of handelaren hem zo'n schrijftablet brachten. In september 1990 had Marek al zijn oordeel moeten vellen over de analyse van net zo'n steen, die van Nolan.

Het was een stuk van buitengewoon groot archeologisch belang, want hij vermeldde heel nauwkeurig alle reparaties die ooit waren uitgevoerd in de tempel van Salomo. Zijn collega's Ilianetti en Ptioraceck waren al tot de conclusie gekomen dat de tablet echt was. De scheikundige analyse van de steen liet een ongewoon hoog gehalte aan gouddeeltjes zien. Die deeltjes konden afkomstig zijn uit goud in afzettingsgesteente en dus uit Jeruzalem.

De zaak had indertijd in Israël heel wat opschudding veroorzaakt. De wetenschappelijke wereld speculeerde opgewonden over de herkomst van het object en de religieuzen beschouwden de steen van Nolan al als een heilig relikwie. Politieke leiders probeerden budgetten los te weken om het bijzondere stuk te kunnen aankopen en het bij uitstek nationale overblijfsel uit de gezegende tijd van het grote Israël aan de wereld te tonen. Iedereen was door het dolle heen tegen de tijd dat Marek zich opsloot in zijn laboratorium om een kunstje uit te halen.

Nog geen week later kwam het bericht dat er nog een tweede steen was gevonden die in alle opzichten identiek was aan de eerste. De steen werd toevertrouwd aan dezelfde groep wetenschappers die de vorige hadden onderzocht en die verklaarden ook nummer twee voor echt. Toen verscheen het artikel van Marek, waarin hij niet ongeestig uitlegde hoe hij de steen had vervalst die door de hele wetenschappelijke gemeenschap als echt was erkend.

Om elk spoor van eigentijdse stofdeeltjes te vermijden had hij oude instrumenten gebruikt voor het graveren van een steen die afkomstig was uit een oude aardlaag. Vervolgens had hij met een gewone verfspuit fijn zand op de steen gespoten. Hij had een stukje van de steen in een oude vijzel verbrijzeld en er ultrasonoor fijn poeder van gemaakt, daarna had hij alles gemengd tot een waterige brei.

Voor het aanbrengen van de goudsporen hadden een eenvoudige gasbrander en een oude trouwring volstaan om de hele oppervlakte van de steen met gouddeeltjes te besprenkelen. Wat betreft de definitieve en onweerlegbare datering hadden een paar scherfjes houtskool in kalkafzetting afkomstig uit een echte opgraving de grootste specialisten om de tuin geleid. Sindsdien werd Marek geraadpleegd voor alle archeologische vondsten van nationaal belang.

De oude geleerde kon zijn bloeddoorlopen ogen niet afhouden van de relikwie van Thebbah op zijn bureau. Van meet af aan, nog voor de voornaamste proeven die dat moesten bevestigen, was Marek er zeker van geweest dat deze ingekraste steen onbetwistbaar echt was. Hij was te zuiver en te zinderend van oergeschiedenis. Gewoonlijk wantrouwde hij zijn gevoel en volgde hij in zijn werk liever de rede, maar nu werd hij overvallen door iets ondefinieerbaars als hij keek naar dit... ding. Hij voelde dat dit stuk steen een waarheid bevatte die duizenden jaren teruggging. Een boodschap die er in een onheuglijke tijd aan werd toevertrouwd door een hand waarvan het gebeente al lang was vergaan in het stof der tijden.

De steen van Thebbah, keurig uitgestald op een stuk ongebleekt linnen, sprak onhoorbaar tot hem. Tweeënzestig bij zevenentwintig centimeter, afgebroken aan de linkerhoek. Op het laatste ontbrekende stuk na, was de tekst goed leesbaar gebleven; gelukkig toeval of de goede zorgen van mensen hadden de steen beschermd tegen de tand des tijds.

Doorgaans las Marek voordat hij begon aan de vertaling van een gegraveerde tekst, eerst de conclusies van het technische en archeologische onderzoek. Als die analyses wezen op mogelijke fouten of vergissingen, wilde hij dat graag weten voordat hij zich waagde aan een historische interpretatie.

Zulke oude teksten waren inderdaad heel zeldzaam en sinds de ontdekking van de Dode Zeerollen was de staat Israël, net als alle grote monotheïstische godsdiensten, zeer beducht voor nieuwe ontdekkingen die zijn fundamenten konden ondergraven.

Voor de zoveelste keer betreurde Marek zijn beslissing te stoppen met roken. Eén sigaret maar, alvorens het dossier open te slaan, gewoon om zijn gedachten te ordenen en zijn geest te scherpen! Hij had voorgoed van dat genot afgezien toen hij vijftig werd. Het was een weddenschap die hij dikwijls betreurde, maar die hem in elk geval zijn reukvermogen had teruggegeven.

Juist nu drong de sterke geur tot hem door van de blauweregen onder het raam van het laboratorium, die Ali net had gesnoeid. Marek ademde diep in en ging aan het werk.

Twee uur later kwam hij toe aan de conclusies die de onderzoeker had samengevat op een pagina die hij aandachtig las.

Door mineralogisch onderzoek op drie verschillende staaltjes, kon worden vastgesteld dat de zogenaamde steen van Thebbah bestaat uit een zwarte zandsteen uit het cambrium. Dat werpt vragen op betreffende de vindplaats. De tussenpersoon heeft daarover geen bruikbare informatie kunnen aandragen en gaf alleen aan dat de steen al verschillende generaties lang in het bezit was van de familie van de verkoper.

Op het historische grondgebied van Israël komen drie geologische regio's in aanmerking als vindplaats: het zuiden van Israël, de Sinaï of het Jordaanse gebied ten zuiden van de Dode Zee.

De analyse van het patina op zeven staaltjes toonde sporen aan van siliciumdioxide, aluminium, calcium, magnesium en ijzer, maar ook houtsporen. Die laatste deeltjes werden onderworpen aan de C14-koolstoftest, waardoor het patina werd gedateerd op 500 (+ of - 40 jaar) voor Christus.

Als deze datering door aanvullende analyse wordt bevestigd, zou deze gegraveerde steen te plaatsen zijn in de tijd van de reconstructie van de Tempel van Salomo.

Marek hield op met lezen. De Tempel van Salomo. Een heilige plaats voor de Joden, gebouwd door de legendarische koning die er de Ark des Verbonds en de Stenen Tafelen der Wet in onderbracht. De tempel werd verwoest door de wrede koning Nebukadnesar, herbouwd met toestemming van de Perzische koning Cyrus en verfraaid door Herodes tijdens de Romeinse bezetting.

De eerste herbouw van de Tempel van Salomo in 520 voor Christus, was een keerpunt in de geschiedenis van het jodendom.

Voor alle Joden in de wereld is deze historische episode van grote symbolische waarde en alles wat ermee te maken heeft krijgt bovenmatig veel aandacht. Marek woog de steen van Thebbah op zijn hand. Als hij werkelijk echt zou zijn, dan had hij de jackpot gewonnen. Alle musea ter wereld, alle particuliere verzamelaars en vooral de staat Israël zouden vechten om die enige en unieke steen. Er zou een nietsontziende competitie losbranden, waarbij gesmeten zou worden met honderdduizenden dollars, om die archeologische schat in handen te krijgen.

Van zoveel geld sloeg Mareks fantasie op hol.

Hij zuchtte, geld had per saldo weinig belang, aangezien hij verantwoording had af te leggen aan een oude vriend. Aan zijn logebroeder Marc Jouhanneau, die de enige zoon was van zijn in het concentratiekamp Dachau omgekomen medegevangene. Henri Jouhanneau had net voordat hij door de nazi's werd vermoord op het punt gestaan een verloren gegane waarheid te ontdekken. Zijn zoon voelde het als een plicht om de zoektocht van zijn vader voort te zetten.

Marek verwachtte een protegee van Marc met documenten die onmisbaar waren voor de ontcijfering van de boodschap van de steen van Thebbah. Hij had na het telefoontje van Marc daarover de naam van de vrouw op een papiertje gekrabbeld. Sophie Dawes.

Sophie... Sophia... De naam die 'wijsheid' betekent. Dat was een goed voorteken.

Marek zou haar de volgende avond ophalen van de luchthaven Ben Goerion, waar ze aankwam vanuit Rome, en haar naar het King Davidhotel brengen, het beroemdste hotel van de stad. Dan pas kon hij de documenten inkijken.

Ondanks zijn hoge leeftijd was hij zo ongeduldig als een puber die voor het eerst verliefd is. Het raadsel was bijna opgelost en de deur naar het weten stond op een kier. Toch was hij ook onzeker: wat kun je nog van het leven verwachten als zo'n gedreven zoektocht ten einde komt...? En wat als de zin van mysteries nu juist is dat ze nooit ontcijferd moeten worden, vooral niet het raadsel van de steen die door zoveel beschavingen heen was doorgegeven?

Door een angstig voorgevoel bevangen staarde hij naar de relikwie. Kon hij niet beter hier stoppen om geen slapende demonen te wekken?

Hij huiverde ondanks de benauwde hitte en begon de overzetting van de inscripties te lezen.

De tekst van Thebbah leverde inderdaad een enorm historisch raadsel op.

6

Rome,
de Franse ambassade in het Palazzo Farnese,
8 mei 2005

Frankrijk huisvest haar ambassadeurs in den vreemde doorgaans in panden die de grandeur van het land eer aandoen en de Franse ambassade in Rome is zonder twijfel de parel in de kroon.

Palazzo Farnese... de naam alleen al doet dromen van een lang vervlogen periode van ongehoorde luister: het Italië van de renaissance, met de vorstelijke beschermers van de kunsten, de libertijnse kardinalen en de handige courtisanes voor wie de kerkvorsten hun zielenheil op het spel zetten.

Het paleis werd gebouwd in de zestiende eeuw als residentie van de Farneses, een steenrijke familie uit Latium, die er prat op ging een paus, Paulus III, in haar stamboom te hebben, maar ook diens zoon, een notoire ongelovige en een huurling die werd geëxcommuniceerd vanwege zijn voorliefde voor plundering en verkrachting.

Michelangelo tekende voor het ontwerp van het plafond van de grote zaal op de eerste verdieping, terwijl Voltera en Carrachio de monumentale muurschilderingen maakten, onder andere die van Perseus en Andromeda, die een hoogtepunt uit de kunstgeschiedenis vormen.

De smaak van de familie Farnese weerspiegelde prachtig de ijdelheid van die periode en het soort zelfingenomenheid dat soms nog te lezen staat in de ogen van afstammelingen van de Romeinse dynastieën.

Ironisch genoeg waren de Fransen, die nu de eigenaren van het paleis waren, ook de eerste en laatste schenders ervan. De kanonniers van de Franse generaal Oudinot schoten in 1848 een deel van het gebouw in puin. Het was de enige wanklank in de liefdesgeschiedenis tussen Frankrijk en het paleis dat onder de Franse koningen de zetel was van hun diplomatieke diensten in Italië; een van de ambassadeurs was een broer van Richelieu.

Frankrijk voelde zich dus niet alleen thuis op deze plek, maar was intiem betrokken geweest bij de eeuwenoude en tumultueuze geschiedenis van het paleis.

Gelach en gepraat vermengden zich onder de betimmerde plafonds van de grote ontvangstzaal. De receptie ter gelegenheid van de zestigste verjaardag van het einde van de Tweede Wereldoorlog was een groot succes.

Pierre, de hoofdbutler, zag met stille voldoening hoe de gasten zich verdrongen rond de buffetten die verspreid door de zaal waren opgesteld. Voor de zoveelste keer was hij in zijn opdracht geslaagd: de smaakpapillen van de gasten te verleiden tot meerdere glorie van de ambassadeur en dus van Frankrijk.

Hij placht zijn medewerkers bij te brengen dat de keuze van de hapjes voor een lopend buffet een even exacte wetenschap was als de samenstelling van een klassiek diner.

Een tikje zelfingenomen noemde hij zijn methode: de archipel. Uitgaande van het principe dat buffetten op lange aaneengesloten tafels vreselijk achterhaald waren, had hij gekozen voor een veelheid van eeteilandjes.

Er moest maar één probleem worden vermeden, namelijk het ontstaan van enclaves: een licht buffet hier, een buffet voor grote eters daar, en een derde tafel verderop voor de liefhebbers van exotische hapjes.

Vrouwen bijvoorbeeld waren geneigd zich op de dieethoek te storten, terwijl mannen vooral werden aangetrokken door stevige kost.

Zo'n scheiding veroorzaken was een dramatische vergissing, want voor een geslaagde receptie moesten de geslachten kunnen mixen. Wat voor zin had het om de aantrekkelijkste vrouwen uit de Romeinse high society uit te nodigen als ze bleven samenklitten bij de sushi's?

Zoiets zou zelfs de meest serieuze mannen ontgoochelen en het zou de sfeer bederven. De reputatie van de beroemde Franse gezelligheid zou een gevoelige deuk oplopen.

Dus had Pierre vijf eilandjes gemaakt, met bergen foie gras uit de Périgord, met Pata-Negra hammen uit Sevilla die voor de gasten werden aangesneden, een keur van koud vlees en Corsicaanse vleeswaren.

Op de dieethoek stonden schalen met sushi's en yaki-gerechten, manden met knapperig verse groenten en cassolettes van bladgroenten. Naast elk eiland schonk een kelner verfrissingen. In overeenstemming met de tijdgeest was de alcoholische keuze beperkt gehouden, maar champagne bleef nog steeds van grote betekenis, vooral de Taittinger millésimé.

Pierre stelde tevreden vast dat de dames volmaakt evenwichtig waren verdeeld over de eilanden, en dat was een prima teken. Licht en harmonisch fladderden avondjurken in alle kleuren tussen de zwarte smokings.

De Romeinse vrouwen waren heel apart, bedacht hij terwijl hij een prachtige brunette bekeek die sierlijk een roze sashimi at. Hij zou zweren dat haar okergele en karmijnrode jurk bij Lacroix op het Vendittiplein was gekocht.

Op zijn post in Berlijn, drie jaar geleden, had hij vreselijk de pest gehad aan de Siciliaanse-weduwestijl, de strenge zwarte jurken waarmee Duitse vrouwen bijna alle officiële avondjes in een soort rouwbeklag veranderden.

Een ander voordeel van de eetarchipel was dat de gasten hun potentiele gesprekspartners discreet konden observeren alvorens hen aan te spreken met inachtneming van de diplomatieke zeden en gewoonten. Hij zag de militaire adviseur van de VS keuvelen met zijn Libische ambtgenoot, terwijl de culturele attaché van Israël, in feite de tweede man van de Mossad in Italië, volledig leek op te gaan in een gesprek met de Jordaanse afgevaardigde bij de OESO, die in haar glorietijd de onweerstaanbare maîtresse van de internationale terrorist Carlos was geweest.

Rondom de buffetten werd geanimeerd geconverseerd en de ambassadeur speelde zijn rol van gastheer door alle eilandjes aan te doen.

Barokmuziek werd afgewisseld door de lage stem van de Amerikaanse zangeres Patricia Barber.

Pierre kende de opname, een heel trage uitvoering van *Thrill is gone*, de betovering is verbroken. Hij keek op zijn horloge: de avond kwam pas op gang, voor drie uur in de ochtend zou hij zijn bed zeker niet zien.

Hij zuchtte. Nu de voldoening over het slagen van zijn opdracht was geweken en het feest zich zonder verrassingen voortzette, moest hij erop toezien dat de lege borden werden opgeruimd en dat de gasten niet voor de buffetten hoefden te wachten. Als er bij een eiland te veel drukte was, stuurde hij onopvallend een extra kelner om het tempo van de bediening op te voeren.

Het buffet onder het schilderij van Caravaggio leek meer in trek dan de andere eilanden, er begon zich een rij te vormen. De extra krachten, overwegend Franssprekende studenten die voor de avond waren ingehuurd, waren allemaal al druk bezig.

Hij besloot nog een serveerster uit de keuken in te zetten. Boven aan de trap die naar de keukens voerde zag hij Jade, de lange, blonde, jongensachtige vrouw die het hoofd van de veiligheidsdienst van de ambassade was, druk in gesprek met een Italiaanse acteur.

Hij keek weg. Het zien van die vrouw bracht een schrijnende nederlaag in herinnering; ze had hem ruw afgewezen na een zielige poging haar te versieren. De dame was zo kieskeurig dat ze slechts in was voor avontuurtjes met twee soorten kerels: mannen met het uiterlijk van een Brad Pitt of een Keanu Reeves, of hoogbegaafde intellectuelen.

Pierre moest bekennen dat hij geen van beiden was. De natuur had hem slechts bedeeld met organisatietalent, wat bij het versieren van vrouwen een zeer beperkte troef was.

De hoofdbutler duwde de klapdeuren van de keuken open. Voor de verandering kwam hem geen enkele geur tegemoet, aangezien het buffet was geleverd door een trendy traiteur. De koks hadden zelfs de avond vrij moeten nemen.

Hij wilde net rechtsomkeert maken, toen hij een van de uitzendkrachten op haar hurken in een versleten linnen tas zag rommelen.

Pierre sloeg zijn meest autoritaire toon aan: 'Direct meekomen, je bent nodig bij een van de buffetten.'

De jonge vrouw keek gejaagd op. 'Ja, maar...'

'Wat maar?' vroeg Pierre geërgerd.

Hij gaf niet graag twee keer een zelfde bevel, maar hij hield zich in vanwege de helderblauwe, amandelvormige ogen van de serveerster, die door de verwijde pupillen nog extra licht leken.

'Ik dacht dat ik een rat in mijn tas zag kruipen,' stamelde het meisje, wier korte blonde haar achter haar oren was gekamd.

Pierre bekeek haar met gespeelde verontwaardiging, bijna geamuseerd.

'Dat meen je toch niet? Zolang ik werk heb ik hier nog nooit een rat gezien. Schiet op, ga in de zaal helpen.'

Rood van schaamte liep de jonge vrouw zonder nog iets te zeggen naar de ontvangstzaal. Hij zag dat ze tamelijk lang was, zeker een meter tachtig. Waarschijnlijk was ze een Scandinavische studente, hoewel je moest uitkijken met stereotyperen; ook mensen uit Noord-Italië hebben soms van dat honingkleurige haar.

Even speelde Pierre met de gedachte om er de volgende dag iets van te zeggen tegen het uitzendbureau, maar omdat het kind nog zo jong was besloot hij het erbij te laten.

Op het dientafeltje bij het fornuis stonden een halflege fles champagne en een gebruikt glas. De dienster had zeker stiekem staan drinken en het rattenverhaal opgedist om zich eruit te redden.

Pierre vond dat hij best even rust verdiend had en ging op een kruk zitten. Tenslotte was hij al vijf uur in de benen. Hij schonk zichzelf ook een glas in en zette de champagnefles zorgvuldig weg. Mooi gezicht zou dat zijn als hij daarmee betrapt werd.

Hij stond al droog sinds hij bij zijn laatste thalassotherapie had besloten om geen druppel meer te drinken. Hij ontdekte dat de serveerster haar tas had neergezet voor een vuilnisbak in de hoek.

Ratten, wat een debiel excuus!

De tas van het meisje was een smet in de ordelijke keuken. De butler keek er chagrijnig naar en besloot het ding op te bergen; hij verdroeg geen rommel.

Commissaris Antoine Marcas begreep dat hij had geblunderd bij zijn gesprekspartner. Een vriend van hem, een voetbalfanaat, noemde het een 'dribbel te veel' wanneer een overmoedige speler, in plaats van de bal af te geven, zo stom was de verdediging van de tegenpartij te willen doorbreken, wat hem natuurlijk op balverlies kwam te staan.

De jonge vrouw keek hem nu aan met onverholen minachting en mat hem met dezelfde blik als het toastje ansjovis dat ze grimassend opat.

'Helaas voor u bestaan er nog vrouwen die geen man nodig hebben om bevredigd te worden.'

Ze draaide zich om en liep naar een ander buffet.

Zichzelf verwensend dronk Marcas zijn champagne op. Een halfuur eerder had hij haar zien staan, toen ze alleen en met haar blik op oneindig toastjes stond weg te werken. Na een paar keer naar elkaar te hebben geglimlacht, kwamen ze naast elkaar aan hetzelfde buffet te staan en waren ze in gesprek geraakt over de schoonheid van het palazzo Farnese.

Sophie Dawes, als archivaris en boekhandelaarster gespecialiseerd in oude manuscripten, was even in Rome voor een bezoek aan haar vriendin die op de ambassade werkte.

Het gesprek verliep gesmeerd, maar helaas had Marcas zich niet kunnen inhouden om een grapje te maken over twee vrouwen die een beetje achteraf gezeten kennelijk genoeg hadden aan elkaars gezelschap.

Hij was zo stom geweest om, hoewel in keurige termen, te zeggen hoe droevig hij werd van die twee aanhangsters van Sappho, in een stad vol met jonge Italiaanse mannen die zich met liefde zouden opofferen.

Halverwege zijn seksistische boutade troffen hem de dodelijke blikken van Sophie. Uitgerekend hij, die erotische vulgariteiten verfoeide, had zich gedragen als een macho van de ergste soort, terwijl hij bovendien de seksuele voorkeur van de vrouw zelf niet kende.

Marcas keek op zijn horloge. Na deze onvergeeflijke flater kon hij maar beter zijn biezen pakken en zijn hotel opzoeken. Morgen werd nog een lange dag, als hij ook nog naar de bibliotheek van de loge Cagliostro wilde. In zijn haast om weg te komen vergat hij bijna afscheid te nemen van zijn vriend, Alexis Jaigu, de militaire adviseur van de ambassade, die hem hier had uitgenodigd.

Hoe dan ook, recepties op ambassades deden Marcas altijd denken aan een reclamespot voor Italiaanse chocolade die in de jaren negentig erg populair was op de Franse zenders.

Hij aarzelde toch nog even. Als hij nu wegging zou hij nooit meer zoveel mooie vrouwen per vierkante meter vinden. Marcas had graag een romantische noot willen toevoegen aan zijn uitstapje naar Rome. Hij was wel fel tegen de gemengde vrijmetselaarsloge, maar hij hield van het gezelschap van vrouwen.

Toen hij nog getrouwd was had zijn ex zijn argumenten al achterlijk genoemd. Als hij het bestaan van vrouwenloges aanvoerde, scherpte dat alleen maar haar opvattingen die waren gesmeed in een wereld waarin gemengd samenleven de norm was; alleen kleedkamers van sportclubs en zwembaden ontsnapten nog aan dat dictaat.

Hij wist donders goed dat zijn behoudzucht onbegrijpelijk was voor profanen, voor wie dit een vorm van segregatie was, gebaseerd op de opvatting dat vrouwen minder waard zouden zijn dan mannen.

'Zo, Antoine, vermaak je je een beetje? Dat is nog wat anders dan je Parijse politiepost, hè?'

Marcas schrok op; hij had zijn vriend Alexis niet zien aankomen.

'Het gaat wel. Maar doe me een lol en zoek een vrouw voor me die nog wel van mannen houdt.'

Alexis vormde met zijn vingers twee rondjes en zette die als een verrekijker voor zijn ogen. De kapitein-ter-zee, die gedetacheerd was bij de militaire inlichtingendienst, straalde een aanstekelijk enthousiasme uit.

'Grote blonde op twee uur, hitsige rode op zes uur. De doelwitten lijken geïsoleerd en niet geëscorteerd door patrouillevaartuig. De blonde is marketingdirectrice bij de bank San Paolo, de rooie is adjunct van de baas van een Israëlische firma die rommelt met wapenverkoop naar ontwikkelingslanden.'

'Niets voor mij. Heb je niet een klassieker modelletje, schilderes, danseres, kortom: een beetje... artistieker?'

'Kan geregeld worden, voor een kleine tegenprestatie. Niets belangrijks, trouwens.'

'Vertel op.'

Alexis Jaigu pauzeerde even om een toastje met foie gras naar binnen te werken en ging door met een lichte aarzeling in zijn stem. Hij had behoorlijk wat gedronken, en zijn ogen schitterden.

'Ik zou graag willen weten of de ambassadeur er een is...'

Marcas keek zijn vriend verbaasd aan.

'Of hij wat is..? Homo? Reken niet op mij om dat uit te zoeken. Ik mag je graag maar er zijn grenzen die ik niet overschrijd, zelfs niet uit vriendschap.'

'Welnee. Of hij vrijmetselaar is, net als jij!'

De politieman verstarde en zei kortaf: 'Zoals je misschien al gemerkt hebt zit in "vrijmetselaar" het woord "vrij". Ik ben zo vrij om hier niet op te antwoorden. Vraag het hem zelf maar.'

'Ben je gek? Ik heb geen trek om naar Parijs terug te moeten of te worden afgevoerd naar een consulaat in een godvergeten uithoek van Afrika. Ik kijk wel uit, jullie broeders zijn veel te machtig. Ik vroeg het je gewoon maar. Jullie hebben toch een geheime code onderling? Je weet wel, dat met die handdruk en die bepaalde manier om iemand pols vast te pakken.'

Marcas moest altijd diep zuchten als hij weer zulke onzin te horen kreeg. Duistere invloed, herkenningstekens, dat soort flauwekul. Hoe vaak had hij bij het handen schudden zijn polsen al niet moeten laten bevingeren door profanen die te veel over de vrijmetselarij hadden gelezen.

Jaigu had hem altijd al geplaagd met zijn lidmaatschap van de loge, maar nu vroeg hij hem iets waar hij niet op in kon gaan.

'Sorry, dat kan ik niet.'

'Zeg dan dat je het niet wilt, Antoine. Hoelang kennen we elkaar nu al... ruim vijftien jaar en jij beschermt liever de ambassadeur, die een volslagen onbekende voor je is? Zie je wel dat jullie elkaar de hand boven het hoofd houden.'

Marcas had geen zin in discussie te gaan met zijn vriend die duidelijk een slok op had. Hij kende hem maar al te goed. De volgende dag zou Jaigu zich in alle bochten wringen om hem de aanvaring te doen vergeten.

'Hou op, Alexis, ik ga weg. Ik ben nogal moe. Laten we morgen verder praten.'

De militaire adviseur voelde dat hij te ver was gegaan.

'Nee, ik dring niet meer aan. Om het goed te maken stel ik je voor aan twee geweldige actrices die naar ons snakken.'

Hij pakte Antoine bij de schouder en duwde hem richting terras. Ze passeerden daarbij groepjes andere gasten, zijn vriend groette links en rechts mannen en vrouwen die hij voorstelde aan Marcas, die alle ronkende titels onmiddellijk weer vergat. De fijne kneepjes van de diplomatieke etiquette lieten hem koud. Net voor hij het terras betrad, zag hij Sophie Dawes de trap naar de eerste verdieping op lopen, in gezelschap van een blonde vrouw met schitterende benen. Hij betrapte zich erop dat hij zich probeerde voor te stellen wat die twee jonge vrouwen daarboven gingen doen... ongetwijfeld in extase raken voor de schilderijenverzameling.

7

Jeruzalem,
de avond van 8 mei

Alex Perillian woonde in de oude stad van Jeruzalem. Dat was een gevaarlijke luxe, gezien de preventieve acties van het Israëlische leger en de bommenleggers van Hamas. Maar Perillian hield nu eenmaal van de wijk, die hem deed denken aan het Libanon uit zijn jeugd.

Hij hield van de hoge huizen met hun gesloten voorkant en hun onzichtbare binnenplaatsen. Als een echte oosterling kon hij daar urenlang vredig zitten genieten van de koelte en de stilte. Tot 's avonds laat zat hij te roken bij het flauwe licht van lantaarns en ontving hij vrienden en zijn Arabische buren, die gedempt keuvelden en klaagden over het barre, onrechtvaardige moderne leven, maar die zich altijd weer verlieten op de barmhartigheid van Allah, de rechtvaardige bestierder van het lot.

Hoewel hij van Armeense afkomst was en geboren in Beiroet had Perillian tot nu toe uitstekende betrekkingen met de buurt, waarbij hij ervoor zorgde het evenwicht te bewaren tussen de verschillende clans van de Palestijnse gemeenschap. Maar sinds enkele jaren was de sfeer aan het veranderen. De islamisten wonnen terrein en die verdroegen geen Joden, noch andere ongelovigen.

Ze beschuldigden Perillian ervan de Arabieren hun erfgoed afhandig te maken en het door te verkopen aan goddelozen, aan christenhonden, aan varkens. Sinds kort moest de Armeniër, zoals hij werd genoemd, zijn veiligheid zelfs afkopen. De naam van zijn volk spraken ze uit als een belediging, alsof ze hem zijn anders-zijn in zijn gezicht spuwden.

Over elke transactie betaalde hij een onderhandse belasting die hem, tenminste voor even, rust en veiligheid garandeerde. Zodra hij een interessant archeologisch object op het spoor kwam, moest hij een contactpersoon waarschuwen, die dan een niet gering percentage opeiste.

Zo had hij ook voor de steen van Thebbah een uitgebreid dossier overhandigd aan Béchir Al Khansa, bijgenaamd de Emir.

Béchir reisde nooit alleen en uitsluitend 's nachts. Op die manier ontliep hij de bewaking van de Israëlische inlichtingendienst die overal in Jeruzalem verklikkers had zitten. Hij had al lang geen vaste verblijfplaats meer en hij sliep, als hij daar al aan toekwam, in huizen die met zorg waren uitgekozen door zijn logistieke specialisten. Die vormden een meer dan efficiënte eenheid, die Hebreeuwse spionnen al heel lang probeerden te infiltreren.

Elke dag kreeg hij een lijst met drie verschillende locaties waar hij indien nodig zou kunnen onderduiken. Hij had maar te kiezen of hij zich wilde verbergen in een burgerwoning in de oude stad, in een barak van golfplaat in een vluchtelingenkamp of zelfs in een speciaal daarvoor gehuurde studio in een Joodse buitenwijk. Twee lijfwachten bewaakten hem permanent, en hij wisselde voortdurend van vermomming om een gerichte aanslag te voorkomen.

Die avond had Béchir een dun snorretje en droeg hij zo'n wit pak waar rijke Libanese handelaren dol op zijn. Het soort pak waarin je met een gerust hart kon aankloppen bij Alex Perillian.

Ondanks de hitte die opsteeg uit de oude stenen, bleven de twee mannen op de binnenplaats zitten. De lijfwachten bewaakten de voordeur. Béchir had een woedeaanval. Perillian had de steen van Thebbah niet meer.

'Allah, de meest Genadevolle, heeft ervoor gezorgd dat die steen werd gevonden. En jij hebt hem weer uitgeleverd aan die Joodse honden, die hem nu bezoedelen met hun ongelovige handen!'

Perillian haalde diep adem.

'Sinds wanneer hebben de eerbiedwaardige dienaren van de Profeet belangstelling voor een tablet die werd beschreven door de zonen van Zion?'

'Alles uit de grond van Allah, komt Allah toe. Waar is die steen nu?'

'Waar anders dan in het archeologisch laboratorium van Jeruzalem. De wetenschappers zijn hem aan het onderzoeken en als hij echt is, wordt hij heel kostbaar en jouw aandeel heel hoog.'

'Een ware dienaar van God laat zich niet in met het smerige geld van ongelovigen! Ik moet die steen hebben.'

Perillian voelde de dreiging en probeerde tijd te winnen met een leugen.

'Heb nog wat geduld. Zodra ze klaar zijn met hun onderzoek, krijg ik de steen terug. Dan kun je...'

'Moge God de zondaars verdoemen die zijn Licht niet willen zien! Niemand mag de betekenis van de steen doorgronden. Die Israëlische honden al helemaal niet. Begrijp je dat?'

'Maar ik kan niets doen!'

Béchir grijnsde breed.

'Jawel, je kunt gehoorzamen!'

Over zijn werktafel gebogen bekeek Marek voor de zoveelste keer de vertaling van de steen van Thebbah. Hij had net de tekst gedigitaliseerd en ingevoerd in Hebraïca. Schitterende software was dat, waarin alle oude Hebreeuwse teksten waren opgeslagen, van citaten van schrijvers uit de oudheid tot aan de meest recente archeologische vondsten.

Nog even en Hebraïca zou gaan draaien en zijn zoekmachine zou elk woord van het schrijftablet vergelijken met de opgeslagen teksten. Binnen enkele minuten maakte het programma een onweerlegbare grafiek van alle punten van overeenkomst tussen de bestaande teksten en deze nieuwe aanwinst. Hij gaf zelfs per geval de frequentie weer met betrekking tot de historische periodes. Dat was een onschatbare hulp om exact de ouderdom van een fragment te kunnen bepalen.

Terwijl de computer de vergelijkingen uitvoerde, bekeek Marek de steen. Hij had zijn leven gewijd aan het verleden van zijn land en bij elke nieuwe ontdekking hervond hij weer het enthousiasme uit zijn studententijd en de dromen van zijn jeugd. Als eerste te kunnen bekendmaken dat er weer een schakel was ontdekt in de lange keten die het uitverkoren volk verbond met zijn lot!

Maar nu ontdekte hij met ontzetting dat hij dit keer niet de eerste was.

In de rechterhoek van de steen had een onbekende hand een Latijns kruis gekrast met wijd uitlopende armen, zoals de zeilen van een oud zeilschip.

Marek stond op. Hij vond blindelings *History of the Crusades* van

Steven Runciman. Dat was de bijbel voor alle specialisten van de geschiedenis van het Midden-Oosten. Marek bezat de geïllustreerde editie. Na wat heen en weer geblader vond hij de reproductie van een oude tekening.

Geen twijfel mogelijk, het kruis op de steen was wat hij al vreesde: het achthoekige kruis van de Orde der Tempeliers.

Die orde was in 1119 in Jeruzalem gesticht door negen Franse ridders, die zich hadden gevestigd op de plaats waarvan men aannam dat daar ooit de tempel van Salomo had gestaan.

Als meester-vrijmetselaar kende Marek hun geschiedenis op zijn duimpje. Werd er niet beweerd dat de hoogste maçonnieke graden van de Tempeliers afstamden? Marek was wetenschapper genoeg om dat verhaal af te doen als een legende.

Het kruis danste voor zijn ogen. Wat hadden de Tempeliers met deze steen te maken? Bijna had hij Marc Jouhanneau gebeld om hem zijn ontdekking te vertellen. Maar hij zag dat het al een uur 's nachts was, hij zou tot morgen wachten.

Hij checkte de linguïstische vergelijkingen. Het scherm van de computer lichtte op. De resultaten verschenen. Alle woorden waren gevonden. Bijna. Eén woord ontbrak.

Een woord dat niet bestond. Eerst het kruis en nu die onbekende term.

De telefoon op zijn bureau rinkelde. Geïrriteerd door de onderbreking op dit ongewone tijdstip nam Marek driftig op. Hij hoorde een zangerige stem: 'O professor! Wat een geluk! Ik heb eerst geprobeerd u thuis te bereiken... En toen heb ik het hier maar gewaagd. Wat een goede gewoonte om zo laat nog te werken!'

De archeoloog voelde dat zijn goede manieren hem in de steek lieten.

'Perellian, je belt me toch niet zo laat nog over de resultaten van de tests...'

'O nee, professor! Absoluut niet! Maar er is een wonder gebeurd, professor! Echt een wonder! Er wordt me net een tweede steen gebracht. Helemaal dezelfde, professor!'

'Probeer je me te beduvelen?'

'Nee, en de herkomst is dezelfde. Die familie is hem vanavond komen brengen. U kent die Arabieren wel, professor, ze houden altijd iets achter! Ze...'

Marek onderbrak hem: 'Perillian, je weet toch wel dat zo'n ontdekking de loop van het huidige onderzoek helemaal zal veranderen?'

'Ik weet het, professor! En ik wil die schat niet bij me houden!'

Marek werd steeds ongeduldiger.

'Wanneer kom je hem dan brengen?'

'Nu direct. Alleen moet ikzelf bij die familie blijven. Als ze me zien weggaan met die steen, begrijpt u... Ze zouden denken dat... Nou ja, u kent ze...'

'Wat doen we dan?'

Perillian voelde zijn keel samenknijpen. Het ging om zijn leven. De Jood moest hem geloven. Hoe dan ook.

'Ik stuur Béchir. Hij is mijn bediende en hij is volledig te vertrouwen. Alleen moet hij wel langs de legerblokkades zien te komen en...'

'Dat is geen probleem. Fax een kopie van zijn papieren, dan waarschuw ik het ministerie. Een halfuur later kan hij zich dan bij de controleposten melden.'

'Dank u, professor. U zult zien dat het een uniek stuk is...'

Marek hing op. Hij had wel iets beters te doen dan te luisteren naar het gezwets van een zwarthandelaar. Hij keek weer naar het beeldscherm.

Daar stond het woord dat was onthuld door de steen van Thebbah.

Zodra hij de hoorn had neergelegd, wendde Perillian zich lachend naar Béchir: 'Ziet u wel...'

Hij kon zijn zin niet meer afmaken. Een felle pijn sneed door zijn ingewanden. In dc schemering blonk de glanzende loop van een pistool met een geluiddemper.

Béchir keek een tijdje nadenkend naar de handelaar die met opengesperde ogen op de grond lag. Hij had op de milt gemikt om hem een genadige dood te gunnen, pijnlijk, maar snel. Hij was verrast door zijn eigen goedheid, want doorgaans zag hij zijn slachtoffers graag langzaam sterven.

Dat was geen sadisme van hem, maar gewoon nieuwsgierigheid om dat geheimzinnige vonkje van het ultieme moment op te vangen. Hij herinnerde zich een jonge soldaat van de Tsahal, een schildwacht bij een afgelegen Joodse nederzetting, die door zijn mensen was gekeeld. De militair had minutenlang liggen sterven, met diezelfde verbaasde blik als die van Perillian.

Joden stierven op precies dezelfde manier als Arabieren of christenen. Toen hij jong was geloofde Béchir de oelama's die vertelden dat de ware gelovigen, de volgelingen van Mohammed – dat Allah, de Genadevolle, over hen moge waken –, op een andere manier heengingen. Het was niet waar. De Arabische verraders die hij had omgebracht omdat ze voor de Joden werkten, stierven net zo als iedereen.

Béchir stak zijn wapen weg en verliet geruisloos de kamer van de Armeniër. Zijn beide lijfwachten volgden zwijgend en ze stapten in de auto met valse nummerplaten.

Hij wees in de richting van het Hebreeuws Instituut en trok een versleten djellaba aan over zijn witte pak.

Nog voor het einde van deze nacht zou hij in de ogen van een andere man, een Jood, weer het licht zien doven. Maar die man had geen recht op de voorkeursbehandeling die Perillian kreeg.

Ze hadden hem nauwkeurig uitgelegd welk dodelijk ritueel zijn slachtoffer moest ondergaan.

8

Rome,
de Franse ambassade in het Palazzo Farnese,
8 mei, 23.00 uur

Sophie Dawes holde door de grote zaal, die heel flauw werd verlicht door de lantaarns in het park. Ze was buiten adem en hapte naar lucht, die haar longen niet meer leek te bereiken, het voelde alsof de angst al haar bloedvaten deed samenkrimpen.

De deur naar de bibliotheek bevond zich aan het einde van de zaal. Daar was haar enige kans om aan haar achtervolgster te ontkomen. De jonge vrouw draaide uit alle macht aan de deurknop. Vergeefs. De zware bewerkte deur bleef hopeloos gesloten. Uitgeput door het hollen, gleed Sophie tussen de donkere schaduwen op het parket.

Vanaf de ingang van de grote zaal naderden soepele, lichte voetstappen, die de met fresco's bedekte muren volgden, daarbij behoedzaam het authentiek vijftiende-eeuwse meubilair ontziend.

Op de grond liggend hoorde Dawes het vrolijke gedruis van het feest dat op de begane grond zijn hoogtepunt beleefde. Maar het getinkel van champagneglazen en het geschater van de gasten konden het angstaanjagende geluid niet wegnemen van de naderende voetstappen. Ze haalde diep adem en kroop naar het raam.

'Spaar je de moeite.'

De stem klonk vastberaden. De toon was beslist.

Verlamd van angst keek Dawes behoedzaam omhoog.

De jonge blonde vrouw die voor haar stond bekeek haar met een vreemd glimlachje; in haar hand hield ze een telescopische wapenstok die eindigde in een metalen punt. De stem kwam uit een boze droom: 'Waar zijn de documenten?'

'Waar heb je het toch over? Ik begrijp je niet. Laat me alsjeblieft gaan!' smeekte de jonge vrouw die verstijfd op de grond lag.

'Doe niet of je gek bent!'

Met de punt van de stok tilde ze treiterend langzaam de zoom van Sophies rok op.

'Je hebt iets ontdekt wat je beter niet had kunnen weten. Je bent maar een kleine archivaris. Vertel me gewoon waar die documenten nu zijn.'

Een golf van paniek trok door Dawes heen. Ze voelde zich naakt, spiernaakt.

De stem werd strenger.

'Je kreeg die baan als archivaris precies een jaar geleden. Net nadat je je proefschrift had verdedigd aan de Sorbonne. Een schitterende promotie, een perfecte beheersing van het onderwerp. De promotiecommissie was vol lof. Hoewel ik je een beetje truttig vond in dat nieuwe pakje. Niet echt je stijl. Wat kan ik nog meer vertellen, o ja, je gaat morgen naar Jeruzalem...'

'Hoe kan dat? Je hebt toch niet...' kreunde Dawes.

'Toch wel. Heb je me nog steeds niets te zeggen? Dan ga ik door. Je promotor bezorgde je die baan en hij heeft heel veel vrienden, of moet ik "broeders" zeggen?'

Op slag probeerde de jonge archivaris overeind te krabbelen. De wapenstok kwam in actie.

Ze schreeuwde het uit en greep naar haar schouder.

'Stil of ik breek je andere schouder.'

'Ik smeek je...'

'Waar zijn ze?'

'Ik weet het niet. Ik weet het echt niet,' huilde Dawes.

'Liegen is vreselijk ongezond. Ik vrees dat ik me niet duidelijk genoeg heb uitgedrukt,' prevelde de blonde vrouw.

Het zwarte wapen zwaaide rond en kwam neer op Sophies hals. Ineens voelde ze haar benen niet meer en toch leek de vrouw die haar zo martelde oprecht met haar begaan.

De zangerige stem ging door: 'Je kunt niet meer bewegen, maar praten blijft mogelijk. Het is je laatste kans.'

Sophie Dawes wist zeker dat de volgende slag fataal zou zijn als ze nu niets zei. Ze zou zich laten afslachten net boven een zaal met honderd gasten... Niemand kon iets voor haar doen. Ze had geen keus meer.

'In mijn kamer in het Hilton, nummer 326. Echt waar en laat me nu met rust.'

Sophie keek in de amandelkleurige ogen van haar beul. Ze hadden een vreemde uitdrukking, helder, maar afstandelijk. Sophie was er direct door aangetrokken toen het meisje zich bij het buffet had voorgesteld als Hélène en ze in gesprek raakten. De jonge vrouw bracht Sophie in verwarring, zo vlak nadat ze die zelfvoldane macho van een onbehouwen politieman had afgepoeierd.

Ze hadden enthousiast over Italiaanse schilderkunst gepraat, waanzinnig toevallig was Hélène daar ook gek op. De geraffineerde, opwindende verleiding liep gesmeerd en Sophie aarzelde niet lang toen de mooie blonde vrouw haar voorstelde naar boven te gaan om samen de muurschilderingen te bekijken.

Sophie had geen enkel probleem met haar biseksualiteit en ze was dol op gewaagde situaties. Ze had dat trouwens eerlijk verteld aan haar vriend, een wat oudere Amerikaan die het feit zonder morren had aanvaard.

De twee vrouwen waren de trap op gelopen vanuit een zaal vol met receptiegangers en onder het wakende oog van een veiligheidsagent.

De nachtmerrie begon toen ze de deur achter zich dichtdeden, op het moment dat de blonde vrouw haar gezicht tussen twee handen nam alsof ze haar wilde kussen.

Sophie zag nog net dat Hélène een zacht knetterend zwart doosje tevoorschijn haalde en in plaats van de begeerde kus kreeg ze een elektrische schok die haar op de grond wierp.

Vervolgens, als in een boze droom, trok de vrouw haar overeind en smeet haar neer op een canapé.

Sophie kwam weer snel bij haar positieven, had zich kunnen losrukken door haar aanvalster een trap in de ribben te geven en was naar de bibliotheek gevlucht, waar ze een paar seconden kon uithijgen. Tevergeefs.

Nu had Sophie het gevecht verloren. Ze bad dat haar belaagster het hierbij zou laten. Het was te oneerlijk, ze was pas achtentwintig en het leven was nog maar net begonnen voor haar. Opgelucht zag ze dat Hélène bijna hartelijk glimlachte.

'Dankjewel. Je hebt je snelle dood echt verdiend.'

De blonde engel des doods kuste haar slachtoffer teder op het voorhoofd en gaf haar een harde, droge klap op het hoofd.

Sophie hoorde nog het suizen van de wapenstok. Onwillekeurig verborg ze haar gezicht in haar handen. Haar vingers braken onder de klap. Ze rolde opzij, het bloed uit haar opengereten wenkbrauwen stroomde over de geboende plankenvloer.

Op de begane grond ging de receptie door. Begeleid door een kwartet zong een tenor opera-aria's. Het feestgedruis drong dwars door het ingelegde parket, steeg op langs de eeuwenoude muren, verspreidde zich door privévertrekken, door de vergulde salons en bereikte elke uithoek van het oude paleis.

Voordat ze de geest gaf bij het *Una furtiva lagrima* van Donizetti, drong het nog tot Sophie door waarom de moordenares met de wapenstok drie keer had geslagen op uitgerekend die delen van haar lichaam.

Op de schouder.

Op de hals.

Op het voorhoofd.

Ze wilde nog de naam uitspreken die op haar lippen lag, maar stierf met een zucht.

De beul bleef even kijken naar de jonge vrouw op de grond. Het contract bedong een executie met een wandelstok of een ander stomp voorwerp op drie bepaalde lichaamsdelen. De opdracht was daarover heel expliciet.

Ze had de opdracht zonder enige aarzeling uitgevoerd, maar ze vond het jammer dat ze haar lievelingswapen, het veel praktischer mes, niet had mogen gebruiken. Hélène veegde zorgvuldig haar vingerafdrukken van de wapenstok, die ze daarna op de grond gooide.

De opdracht was vervuld, al had de butler bijna roet in het eten gegooid door plotseling in de keuken te verschijnen toen ze haar wapenstok uit haar tas haalde. Toen hij haar had weggestuurd, trok ze in de toiletten haar dienstersuniform uit waaronder ze al de zwarte cocktailjurk droeg. Het doelwit leverde geen enkel probleem op, Hélène kende de erotische voorkeuren van het meisje.

Ze had prima werk geleverd. Nu moest ze teruggaan naar de feestzaal, ontspannen de trap afdalen langs de veiligheidsagent, zich in de toiletten weer omkleden en haar tas ophalen, al moest ze daarvoor die butler uitschakelen. Ze kende ten minste tien manieren om zich te ontdoen van een vent van zijn omvang.

Wat is het leven toch verrukkelijk, bedacht de moordenares toen ze de zaal verliet.

9

Jeruzalem,
Het Instituut voor archeologische studies

Marek kende de *Discours de la Méthode* van Descartes. Vooral de eerste pagina's boeiden hem; hij hield van het beeld van de filosoof die bij erge kou in zijn kachel, zijn *poêle*, gekropen zou zijn om beter te kunnen nadenken en die problemen oploste door zuivere denkkracht.

Voor de onderzoeker was dit een levensles, waaraan hij een eigen denkmethode ontleende die verklaarde waarom hij het liefst 's nachts werkte in een uitgestorven laboratorium. Marek praatte tegen zichzelf. Hardop. Hij riep alles wat er in hem opkwam naar de muren en wachtte dan of er orde ontstond in de chaos.

Hij schoof achter zijn toetsenbord. Zijn verslag over de tekst op de steen vorderde.

> *... te oordelen naar analoge rituele formules in andere teksten uit dezelfde periode, gaat het om een geschrift van een van de opzichters van de Tempel. Functionarissen die direct onder de koning zelf stonden, waren belast met het beheer van het heiligdom. Onderhavige tekst komt zonder enige twijfel van de ambtenaar die belast was met het onderhoud van de Tempel.*

Volgens archeologische bronnen had de wederopbouw van de Tempel enkele jaren geduurd. Dat kwam waarschijnlijk door een tekort aan bekwame handwerkslieden en vooral aan bouwmaterialen.

> *... Helaas beschikken we maar over één fragment. De aanhef van de brief ontbreekt, maar we kunnen deduceren wie de geadresseerde was: een rondreizende handelaar. Dat blijkt uit de opsomming van*

materialen die er gekocht moeten worden. Met name twee houtsoorten worden er genoemd: ceder- en acaciahout.

Marek pakte een Engelstalige bijbel. Het boek Koningen beschrijft gedetailleerd de door Salomo bevolen bouw van de Tempel. Elk detail wordt erin genoemd: de afmetingen, de afwerking van de binnenkant, de gebruikte materialen en zelfs de namen van diverse ambachtslieden.

De dakbedekking was van cederhout, en volgens het boek Exodus werd de Ark des Verbonds vervaardigd uit acaciahout. Goud en brons waren de enige metalen die in de Tempel waren toegestaan.

... Ongetwijfeld schreef de ambtenaar aan de leider van een karavaan die op het punt stond te vertrekken.

Met de Bijbel voor zich bedacht Marek dat ruim de helft van de antieke teksten die overal ter wereld werden gevonden, gingen over het administratieve leven in beschavingen: berekeningen, facturen, wetten, decreten, bevelen, tegenbevelen... Kennelijk was de mensheid altijd al slaaf van twee grote demonen: organisatie en hiërarchie. De steen van Thebbah ontsnapte niet aan die regel, behalve op een punt:

... drie regels voor de traditionele beleefdheidsformules ter afsluiting, voegde de ambtenaar er een laatste instructie aan toe, een opmerkelijke waarschuwing:
En vooral, waak over je mannen, opdat ze niet kopen, noch mee terugnemen het zaad van de duivel bv'iti, die de waarzegging zaait in de geesten van de mensen.

BV'ITI

Hij had er alles bij gesleept. Etymologische woordenboeken, lexicons van Semitische talen, Bijbelstudies, en nergens kwam het woord *bv'iti* voor. Klaarblijkelijk had het woord het niet overleefd en ging het bij de omzwervingen van het Joodse volk verloren.

Hij, Marek, was de eerste getuige van de herrijzenis van het vergeten woord, dat door een onbekende ambtenaar was verheven tot een vervloeking.

Nu besloot de bejaarde geleerde zichzelf toch een sigaret toe te staan, de eerste sinds dertig jaar. Ali, de tuinman, rookte Cravens en bewaarde er altijd een pakje van in de serre. Bij de deur van het lab schakelde Marek het alarm uit. Hij wilde net de deur uit gaan, toen de telefoon weer overging. Geïrriteerd nam hij op.

Het was de bewaker: 'Professor, er is bezoek voor u. Een man die zegt dat hij u een pakje komt brengen waar u op wacht. Ik heb hem gefouilleerd...'

Marek meende een lichte onzekerheid te beluisteren in de stem van de veiligheidsman. Een Arabier die op dit uur van de nacht bij het Instituut aanbelde was ook heel ongewoon.

'Het is in orde, Isaak, stuur hem maar naar boven. Op mijn verantwoording.'

'Als u het zegt.'

De professor hing op en liep naar de lift om de boodschapper op te wachten. Binnen enkele seconden zou hij een fantastische, onbetaalbare schat in handen hebben.

Met een zuchtje gingen de liftdeuren open en er kwam een in djellaba gehulde man met een fijnbesneden gezicht en felle ogen uit, die lachend op hem toestapte. Hij droeg een vuilbeige linnen tasje.

'Professor, ik breng u de eerbiedige groeten van mijn meester.'

'Dank hem namens mij en geef mij het pakje maar, dan kunt u weer naar huis. Het is al laat.'

De man glimlachte nog stralender.

'Ik dank u uit de grond van mijn hart, professor. Mag ik u om een glas water vragen, ik heb dorst en op dit uur zijn alle cafés al dicht.'

Marek rukte hem de tas bijna uit zijn handen.

'Natuurlijk, kom maar mee, in mijn kantoor is water.'

De mannen staken de brede gang over met aan weerszijden collegezalen en onderzoeksruimtes, en kwamen bij een pijpenlaatje dat uitpuilde van boeken en tijdschriften.

'Gaat u gang, bekertjes staan onderaan.'

Nog voordat hij zijn zin had afgemaakt, stortte de onderzoeker zich op de tas om hem open te maken. Koortsachtig ontwarde hij de linnen knoop en haalde er een zwart object uit dat hij op zijn bureau legde. Hij zette zijn bril recht en bekeek de steen aandachtig.

Als deze steen de vorige aanvulde, zou hij misschien aanwijzingen vinden betreffende dat onbekende woord.

Na een seconde of tien, zette Marek zijn bril af en wreef zich in de ogen. Zijn stem beefde van verontwaardiging.

'Is dit een geintje? Deze steen is een schaamteloze vervalsing, zelfs Amerikaanse toeristen trappen er niet in. Is Perillian op zijn achterhoofd gevallen? Ik waarschuw u...'

Hij kon zijn zin niet afmaken; een venijnige klap brak zijn sleutelbeen. Naar adem happend sloeg hij tegen de grond.

De fluwelen stem van Béchir leek uit een droom te komen: 'Jij bent niet in de positie om te dreigen, Jood. Het probleem met jullie, zonen van Israël, is dat jullie denken dat je nog de baas bent in mijn land. Ik ben degene die hier waarschuwingen uitdeelt, bijvoorbeeld dat je bijna dood bent. Ik heb de opdracht gekregen, en geloof maar dat me dat spijt, om je dood te knuppelen.'

Een nieuwe klap daalde op Marek neer. Op de hals. Hij raakte halfbewusteloos, maar hij herinnerde zich alles nog.

Zestig jaar geleden had hij in het concentratiekamp Dachau net zo'n executie zien uitvoeren. Hij zag weer de SS'er inbeuken op zijn ongelukkige kampkameraad Henri Jouhanneau. De derde slag zou de genadeslag zijn, maar daar hoefde Marek niet op te wachten, zijn hart hield op met kloppen. Net voor hij stierf stamelde hij, zijn moordenaar strak aankijkend, de zin die hij zo vaak had uitgesproken tijdens het maçonnieke ritueel: 'Het vlees verlaat de botten.'

'Weer zo'n Joods spelletje,' mompelde Béchir en sloeg de oude man keihard op het voorhoofd.

Bloed liep over het gezicht van de wetenschapper.

Béchir legde het bebloede houweel, in dit deel van de wereld een onmisbaar instrument bij wetenschappelijke opgravingen, neer en liep de werkkamer van de Jood binnen. Hij zag hem direct.

De steen van Thebbah lag netjes op het met boeken en papieren bezaaide bureau. Hij stopte hem in zijn tas, samen met een dossier dat ernaast lag.

Het computerscherm flikkerde bij het gedempte licht van de bureaulamp. Béchir printte de pagina met het commentaar van de geleerde op de steen uit en wiste het document.

Hij liet het licht branden en liep terug naar de lift. Behoedzaam stapte hij over het lijk heen, vermijdend dat het bloed rond het hoofd van de geleerde zijn djellaba zou bevlekken.

In de lift naar beneden, vroeg hij zich af waarom zijn opdrachtgever zo had aangedrongen op die rituele moord. Veel te omslachtig naar zijn smaak. Momenteel ging zijn voorkeur uit naar wurging, wat veel sneller en veel cleaner was. Iemands keel afsnijden was eerder een jeugdzonde van hem geweest. Maar op een avond in september, in Beiroet bij de uitvoering van een moordcontract, de eliminatie van een rivaal van Arafat tijdens een feestje, had een straal bloed zijn prachtige Armanipak verpest. Het schitterende kostuum, regelrecht uit Rome, dat hem een derde van zijn gage had gekost, kon hij zo weggooien. Reden genoeg om voorgoed te kappen met de methode die te smerig was voor zijn maatpakken. Sindsdien had hij zich toegelegd op het pistool en het linnen koord.

En het ergste was nog geweest dat hij er later achter was gekomen dat hij bij dat zaakje was gemanipuleerd door de Joden via een Jordaanse tussenpersoon, die werkte voor de Mossad.

Béchir stak de binnenplaats van het Instituut over in de richting van de bewaker die gehypnotiseerd zat te staren naar de geblondeerde stoeipoezen in Baywatch, die hun badpakken showden op het tv-schermpje in het wachthokje. De bewaker stierf onder het wakende oog van Pamela Anderson die net een drenkeling had gered met een verzengende mond-op-mondbeademing.

Béchir keek even naar het scherm. Hij was ook dol op die Amerikaanse soaps, maar hij kon er jammer genoeg alleen maar naar kijken in Europa of in de VS. Hier speelde hij de nederige, kuise Emir, de gelovigste onder de gelovigen.

Die gespletenheid stoorde hem niet echt, het geraas van de mollahs kwam hem prachtig uit, de jihad zat in de lift en Bin Laden had de islam een nieuwe impuls gegeven.

Maar ondanks alles bleef hij een levensgenieter, die dol was op vrouwen, dure wijnen dronk en die niet vies was van luxe. De zedenpreken en het ascetisme van de oelama's hingen hem behoorlijk de keel uit. Hij had honderd keer liever het panarabisme van Nasser of het achterhaalde nationalisme van Kadhafi. Die Iraanse honden hadden alles verpest met hun revolutie en nu was hij verplicht om mee te doen met de meest starre islam, wilde hij aan de kost komen als huurmoordenaar.

Hij had dat een keer openlijk toegegeven tegen een Joodse gevangene die werd vastgehouden in een kelder in Ramallah. Het was een kolonist die volkomen willekeurig was ontvoerd, om als voorbeeld te dienen na een moordende luchtaanval van de Tsahal. Zulke klussen waren bijna routine. Omdat hij die dag goedgehumeurd was had hij een praatje aangeknoopt. De kolonist was er heilig van overtuigd dat hij meebouwde aan het Groot-Israël, maar toch verfoeide hij de ultraorthodoxen uit zijn eigen kamp. Ze waren het er roerend over eens dat fundamentalisme de beide godsdiensten van het Boek vergiftigde. Béchir had een heel prettige middag gehad en voor de eerste en de laatste keer uit zijn carrière had hij een Joods leven gespaard. De toorn van die clowns van Hezbollah, voor wie hij op dat moment werkte, had hem een aangenaam ogenblik bezorgd.

Béchir keek op zijn horloge. Hij had nog net tijd om het Instituut te verlaten en zich te verbergen in een van zijn schuilplaatsen, een kilometer verderop. Het bleef stil in de wachtpost. Voorzichtig haalde Béchir de cassette uit de video die was aangesloten op een bewakingscamera. Alle sporen moesten verdwijnen. Het ging eigenlijk allemaal te gemakkelijk, er was niets dat zijn adrenaline opwekte.

Hij aarzelde even en drukte toen op de grote gele knop die het alarm in werking zette. Het geloei van een sirene verscheurde de stilte. Hoogstens een paar minuten later verschenen er een stuk of drie politieauto's met zwaailichten.

Zijn opgejaagde bloeddruk prikkelde zijn hersens en zijn hart. De opwinding was terug. Hij holde naar de auto met zijn ongeduldige lijfwachten, die bezorgd waren over het loeiende alarm.

Het plan verliep gesmeerd, het adres waar ze konden onderduiken was maar vijf minuten rijden. Béchir betastte de linnen tas met daarin de steen en keek naar de voorbijflitsende straat. Het was een mooie nacht in Jeruzalem.

10

Palazzo Farnese,
de grote zuilengalerij,
8 mei, 23.30 uur

Marcas voelde dat hij dit keer beet had, de Franse regisseuse proestte het uit telkens als hij een grapje maakte. Hij stelde haar dus voor om samen iets te gaan drinken in de stad.

Hij voelde een hand op zijn schouder.

Alexis Jaigu boog zich naar zijn oor.

'Kom mee, ik heb je nu direct nodig.'

Marcas zuchtte. Nee toch, ze gingen toch niet zijn laatste kans verpesten op een erotisch besluit van zijn Romeinse uitstapje. Voordat hij kon protesteren, trok de militair attaché hem mee en fluisterde: 'Het is echt dringend, Antoine.'

'Wat is er aan de hand?'

'Kom mee naar boven, dan kun je het zelf zien.'

Marcas verontschuldigde zich bij de regisseuse en beloofde haar dat het niet lang zou duren.

Het feest liep ten einde, de gasten dansten nu ongeremd, het kwartet had plaatsgemaakt voor een dj, die de nieuwste hits draaide. Het werd mode in het wereldje van de diplomatieke vertegenwoordigingen dj's in te huren om hun stijve avondjes een beetje op te peppen.

Marcas volgde Alexis die de trap met drie treden tegelijk nam, bijna op de maat van Beni Benassi die door de luidspreker bonkte, muziek die hij had leren kennen door zijn zoontje van tien. De twee mannen die voor de deur van de grote ontvangstzaal stonden, stapten opzij voor de militair en zijn vriend.

Van op de drempel zag Antoine twee andere gorilla's van de ambassade zich buigen over een onduidelijke vorm waarvan hij niet kon zien wat het was.

Hij kwam dichterbij en zag waar de veiligheidsmensen zich zo voor interesseerden.

Op de grond lag het meisje dat hij een uur geleden had proberen te versieren. Het lichaam lag er geknakt bij, een grote plas bloed doordrenkte het parket dat zeker net in de bijenwas was gezet, want die geur vermengde zich met het parfum van het slachtoffer. Shalimar, gokte de politieman.

Alexis Jaigu haalde diep adem en ging op zijn knieën bij het lijk zitten.

'Uitgesloten dat deze dode grote koppen haalt in de Italiaans media, dat zou desastreus zijn voor het imago van de ambassade. Onze betrekkingen met de regering-Berlusconi zijn al niet denderend... De landelijke boulevardpers zou zich massaal op de zaak storten!'

Marcas fronste.

'Waarom haal je mij erbij? Je weet best dat ik geen enkele bevoegdheid heb om me hiermee te bemoeien. Vraag me alsjeblieft niet om het onderzoek te doen, dat is een klus voor het hoofd van de veiligheidsdienst.'

Jaigu bleef naar het ontzielde lichaam kijken.

'Dat weet ik wel, maar die is geen specialist in moordzaken, en jij wel. Bovendien is het slachtoffer toevallig een vriendin van die chef. Ik vrees dat de onpartijdigheid van het onderzoek erdoor in het gedrang komt. Doe me alsjeblief een plezier! Noteer even alles wat je verdacht lijkt, de veiligheidschef is met spoed opgeroepen, maar...'

Marcas zuchtte.

'Oké. Maar dan heb ik wel een ploeg specialisten nodig voor het opsporen van vingerafdrukken, om het lichaam te onderzoeken, en...'

Jaigu onderbrak hem: 'Daar is geen tijd voor, ik wil gewoon je mening horen. De veiligheidsdienst heeft opdracht gekregen om de omgeving van de ambassade af te zetten. We hebben al een tip over de identiteit van de moordenaar.'

Marcas boog zich over het lichaam.

'Hoezo?'

'Een bewaker heeft gezien dat het slachtoffer ongeveer drie kwartier geleden naar boven is gegaan met een andere vrouw. Even later is die weer naar beneden gekomen en vervolgens verdwenen. Toen hij deze vrouw hier niet zag verschijnen, is de agent gaan kijken en ontdekte hij het lichaam. Daarop heeft hij direct alarm geslagen.'

'Ik begrijp nog altijd niet waarom je mij bij deze moord haalt. Ik ben hier niet bevoegd. De chef van de veiligheidsdienst zal woedend zijn, en daar heb ik begrip voor.'

Jaigu grijnsde, hij leek slecht op zijn gemak.

'Vast wel. Luister, sinds ik hier ben, is het oorlog tussen haar en mij.'

'Haar?'

'Ja, het is een vrouw. Jade Zewinski. En in haar soort een heel kwaaie. Goddank is de agent die dienst had een maatje van me, hij waarschuwde mij als eerste. Ik wil graag jouw mening horen voordat zij komt. Dan heb ik al een wat beter zicht op de situatie en kan ik de ambassadeur ook als eerste op de hoogte brengen...'

'Je wilt haar eigenlijk een hak zetten?'

'Luister! Eén enkele aanwijzing kan al doorslaggevend zijn. En het zou geweldig zijn als ik dat takkewijf rechts kon inhalen. Haar eigen vriendin dood aangetroffen in de ambassade, de eerste moord op deze beroemde plek sinds de intriges van de familie Farnese; dat is niet goed voor haar carrière. Als ze dan nog niet wordt overgeplaatst naar een republiek in Centraal-Azië, klop ik aan bij die broeders van je.'

Marcas verfoeide het gekonkel van zijn vriend en had geen zin in machtsspelletjes die hem ontgingen. Maar omdat de moord hem intrigeerde, besloot hij het lijk te onderzoeken. Hij merkte dat de vrouw op het voorhoofd en op de schouders was geslagen. Een eigenaardige manier van sterven, die hem ergens aan deed denken, maar hij kon even niet thuisbrengen aan wat.

Jade Zewinski hield niet van haar voornaam, die volgens haar deed denken aan een weliswaar kostbaar, maar kwetsbaar ding. En kwetsbaarheid behoorde niet tot haar kwaliteiten. Na een middelmatig eindexamen had Jade zich meteen bij het leger gemeld.

Alles liever dan de verstikkende sfeer van het provinciestadje waar haar vader zelfmoord had gepleegd. Na vijf jaar kreeg ze een bewakingsopdracht in Afghanistan. Ze was de enige vrouw die werd uitgezonden en ze was belast met de bescherming van langskomende mediavedettes en politici. Het leverde haar een interessant adresboekje op.

Na een jaar vertrok ze in het kielzog van een schrandere politicus die onopvallend mensen aanwierf voor de geheime diensten. En na nog een jaar, met stijgende terreurdreiging, vertrok ze naar Rome om de veiligheid van de ambassade te verzekeren.

In de wandelgangen werd ze er 'de Afghaanse' genoemd. Een bijnaam die haar beter beviel dan 'Jade'...

Gekleed in een wijde donkere pantalon en een jasje dat zo was gesneden dat ze snel bij haar dienstpistool kon, baande Zewinski zich een weg tussen de gasten door. Een oproep op haar mobieltje had haar onderonsje met een jonge Italiaanse acteur onderbroken. Een vreselijk uilskuiken en nog verwaand ook, maar aantrekkelijk genoeg voor een spannende nacht.

Zonder een woord van excuus liet Jade de ijdeltuit alleen met zijn glas champagne en zocht haar adjunct op, die erg overstuur leek.

'Het gaat om uw vriendin. Ze is dood, we hebben haar gevonden op de eerste verdieping. Het spijt me ontzettend...'

Jade wankelde even, maar ze beheerste zich. Nooit iets laten merken.

Met onvaste stem ging de man door: 'U moet ook weten dat Jaigu er al bij is.'

De Afghaanse verbleekte: 'Wat? Je maakt toch geen geintje?'

'Nee, serieus, hij is vóór u gewaarschuwd. Ik weet ook niet hoe dat komt.'

'Die idioot heeft daar niets te maken! Voor zover ik weet is hij militair attaché. Laat hem eruit gooien.'

'Dat ligt moeilijk. De ambassadeur dekt hem.'

Jade ging nog sneller lopen, botste tegen een Italiaanse minister op en liep bijna de Duitse ambassadeur omver.

Met een brok in haar keel dacht ze aan haar vriendin. Ze hadden elkaar een jaar niet gezien en twee dagen geleden was Sophie in Rome aangekomen. Ze was erg veranderd, veel zelfverzekerder en volwassener geworden, wat ten koste was gegaan van haar oude charmante spontaniteit. Ze waren bevriend sinds de middelbare school en waren daarna heel intiem gebleven. Al deelde Jade niet de erotische voorkeuren van Sophie, ze beschouwde haar als een zusje. Toen Jade bij het leger ging, koos Sophie voor de universiteit, maar hun vriendschap bleef even hecht.

De vorige avond had Sophie bij een lunch in een restaurantje op de piazza Navona nog haar hart uitgestort.

Na haar studie vergelijkende geschiedenis, had ze de boekhandel van haar ouders in de rue de Seine overgenomen, die gespecialiseerd was in oude, en vooral esoterische, manuscripten. Er kwam meer en meer vraag naar alchemistische verhandelingen, maçonnieke documenten, occulte gebedenboeken uit de achttiende eeuw. Ze liep zich het vuur uit de sloffen om te kunnen tegemoetkomen aan de wensen van klanten uit alle windstreken.

Daarnaast was ze, op introductie van haar promotor, uit pure nieuwsgierigheid vrijmetselaar geworden. Ze ging enorm op in dat engagement en liet zich zelfs strikken om in haar vrije tijd te werken als archivaris op de hoofdzetel van de obediëntie de Grand Orient. Haar kennis van oude manuscripten kwam prima van pas bij het sorteren en classificeren van de archiefstukken die al jaren lagen te vergaan.

Jade was niet erg in haar sas met de toetreding van haar vriendin; ze had weinig sympathie voor de kinderen van de Weduwe. Voor haar werk had ze twee keer met broeders te maken gekregen en ze had er een bittere smaak aan overgehouden. De laatste keer was een aanstelling in Washington aan haar neus voorbijgegaan, omdat een ingewijde handig gebruik had gemaakt van zijn contacten. Ze walgde van die vriendjespolitiek, al wist ze best dat er op de Quai d'Orsay nog meer netwerken bestonden en dat de zonen van het Licht er minder invloed hadden dan de katholieken en de noblesse.

Sophie vertelde haar dat ze een reisje naar Jeruzalem had aangegrepen om een tussenstop te maken in Rome en haar op te zoeken. Ze maakte een gespannen indruk en verklapte dat ze in opdracht van de Grand Orient reisde en dat ze een Israëlische geleerde documenten moest brengen.

Tijdens het etentje had Jade gemerkt dat haar vriendin voortdurend om zich heen keek, alsof ze zich bespied voelde. Sophie had haar trouwens gevraagd of ze de tas met documenten voor haar wilde bewaren, liefst in de kluis van de ambassade. Jade had haar vriendin geplaagd met al die voorzorgen, maar natuurlijk had ze het verzoek ingewilligd. Daarna was het gesprek verdergegaan over mannen, een onuitputtelijk onderwerp. Sophie had haar opgebiecht dat ze eindelijk haar biseksualiteit had geaccepteerd en dat ze haar oudere vriend, een rijke Amerikaanse klant die vaak in Parijs was, afwisselde met vriendinnen die ze had ontmoet op vrouwenavondjes.

Sophie had lachend geprobeerd om Jade op dat spoor mee te krijgen, maar de Afghaanse zag dat niet zitten; hoewel ze mannen irritant en verwaand vond, bleven ze toch haar voorkeur houden.

De lach van Sophie was verstomd. Voor eeuwig.

De trap op lopend besloot Jade dat ze niets zou zeggen over de documenten die haar vriendin haar had gegeven. Ze had vaag het vermoeden dat Sophies dood te maken kon hebben met de vrijmetselarij, en dat maakte haar nog bozer.

Bij de plaats van de misdaad gekomen, zag ze Jaigu samen met een andere vent over het lichaam gebogen staan. Ze schreeuwde direct: 'Wat moet dat hier allemaal! Wegwezen, verdomme!'

Marcas kwam overeind. Hij hoorde de stem van een jonge vrouw, waar toch gezag in doorklonk, een stem die gewend was te bevelen. Hij kwam oog in oog te staan met een sportieve blonde vrouw met kort haar. Ze keek hem afkeurend aan.

Alexis Jaigu kwam tussenbeiden: 'Ho, ik heb hem gevraagd om hier te komen. Hij is commissaris van politie in Parijs. Ik denk dat hij ons misschien kan helpen.'

De Afghaanse keek hem uit de hoogte aan.

'Sinds wanneer denk jij? Als je je hersens echt had gebruikt, dan was je hier weggebleven. Tot nader order heb ik de leiding over de bewaking van deze ambassade. Dus ik doe nogmaals een beroep op je gezond verstand, donder op en neem die man mee.'

Voordat Jaigu iets kon zeggen, nam Marcas het woord: 'U reageert onterecht zo, maar ik kan u begrijpen. Het is uw onderzoek, ieder zijn job. Kom, Alexis, ik heb trouwens al genoeg gezien.'

Kalm liep Marcas weg, hij wilde voor geen prijs in de buurt blijven van dat mens, dat hij met liefde zou villen. Met een beetje geluk vond hij de regisseuse nog terug en kon de avond toch nog een beetje leuk eindigen.

Jaigu, die ook was afgedropen, kwam naast hem op de overloop staan.

'En, wat denk je?'

'Wat, van je takkewijf?'

'Nee, van het lijk, natuurlijk!'

'Ik weet het niet, het is niet zo simpel. Het is zelfs erg onlogisch. De dood werd veroorzaakt door een klap op het hoofd, maar die schouder begrijp ik niet, behalve als het de bedoeling was haar pijn te laten lijden.

Een gebroken schouderblad kan vreselijk pijnlijk zijn. Voor de rest moeten je vriendin de heks en de Italiaanse politie het maar uitzoeken.'

'Ik betwijfel het. Er is geen sprake van dat we onze Romeinse vrienden erbij betrekken. De doodsoorzaak zal een hartstilstand zijn.'

Marcas keek zijn vriend scherp aan.

'Jullie gaan toch geen moord verdoezelen? Dat is strafbaar.'

'De Franse autoriteiten zullen we niets verbergen, maak je maar geen zorgen. Maar de Italianen hebben te veel maffiamoorden op te lossen om zich nog te bekreunen om de hartaanval van een Frans meisje. Kom, de Franse Republiek biedt je een glas champagne aan. Maar eerst zal ik je nog voorstellen aan onze vriend de ambassadeur.'

Versteend stond Zewinski bij het met bloed besmeurde lichaam van haar vriendin. Twee uur geleden stonden ze nog samen lol te maken in de grote zaal en stookten ze elkaar op om veroveringen onder de beide seksen te maken.

Ze dacht terug aan het ovale gezichtje met de weerbarstige haarlok. Aan de heldere, meisjesachtige lach. En daar lag haar ontzielde lichaam, een treurig hoopje mens dat nu eindigde in een lijkkist. Het gezicht was kapotgeslagen met de wapenstok die naast het hoofd lag.

Ze ontwaakte uit haar trance, ze besefte dat ze snel moest handelen. Haar mensen hadden haar verteld van het meisje met wie Sophie naar boven was gegaan, haar signalement was doorgegeven aan alle veiligheidsagenten.

Ze blafte bevelen tegen twee van haar ondergeschikten: 'Waarschuw de dienstdoende dokter. Hij moet haar een beetje opknappen. Regel beademingsapparatuur voor het vervoer. Een zuurstofmasker moet de sporen van geweld maskeren.'

De deuren sloegen dicht. Er bleven nog maar twee mannen achter. Franse gendarmes. Betrouwbare, efficiënte mannen.

In de zak van haar jasje trilde haar mobieltje. Ze herkende de stem van de ambassadeur.

'Jade, wat is er aan de hand? Welke code? Jaigu belt me net over een moord, hierboven.'

Om de ernst van een onverwachte gebeurtenis te kunnen evalueren was er een code afgesproken, die overeenstemde met de schaal van Richter waarmee de hevigheid van aardbevingen wordt aangegeven.

'Op het eerste gezicht een 5.'

Wat wilde zeggen: zorgwekkend, maar beheersbaar.

'Goed. Brief me snel, ik moet terug naar de gasten.'

'Ja, meneer.'

Voor Jade was de dood van Sophie een cijfer 8 op haar persoonlijke schaal.

De ambassadeur informeerde eerst naar de identiteit van het slachtoffer en wilde vooral weten of het misschien om een politieke moord ging. Jade stelde hem gerust, haar vriendin hoorde niet bij het ambassadepersoneel en was geen vooraanstaande gast.

De ambassadeur betuigde zijn deelneming en was zo fijngevoelig om een zucht van verlichting te onderdrukken.

Jade kende de procedure, het lichaam zou de volgende ochtend worden overgevlogen naar Parijs, voorzien van een valse overlijdensverklaring, waarop als doodsoorzaak een ongeluk zou worden vermeld, om de douane om de tuin te leiden.

Ze zou haar vriendin zelf naar het vliegtuig begeleiden. De loden kist voor het transport werd in alle vroegte geleverd. Als alles goed ging, kon het lichaam 's avonds nog in Parijs zijn.

Jade geloofde geen moment dat de moordenares nog in de ambassade zou zijn. Ze was hem vast al gesmeerd, wat werd bevestigd door de agent bij de ingang die een serveerster had gezien die zich niet lekker voelde.

Haar contract was vast even nep als haar identiteit. Er bleef nog één mogelijk spoor over, de opnamen van de bewakingscamera's in de ambassade.

Jade raakte voor een laatste keer Sophies pols aan en liep naar de deur. Ze bezwoer zichzelf dat ze het hoerenkind zou vinden dat deze gruwelijke moord op haar geweten had.

Toen ze de zware deur openduwde stuitte ze op een hijgende Antoine Marcas.

'Ik wilde nog even iets controleren op het lijk.'

'Uitgesloten, verdwijn voordat ik u laat verwijderen.'

'Doe niet zo stupide. Luister, als ik er niet bij mag, ga dan zelf terug en kijk naar haar hals. Alstublieft, het is vreselijk belangrijk.'

Jade bekeek de politieman koeltjes en haalde haar schouders op.

'Goed, als het maar geen tijdverspilling is.'

Marcas moest minstens een minuut wachten voordat Jade weer naar buiten kwam. Ze leek nogal in de war.

'Sophie heeft inderdaad een klap op haar hals gehad, die vermoedelijk haar wervels heeft gebroken. Hoe wist u dat?'

Marcas pakte haar arm vast.

'We moeten misschien even ergens anders gaan praten.'

De Afghaanse rukte zich verontwaardigd los.

'Zo is het wel genoeg! Verdwijn.'

Antoine aarzelde even en stelde toen de vraag, die hem op de lippen brandde: 'Sophie was uw vriendin, hè? Had ze banden met de vrijmetselarij of hoorde ze daarbij?'

'Wat heeft dat met de moord te maken?'

'Geef antwoord, ik probeer echt niet u ergens in te luizen.'

Jade trok haar lippen op.

'Ja, ze was vrijmetselaar. Waarom vraagt u dat?'

Marcas liet zijn blik over de schilderijen van Florentijnse meesters dwalen en hoorde zichzelf zeggen: 'Het vlees verlaat de botten.'

11

Rome

Hélène onderdrukte een kreet van woede. Ze had de hotelkamer compleet overhoopgehaald, maar er was geen spoor van de documenten. Haar opdrachtgever zou niet blij zijn met deze misser. De Française had haar beduveld.

Ze ging op het bed zitten en probeerde zich te bedwingen. Er was haar geleerd kalm na te denken. Ze reguleerde haar ademhaling en prevelde binnensmonds enkele zinnetjes. Een paar jaar geleden had ze aan de Servische grens een orthodoxe priester zo zien bidden. Bij elke ademtocht sprak hij halfluid de sacramentele woorden: *Kyrie, eleison. Kyrie, eleison.*

Om hem heen schreeuwden zijn lotgenoten van wanhoop, omdat enkele meters verderop ongeregelde Kroatische troepen hun vrouwen verkrachtten en ze dan de keel doorsneden. Alleen de priester bleef onverstoorbaar kalm. Hij bonkte op het ritme van zijn woorden met zijn kin tegen zijn borst en zijn aanzwellend eentonig gebed vermengde zich met de wanhoopskreten.

Geleidelijk kalmeerden de Serviërs. Een voor een namen ze die gewijde woorden over. Die eensgezindheid in geloof dreef de razernij van de partizanen ten top en hun automatische wapens spuwden dood en verderf. Hélène was lang blijven kijken naar het gezicht van de gedode priester. Het vertoonde een raadselachtig vredige uitdrukking. Sindsdien gebruikte zij, bij woede of twijfel, als haar eigen tijdloze bezwering de kinderlijke aftelrijmpjes die haar moeder voor haar zong. In de enige gelukkige periode van haar leven.

Maar nu moest ze haar verstand gebruiken.

Op haar tussenstop in Rome had Sophie Dawes maar contact gehad met één persoon, een medewerkster van de Franse ambassade die een jeugdvriendin van haar was. Ze had ze gevolgd. Die vrouw uit het palazzo Farnese was dus de enige die de documenten in haar bezit kon hebben en omdat ze onder geen beding meer een voet in het paleis kon zetten, begreep Hélène dat haar missie was mislukt. Het was onmogelijk om bij de vriendin van Sophie Dawes in de buurt te komen zonder zich te verraden.

Hélène verliet de kamer en stak het universele magnetische pasje in haar zak. Sinds de goede oude hotelsleutels waren omgeruild voor plastic kaartjes met een magnetische strip, was het kinderspel geworden om een hotelkamer binnen te komen. Ze had in een speciaalzaak in Taiwan voor nauwelijks tienduizend euro een decodeerapparaatje gekocht en kon zich nu toegang verschaffen tot bijna alle hotelkamers ter wereld, tenminste als er geen vergrendeling op de deur zat.

Ze gebruikte de lift en verliet ongezien het hotel. Ze zou nog een dagje wachten met haar rapportage.

Jade liet het nog eens herhalen. Antoines gezicht vertrok.

'*Het vlees verlaat de botten*. Dat kunt u niet begrijpen. Het is een rituele maçonnieke formule om de moord op Hiram, de centrale figuur van de vrijmetselarij, te gedenken.'

'Ik zie het verband niet. Misschien kunt u zich verlagen tot het niveau van een oningewijde; ik neem tenminste aan dat u vrijmetselaar bent.'

Marcas streek langs zijn wang en voelde de opkomende baardstoppels.

'Drie slagen. Op schouder, hals en voorhoofd. Net als in het verhaal van Hiram. Weet u, volgens de maçonnieke overlevering leefde er in de tijd van Salomo een architect, die zijn legendarische tempel voor hem bouwde. Omdat die Hiram belangrijke geheimen kende, werden drie arbeiders jaloers en probeerden ze hem die geheimen te ontfutselen. Ze spanden samen en lokten hem op een avond in de val...'

Jade keek hem verbluft aan.

'Dit is belachelijk. Sophie is net vermoord en u staat voor te lezen uit de Bijbel. Ik geloof mijn oren niet...'

'Laat me mijn verhaal afmaken. De eerste arbeider sloeg hem op de schouder, Hiram weigerde te praten en vluchtte. De tweede man gaf hem een slag in de hals; ook nu kon de grote architect weer ontsnappen, maar hij vond de derde man op zijn pad die hem afmaakte met een klap op het voorhoofd.'

Nu liet ze hem wel uitpraten en Antoine ging door: 'Dit verhaal is heel belangrijk voor ons; al nemen we het niet al te letterlijk, het is rijk aan symboliek. Maar daar gaat het me nu niet om...'

'Wat is er nog meer?'

'Een gerucht dat de ronde doet in de loges. Bij elke grote omwenteling in de geschiedenis luidt dit soort moorden de vervolging van vrijmetselaren in.'

'U bent getikt!'

'U bent onwetend! Al meer dan een eeuw lang zou dit type moord in heel Europa voorkomen. Altijd volgens hetzelfde ritueel: de schouder, de hals en het voorhoofd. Alsof vrijmetselaars, want die zijn altijd de slachtoffers, een martelaarsteken wordt toegebracht.'

'En hoe komt u aan die wetenschap?'

'Wat ik al zei: het zijn van die verhalen die de ronde doen.'

'En...'

'En de boodschap is ongetwijfeld voor ons bedoeld.'

'En weet u wie erachter zitten? Jullie hebben zoveel vijanden.'

'Die vijanden zijn onbestaand, er zijn alleen maar onwetenden.'

De Afghaanse keek hem nijdig aan en schudde het hoofd.

'Ik laat u alleen met uw sprookjes en legendes. Ik moet een moord oplossen en nog wel een op een vriendin die me heel dierbaar was. Als ze niet bij die sekte van u was gegaan, had ze nu nog geleefd.'

De sfeer werd gespannen. Ze keken elkaar tartend aan.

'U hoeft niet grof te worden. Ik hoor niet bij een sekte en ik denk niet dat uw vriendin het met u eens zou zijn geweest. Maar aangezien u nergens van wilt weten, vertrek ik liever en bemoei ik me nergens meer mee.'

Hun opgewonden stemmen kaatsten tegen de lambrisering van het paleis dat sinds de Farneses al het toneel was geweest van ontelbare ruzies, samenzweringen en complotten.

Nu hield de Afghaanse hem bij zijn arm vast. Antoine keek haar woedend aan. Hij had de pest aan die vrouw en dat zou ze weten ook.

'Laat me los. Uw domheid slaat zelfs uw incompetentie wat betreft moordzaken. Ik adviseer u voor uw eigen bestwil om me te laten gaan.'

Er trok een uitdagend lachje over haar gezicht. Die smeris verdiende een lesje.

'Wat gaat u dan doen? Uw vriendjes te hulp roepen?'

Marcas was witheet. Zijn antwoord kwam niettemin op gedempte toon: 'De pers volstaat. De Quai d'Orsay zal opgetogen zijn. Er wordt niet elke dag een Frans staatsburger vermoord in het palazzo Farnese.'

'U zou niet eens de tijd krijgen om dat te doen.'

'Onderschat mijn vriendjes niet. Het schijnt dat er heel wat journalisten bij zijn. Wilt u dat ik ze even bel? Ik ben een groot voorstander van transparantie.'

Hij haalde een grijze metallic gsm uit zijn zak. De Afghaanse balde haar vuisten en bond in: 'Dat is smerige chantage. Transparantie... Grappig, uit de mond van een vrijmetselaar die in zijn loge niet anders doet dan konkelen.'

'Zeg toch niet van die stomme dingen.'

'Kom nou! Samenkomsten die verboden zijn voor gewone mensen, omdat ze jullie aanstellerij met die idiote voorschoten niet mogen zien, netwerken van vriendjes in alle mogelijke milieus, met kruiwagens om broeders aan een baan te helpen... Nee, ik ben stom, dat is natuurlijk allemaal niet waar!'

'Ik kan u even niet volgen.'

'Sorry dan. Ik ben alleen maar een oningewijde die niet het voorrecht heeft zich te mogen laven aan het licht van de Opperbouwmeester des Heelals.'

'Wij hebben niets te verbergen.'

'Iedereen heeft geheimen!'

Marcas keek haar argwanend aan.

'O ja? Wat is uw geheim dan?'

De spanning liep weer op.

'Ik? Ik heb geen geheimen. Ik leid geen dubbelleven van juut en broeder. Dat zal uw carrière geen kwaad doen, trouwens.'

'Veiligheidsbeambte en lijkenpikker is ook niet zo verheffend!'

Marcas en Zewinski stonden met rode koppen tegenover elkaar, nog meer beledigingen lagen hun op de lippen.

De krachtmeting duurde een tiental seconden, toen liep de politieman abrupt weg.

12

Jeruzalem

De rode vloeistof vloeide uit de karaf, draaide in de hals en stroomde in het kunstig gegraveerde kristallen glas. Het kostelijke nat had het glas gauw gevuld. Met een korte handbeweging kwam de karaf weer recht, waardoor de karmijnrode straal Château Lauzet werd afgebroken.

Een houtig parfum steeg op uit het kristallen kunstwerkje en streelde Béchirs geurpapillen. Een moment van pure verrukking.

Op eigen terrein een glas wijn drinken was een stimulerende uitdaging voor hem. Als zijn naasten wisten dat de Emir soms stiekem dronk, zou zijn aanzien een ferme deuk krijgen. Overtreding van een verbod verdubbelt het plezier. Hij tilde het glas naar zijn mond, de vloeistof kwam weer in beweging om dit keer in zijn keel te belanden.

Béchir genoot van dit weergaloze moment. De islam veroordeelde het gebruik van alcohol, maar dat was niet altijd het geval geweest. De Emir hield erg van het werk van de oude Perzische dichter Omar Khayyám, die beroemd was geworden door zijn lofzangen op de geneugten van wijn en vrouwelijk gezelschap. Tijdens een missie in Londen had hij eens voor veel geld een negentiende-eeuws exemplaar gekocht van Omar Kayyáms *Rubáiyát*, een van de vele edities uit de periode waarin de dichter was herontdekt door het decadente Engelse literaire wereldje.

Wijn, de godendrank die de geest van de sterveling benevelt... Met zijn linkerhand streelde hij de steen van Thebbah, het object van de begeerte van zijn opdrachtgever. Honderdduizend euro was een mooi prijsje voor een oude steen.

Béchir had bovendien niet alleen de steen meegenomen uit het Archeologisch Instituut. Uit voorzorg had hij ook papieren ingepakt die de oude Jood net voordat hij stierf op zijn bureau had gelegd. De Emir vertrouwde de opdrachtgever maar half. Een Europeaan, ongetwijfeld.

Een van die fanatieke verzamelaars die er alles voor overhebben om hun begeerte te bevredigen. Maar komt daar ooit een einde aan? Die steen zou wel eens kostbaarder kunnen zijn dan gedacht. Sinds de ontdekking van de Dode Zeerollen bij Qumran, waren onderzoekers uit de hele wereld gebiologeerd door het kleinste scherfje dat in Palestina werd opgegraven.

De onenigheid tussen de aanhangers van de twee grote monotheïstische godsdiensten van het Boek was ook hoog opgelaaid. Joden en christenen waren verwikkeld geraakt in een ideologische twist, die het grote publiek misschien ontging, maar die grote theologische consequenties had. Voor de orthodoxe Joden leverden de Dode Zeerollen het onomstotelijke bewijs dat christenen bijna directe afstammelingen zijn van een onbeduidende Joodse sekte, de Esseners, die zich hadden teruggetrokken in de woestijn, waar ze de Apocalyps predikten. Vanuit dat oogpunt bekeken was Christus dus maar een tweederangs profeet, die de boodschap van de Esseners alleen maar napraatte en doorgaf, en dat nog slecht had gedaan ook.

Een ongeletterde timmermanszoon die zich verbeeldde dat hij de Verlosser was! Hij was helemaal niet de zoon van de Almachtige God. Voor christenen in de hele wereld was die interpretatie onduldbaar. En drommen christelijke theologen probeerden te bewijzen hoe radicaal de evangelies verschilden van de Esseense teksten van Qumran.

Sinds de ontdekking ervan in 1947, veroorzaakten deze geschriften al beroering. Vooral ook omdat er nog maar brokstukken van over waren, waarvan de reconstructie meer taalkundige veronderstellingen opleverden dan wetenschappelijke zekerheden. Hoe dan ook, die beroemde rollen, die verstopt zaten in oliekruiken, bleven de christelijke kerken dwarszitten. Vooral in de Verenigde Staten verschenen al boeken die de goddelijke status van Christus en daarmee ook de legitimiteit van het christendom aanvochten.

Béchir volgde die kwesties belangstellend, want hij meende achter dat offensief tegen de oorsprong van het christendom de hand en het geld van de zionisten te zien. Net als veel islamitische intellectuelen, meende hij dat de Joden geen enkele andere godsdienst tolereerden. En al helemaal geen godsdienst die uit hun eigen midden zou stammen!

Als die christenhonden toch eens wilden inzien dat de Joden hun ergste vijanden waren! Aan het begin van het jaar had Béchir reden tot juichen gehad. Er werd toen een monumentale studie van minstens tien jaar opgravingen en research gepubliceerd, die korte metten maakte met de Esseense oorsprong van de Dode Zeerollen.

In Qumran, waar een grote Esseense gemeenschap geleefd zou hebben, werd alleen maar aardewerk gemaakt. Die beroemde kuipen, waarover aan argeloze toeristen werd verteld dat ze voor rituele reiniging hadden gediend, waren eigenlijk gewone bewaarbekkens voor de klei waarmee potten werden gemaakt.

Het waren nota bene Joodse archeologen die dat hadden ontdekt!

Béchir schonk zich nog eens in. Er was geen gevaar dat de steen van Thebbah ooit zo'n opschudding zou veroorzaken. Hij had net het onderzoeksrapport uitgelezen. Het ging maar om een stukje van een handelscontract. Het was gewoon een bestelling van materiaal. Niets om de wereld voor op zijn kop te zetten! En voor zoiets doms telde ergens ter wereld iemand een klein fortuin neer. Westerlingen waren toch echt vreselijk decadent.

Er bleef nu nog maar één probleem over. De steen in Parijs te krijgen.

Béchir zette zijn glas neer en tikte op de toetsen van zijn nieuwste generatie laptop. Hij logde in op internet en ging naar een site met lastminute-aanbiedingen van chartervluchten. Hij koos vervolgens de vluchten tussen Egypte en Parijs. Vanuit Jeruzalem vliegen was te gevaarlijk en de grenzen met de omringende Arabische landen werden te streng bewaakt. Het grensverkeer tussen Israël en het land van de piramides was daarentegen gemakkelijker geworden.

Hij wachtte even op de selectie van de zoekmachine die een keuze maakte uit beschikbare vluchten van driehonderd maatschappijen van alle mogelijke nationaliteiten. Er verschenen drie vluchten op het scherm. De eerste uit de badplaats Sjarm el-Sjeik, de tweede uit Luxor en ten slotte een uit Caïro. Die laatste mogelijkheid verwierp hij; Nasser Airport werd de laatste tijd zwaar gecontroleerd vanwege de antieksmokkel. De douane zou te veel belangstelling hebben voor zijn steen van Thebbah. Luxor, het vertrekpunt van goedkope Nijl-cruises, zou hebben gekund, maar de stad lag hem te ver in het zuiden van Egypte. Dus bleef alleen Sjarm el-Sjeik over.

Hij trok zijn bureaulade open en pakte er een versleten wegenkaart van Israël en Egypte uit. Béchir trok een grimas. De kustweg vanuit Eilat naar Sjarm el-Sjeikh liep door de Sinaï-woestijn waar het in dit seizoen smoorheet was, maar er lagen vooral overal blokkades van het Egyptische leger. Het risico was te groot en Egypte viel af als optie.

Hij klikte nog een keer en probeerde de vluchten uit Jordanië, een ander Arabisch land dat zich gematigd opstelde tegen de Joden. Over twee dagen vertrokken er twee vluchten naar Parijs, via Amsterdam en via Praag.

Rekening houdend met monsterfiles, schatte hij de rit over honderd kilometer tussen Jeruzalem en Amman op minstens acht uur. Dat ging, maar de grensovergang zou geen lolletje zijn. Het was een van de best bewaakte grensposten van Israël en alles werd er systematisch gecontroleerd.

Hij verwarmde het wijnglas lichtjes door het voorzichtig tussen zijn handen rond te walsen.

Er schoot een idee door zijn hoofd. Een schitterend, briljant idee; gevaarlijk, maar doeltreffend.

Hij reserveerde de vlucht van Amman naar Parijs via Amsterdam en vulde zijn creditcardnummer op naam van Vittorio Cavalcanti uit Milaan in, een zakenman in het bezit van een keurig Italiaans paspoort.

Verschillende van zijn Europese vriendinnen hadden hem al gezegd dat hij er Italiaans uitzag; een van hen had zelfs gevonden dat hij leek op de acteur Vittorio Gassman. Dat had hem op het idee gebracht af en toe een Italiaanse identiteit aan te nemen. Maar die naam zou hij niet gebruiken om de Jordaanse grens te passeren.

Hij rekte zich uit en voelde dat hij slaperig werd. Morgen zou een lange dag worden. Hij dacht nog even aan zijn slachtoffer: net voor de oude man stierf had hij iets gezegd dat hem als een vloek in de oren had geklonken. Nee, dat was niet het juiste woord, het was eerder een vervloeking.

13

Rome

Marcas draaide het houten prikkertje van zijn zalmhapje tussen duim en wijsvinger. Bij hem was dat een teken van ergernis. Hij had het verstandiger gevonden om dat veiligheidsmens de rug toe te keren, in plaats van door te gaan met dat belachelijke geruzie.

Ze had hem opzettelijk uitgedaagd met haar kwaadsprekerij over zijn vrijmetselaarschap en ze zou toch niet van gedachten veranderen. Het was niet de eerste keer dat hij zulke verwijten moest aanhoren en ontkennen was zinloos. Ook al omdat hij geen enkele solidariteit meer voelde met de broeders die schuld hadden aan de verslechtering van het imago van de vrijmetselarij. Maar vooral omdat hij besefte dat hij haar niet duidelijk zou kunnen maken wat zijn engagement en de schoonheid van de rituelen precies inhielden. Ze zag enkel de schaduwzijde.

Hij had kennelijk geen geluk met vrouwen. Of hij wist niet meer hoe je met hen moest omgaan. Sinds zijn scheiding was hij vrijgezel gebleven en dat zou wel een reden hebben. Een van zijn vriendinnen had hem uitgelegd, op een avond dat hij seksueel weinig enthousiasme betoonde, dat hij zich nog niet echt kon losmaken van zijn ex. Antoine had bijna de slappe lach gekregen. De enige keer dat hij nog echt aan zijn ex dacht was aan het einde van de maand, als hij de alimentatie moest betalen. Of wanneer hij via haar advocaat weer zo'n verbijsterende brief kreeg vol met bekrompen verwijten en zure kritiek waar ze zo goed in was. Uit slapheid of uit verdorvenheid bewaarde Antoine die hatemail zorgvuldig.

Een soort van geboeidheid weerhield hem ervan om ze te vernietigen; hoe kon zo'n grote liefde veranderen in zo'n kille haat?

Hij keek om zich heen, in de hoop dat de regisseuse nog ergens zou rondlopen, maar tot zijn grote spijt was ze verdwenen. Het gezelschap was tot de helft gekrompen, Antoine besloot zijn jas te halen en weg te gaan, de avond was bedorven. Jaigu liet zich niet meer zien, waarschijnlijk was hij de ambassadeur aan het bijpraten en zaagde hij aan de stoelpoten van zijn collega.

De warme, omfloerste stem van China Forbes, de zangeres van Pink Martini, een groep die sinds de release van hun laatste album vaak gevraagd was op mondaine avondjes, zweefde door de zaal. Hij herkende het nummer, 'U Plavu Zoru', een ongewone en bedwelmende mix van violen en conga's, gegarneerd met het monotone geluid van de zangeres uit Portland. Antoine bleef even met gesloten ogen staan genieten. Behalve zijn uitgesproken voorkeur voor de muziek van de Pinks en hun uitstapjes naar de jaren veertig, droomde hij al van de zangeres sinds hij een concert van haar had bijgewoond, toen hij net in de Parijse voorsteden begon. Ze was een opwindende mengeling van glamour en frisheid.

Hij opende zijn ogen toen het nummer afsloot met een laatste oosters aandoend vioolakkoord.

De terugkeer op aarde viel niet mee. Jade Zewinski stond met haar handen in haar zij voor hem en keek hem streng aan alsof ze hem de weg wilde versperren. Het visioen van China Forbes verdween onmiddellijk.

'Ga niet weg. Ze hebben ons nodig.'

'Hoezo?'

Jade gaf hem een verkreukeld stuk papier.

'Ja, *ons*! U en mij! Het duivelspaar! Oftewel de spionne en de broeder! Hier. Kunt u lezen?'

Marcas nam de fax vluchtig door: '... de voornoemde politiefunctionaris moet zich onverwijld ter beschikking stellen van de consulaire autoriteiten... Hij moet voor honderd procent samenwerken met de verantwoordelijke ambtenaren van de plaatselijke veiligheidsdiensten...'

De commissaris trok een zuur gezicht.

'Ik neem aan dat het idee niet van u komt?'

'Er ontgaat u ook niets. Als het aan mij lag, had ik u al uit de ambassade laten gooien. Het schijnt dat uw vriendje Jaigu het onzalige idee had om in hogere sferen melding te maken van uw aanwezigheid hier.'

De politieman zuchtte. Hij had geen zin het gesprek nog langer te rekken.

'Luister, laten we er niet omheen draaien. We hebben geen van beiden zin om elkaar nog een minuut langer te zien en...'

'U mag er nog een minuut controletijd bij doen, als de Opperbouwmeester het vraagt.'

'Bedankt voor de precisie. Wat ik wilde zeggen is dat we beter nu meteen uit elkaar kunnen gaan. Ik ga naar bed en morgen stuur ik u een rapport waarin ik verklaar dat ik daarboven niets vermeldenswaardigs heb gezien. U houdt uw onderzoek en ik mijn gemoedsrust. Ik vertrek naar Parijs en daarmee is de kous af.'

Jade glimlachte. Voor het eerst in zijn aanwezigheid.

'We hebben een deal. En geen woord erover aan uw logevriendjes, natuurlijk.'

'Uiteraard, ze zouden me trouwens toch niet geloven als ik u beschreef. Zoveel vriendelijkheid en charme bij iemand van uw slag slaat alle verbeelding.'

Jade bleef glimlachen ondanks de steek.

'Ik hoop u nooit meer terug te zien, commissaris.'

'Insgelijks.'

Ze wierp hem nog een vuile blik toe, draaide zich om en liep naar het groepje veiligheidsmensen dat samendromde voor de deur van de keuken.

Marcas ging naar de uitgang, maar boog ineens af naar de groep. Jade leek razend en sprak haar mensen op hoge toon toe. Een van de mannen wees naar de commissaris, ze draaide zich om en wierp een vertwijfelde blik naar het plafond.

'Wat nu weer?'

Nu moest Marcas lachen.

'Ik vergat u de naam van mijn hotel te geven, voor noodgevallen.'

Ze bekeek hem geringschattend.

'Dat is heel vriendelijk, maar ik denk niet dat ik u nog nodig zal hebben. U kunt uw verslag aan mij afgeven bij de ambassade.'

Hij probeerde te zien wat er achter de deur gebeurde.

'Wat is er aan de hand?'

'Niets bijzonders. De hoofdbutler komt weer bij. Die was knock-out geslagen. Vermoedelijk door een van de uitzendkrachten. Met een beetje geluk kunnen we een robotfoto maken. Goedenavond.'

Ze draaide zich demonstratief om en hervatte haar gesprek met de veiligheidsmensen.

Marcas haalde zijn schouders op en liep naar de vestiaire. De *spionne en de broeder*, belachelijk, maar het klonk niet slecht. Ze had misschien toch gevoel voor humor.

Hij duwde de zware paleisdeur open en voelde een frisse bries langs zijn wang strijken. Als die moord er niet was, zou hij graag een beetje door Rome gaan zwerven. De stad van keizers en pausen trok hem geweldig aan. Bovendien was hij een groot liefhebber van de opera's van Puccini en diens *Tosca* speelde zich af in het paleis.

Een romantische drang overviel hem.

Overmorgen zou hij weer in zijn krappe commissariaat rapporten zitten lezen die altijd over hetzelfde gingen, luisteren naar het geklaag en gefoeter van zijn personeel, naar de eeuwige deuntjes, dezelfde afgezaagde grappen. Daarbij vergeleken was dat meisje met die rare voornaam een verademing, misschien wel het ware leven zelf.

Marcas schokschouderde. Op je veertigste lopen te dromen over een onbekende, en een hysterica nog wel! Dat had hij weer. Hij kon zich beter maar bij zijn geliefde studieobject houden. Het verleden ontgoochelde je nooit. En de vrijmetselarij was een liefde voor het leven.

Een queeste, waaraan nooit een einde kwam.

Het beeld van het vermoorde meisje drong zich weer aan hem op. Wie haalde het in zijn hersens om het ritueel van Hiram te onteren en wie dreef de zonde en de provocatie zover dat hij een mens op die manier ombracht? Zoals alle stichtingsverhalen is de moord op Hiram maar een parabel, die vooral filosofische betekenis heeft.

Om de betekenis van de moord te kunnen begrijpen moest je al een ingewijde zijn, of in elk geval veel over de vrijmetselarij hebben gelezen. En in dit geval spraken de getuigen van de veiligheidsdienst over een vrouw...

Een moordenares van vrijmetselaars. Grotesk en schokkend, dacht Marcas terwijl hij langs de hekken van de ambassade liep. Hij kreeg slaap en wenkte aan het einde van de straat een taxi.

In de auto begon zijn geest weer te malen. Hij begon te analyseren, te vergelijken, scenario's te verzinnen...

Tenslotte lag er achter de hekken van de ambassade een jonge vrouw wier leven ruw was afgebroken. Een zuster, wier opzettelijke dood, of hij wilde of niet, ook zijn probleem was geworden. Vrijmetselaarschap vereist een voorbeeldige solidariteit... in leven en dood.

De taxi stopte voor hotel Zuliani, in een van de weinige kalme wijken van de Eeuwige Stad. Autoverkeer meed deze lange smalle straten met door citroenbomen overschaduwde trottoirs, waar enorme villa's uit de tijd van het fascisme stonden. Ze waren gebouwd door de dignitarissen van het Mussolini-regime die zich lieten inspireren door het verleden, zodat de wijk een lappendeken van Italiaanse bouwstijlen was geworden.

De familie Zuliani was verliefd op Venetië. En vooral op het Venetië van het fin de siècle met de fletse, bouwvallige marmeren paleizen en het door de zeelucht aangetaste pleisterwerk. Dat was in elk geval de indruk die hotel Zuliani maakte op de buitenlanders die er een nacht of een maand verbleven.

De onroerendgoedmaatschappij die het paleis had gekocht om er een hotel van te maken had niets veranderd aan het interieur, wetend dat de klanten net zo gesteld waren op het verleden als op comfort. Marcas, die een kamer had gereserveerd in dit ouderwetse operadecor, waardeerde de combinatie bijzonder.

In zijn kamer pakte de commissaris een van de notitieboekjes die hij altijd bij zich had. Hij sloeg een onbeschreven blaadje op en schroefde bedachtzaam de dop los van de rode vulpen die zijn zoon hem had gegeven voor vaderdag. En hij ging aan de slag.

Hij noteerde eerst de naam van Sophie Dawes en de plaats van de moord, met een beschrijving van het vreemde ritueel dat de moordenares had uitgevoerd. Hij dacht aan het verhaal over soortgelijke moorden dat hij lang geleden had gehoord van een geleerde die hij had ontmoet in het kader van zijn onderzoek naar de geschiedenis van de loge.

Hij had geen idee of die duistere legende berustte op waargebeurde feiten of dat hij een samenraapsel was van verhalen over vervolgingen van broeders in de loop der eeuwen in de hun vijandige landen. De geleerde, een Meester van de loge Trois Lumières en nu al tien jaar dood, was als historicus gespecialiseerd in de geschiedenis van Spanje. Hij had verteld dat daar vrijmetselaars, met een tussenpoos van honderd jaar, twee periodes van vervolgingen hadden gekend.

De eerste periode was vlak na de aftocht van de Napoleontische troepen. Een honderdtal Spaanse broeders werd toen onthoofd vanwege hun uitgesproken sympathie voor het Franse ideeëngoed en hun afkeer van de monarchie. De tweede reeks vervolgingen vond plaats tijdens de vreselijke burgeroorlog tussen republikeinen en de nationalisten van generaal Franco, die een gezworen vijand was van de maçonnerie, die 'Jezus Christus en de rooms-katholieke Kerk vijandige beweging'. Vrijmetselaren, die ruim vertegenwoordigd waren in de linkse gelederen en met name in politieke en militaire kringen, werden openlijk vervolgd door de zegevierende troepen van de caudillo. Heel wat broeders stierven in de kerkers van de dictator die onmiddellijk na zijn geslaagde machtsgreep de vrijmetselarij verbood.

Marcas herinnerde zich nog dat hij aantekeningen had gemaakt van de uiteenzetting van de historicus en nam zich voor die op te zoeken. Hij meende dat er sprake was geweest van vervolgingen in Sevilla, van broeders die met ingeslagen schedel waren gevonden in hun geplunderde loge, waar op de voorgevel met bloed de naam 'Hiram' was geschreven. Het verhaal kwam langzaam weer bij hem terug. Maar in die tijd waren executies en represailles door de beide kampen schering en inslag: alleen de broeders die naar de loge waren teruggekeerd hadden de eigenaardigheid van die misdaden opgemerkt.

Als Marcas morgen langsging bij de Romeinse loge, zou hij informeren of er in de archieven soms sprake was van nog meer van dergelijke moorden. Doodmoe legde hij zijn pen neer en schoof tussen de frisse beddenlakens. Hij viel als een blok in slaap.

Hij droomde.

Hij beklom een reusachtige ladder naar de sterrenhemel, een eindeloze reeks sporten ging omhoog naar een lichtende wolk. Toen wankelde de ladder en viel hij in een zwarte afgrond waar een gigantisch oog hem vanaf de bodem aanstaarde. Naast hem viel een vrouw, ze bleef heel kalm en ze keek hem vriendelijk aan. Sophie Dawes' voorhoofd zat onder het bloed.

Jakin

'De vrijmetselarij is een stinkende wonde in het lichaam van het Franse communisme, we moeten haar met een gloeiend ijzer uitbranden.'

Léon Trotski, 1923

'Een genootschap met een heimelijk ideaal, dat verkiest zich te verbergen, is een schadelijk genootschap. We moeten het behandelen als een onrein beest.'

Edouard de la Rocque, 1941

'Gelovigen die zich hebben aangesloten bij maçonnieke verbanden verkeren in staat van zware zonde.'

Kardinaal Ratzinger, 1983

'Wij vinden terecht dat de vrijmetselarij satanisch is, want zij doet er alles aan de antichrist te openbaren.'

De website van *Vox Dei*, 2004

'[...] Vrijmetselaren, Rotaryclubs en andere groeperingen die organisaties van gezagsondermijners en saboteurs zijn.'

Het Handvest van Hamas

'Praten om niets te hoeven zeggen en niets zeggen om te kunnen praten zijn de twee leidende en waterdichte principes van allen die beter hun mond konden houden alvorens hem open te doen.'

Pierre Dac, humorist, vrijmetselaar, *Les Pensées*

14

Parijs,
de obediëntie Grand Orient de France in de rue Cadet

In het voorportaal staat de Kandidaat in het aardedonker. Een geoefende hand heeft hem net geblinddoekt. Hij huivert.

Hij voelt zich angstig. Zojuist al, in de Kamer van Overpeinzing, de verplichte passage voor elke inwijding, was hij onrustig geworden. Daar stonden de aloude vrijmetselaarssymbolen speciaal voor hem opgesteld.

Het doodshoofd op de tafel, in zwarte inkt geschreven spreuken aan de muur. Hoelang had hij in dat rouwdecor gezeten? Hij had geen flauw idee, alleen met de schedel die hem aanstaarde leken de minuten eindeloos, werden uren... Was dat doodshoofd niet zijn grijnzende dubbelganger in een volgend leven, als het vlees van zijn botten gevallen zou zijn...? Na die eeuwig lijkende ogenblikken, had men hem uit zijn overpeinzingen gehaald die draaiden rond die ene gedachte: na deze ceremonie zou hij een ander mens zijn.

En nu staat hij daar. Om hem heen heerst diepe stilte. Als profaan wordt hij ondergedompeld in de onbekende wereld van de ingewijden, waarvan hij deel wil gaan uitmaken.

Een hand knoopt zijn overhemd los. Een andere hand hijst zijn broekspijp omhoog. Hij krijgt het koud. Met ontblote borst en been zal hij zijn inwijding ontvangen. Hij heeft de ongewone situatie nog maar net verwerkt of er wordt een touw om zijn hals gelegd. Zo'n zwaar, ruw koord waarmee in lang vervlogen tijden de doodsstrijd van gehangenen begon.

Hij lacht nerveus. Het gaat beginnen. Hij kan niet meer terug.

In de tempel maken de broeders officianten zich klaar voor de beproevingen van de inwijding. Alle broeders moeten deelnemen aan de ceremonie, gekleed in donker kostuum en getooid met hun schootsvel.

Het is een echte bundeling van geestkracht, de *egregore* van de alchemisten, de groepsgeest die de neofiet in alle fasen van inwijding zal begeleiden.

Er klinkt een hamerslag. De stilte wordt nog intenser.

De neofiet komt binnen, diep bukkend alsof hij de tempel kruipend moet binnengaan. Volgens sommige geleerde vrijmetselaren is deze gewoonte een overblijfsel uit de middeleeuwse inwijdingsrituelen: het zou een symbolische oefening in nederigheid zijn. De Achtbare neemt het woord en ondervraagt de Kandidaat voor een laatste keer.

Samen met alle broeders die de nieuwkomer omringen mompelt Marcas de rituele vragen mee. Op dat moment kan de geblinddoekte man zich nog bedenken. Een stap naar voren is het teken dat hij de inwijding aanvaardt.

Onbeweeglijk volgt Marcas zijn gebaren, hij weet dat dit ritueel sinds de achttiende eeuw onveranderd is gebleven. Er moeten beproevingen worden doorstaan die regelrecht teruggaan op de oude mysteriën. Om het ware Licht te ontvangen, moet de Kandidaat symbolisch worden gezuiverd door de vier elementen: aarde, water, lucht en vuur. In de oudheid vormden deze elementen samen de ware natuur van mens en universum. Elk element vertegenwoordigde een stap in de opgang van de mens naar de waarheid. Om een ingewijde te worden moet elk van die stappen worden doorlopen.

Onverhoeds wordt de Kandidaat vastgepakt. Een heidens kabaal vult de ruimte. De inwijding begint.

Zijn hoofd tolt. Hij is onzeker omdat hij zijn evenwicht kwijt is. Mysterieuze woorden geven het ritme van de inwijding aan. Hij draait rond, hij verliest zijn richtinggevoel en begint aan een tocht zonder einde alsof hij dolend op zoek is naar het hart van een labyrint. Hij gaat door water. Hij snuift lucht op. Hij raakt vuur aan. Al die tijd klinkt er die tergende muziek, soms zacht als een oosters gezang, soms razend als een dodendans.

Plotseling valt alles stil. Hij is symbolisch door de oerchaos gegaan en heeft het pad van de schepping afgelegd.

Marcas kijkt naar die nieuwe broeder en zoals bij elke nieuwe inwijding, lijdt hij met hem mee. Hij vreest vooral de laatste stap.

De meest beangstigende. De meest afmattende.

De tempel wordt aardedonker. Alleen één stukje van de vloer blijft verlicht. Langzaam ontdoet men de neofiet van zijn blinddoek.

En hij ziet. Hij ziet wat niet zichtbaar is.

De neofiet staat nu op het punt om het Licht te ontvangen. Geblinddoekt en met bezwete borst heeft hij alle etappes afgelegd. Gezuiverd door de vier elementen wacht de Kandidaat-Leerling nu op zijn wedergeboorte.

Heel wat broeders in de kolommen beleven met tranen in de ogen weer hun eigen inwijding.

In het Oosten knoopt Marcas zijn handschoenen los. Nu gaat de vijfde reis beginnen; die van de vriendschap. Die reis hoort niet bij het officiële rituaal van deze obediëntie. Het is een traditie waarvan de oorsprong niet meer te achterhalen is.

Stuk voor stuk steken de broeders hun blote handen uit. Samen met de Voorbereider neemt de Ceremoniemeester de geblinddoekte man bij de schouders en laat hem naar het Oosten buigen. De Achtbare Meester pakt zijn trillende handen en legt ze in die van de Redenaar.

De neofiet gaat zo van hand tot hand door alle rijen. Voortaan maakt hij deel uit van de onzichtbare keten die de vrijmetselaren al eeuwenlang verbindt. Als hij voor Antoine staat, voelt de commissaris zijn hart in zijn keel kloppen. De ontroering stijgt. Hij zal nog een laatste hand schudden voordat er Licht is.

Als het ritueel is afgelopen, zakt Marcas met toegeknepen keel en betraande ogen in zijn stoel.

Plechtig lopen de officianten langs de rijen en blijven stilstaan tussen de kolommen, tegenover het Oosten. Op het gezicht van de neofiet parelt zweet, hij staat te trillen op zijn benen.

De Voorbereider knoopt de blinddoek los.

Dat er Licht schijne...

Marcas voelde zich goed. Hij was blij dat hij op tijd uit Rome terug kon zijn om vanavond deze mooie inwijding bij te wonen. Hij bekeek de jonge nieuwe broeder, die er nog een beetje verloren uitzag. Maar dat bepaalde sprankje in zijn ogen was al duidelijk aanwezig.

Het zou hem nog jaren van toewijding en werk kosten om alle treden van de trap te beklimmen en om zijn schootsvel waardig te zijn.

15

Parijs

De dag na de moord op Sophie Dawes draaide de Franse diplomatie op volle toeren. Het lichaam was teruggevlogen en voor identificatie door de familie overgebracht naar een forensisch-pathologisch centrum. Officieel was het meisje onder invloed van alcohol onwel geworden en had ze een dodelijk val van de grote trap gemaakt.

Drie getuigen, leden van de bewakingsdienst van de ambassade, hadden een schriftelijke verklaring in die zin afgelegd. Valsheid in geschrifte op bevel van het hoofd van de beveiliging zelf. Geen enkele journalist had lucht gekregen van de zaak en geen van de genodigden had ook maar iets gemerkt. Een uitgewist leven, een bijgekleurde dood.

De vader van het slachtoffer, een oude man die aan Alzheimer leed, kon het lichaam niet identificeren. Een verre nicht kwam in zijn plaats even de benodigde papieren tekenen en verdween even snel als ze was gekomen.

Twee dagen later zou het lichaam onopvallend ter aarde worden besteld op een begraafplaats in een buitenwijk van Parijs. Maar die ijver om elk spoor van de moord uit te wissen, werd nog geëvenaard door de koortsachtige activiteit achter de schermen om deze officieel niet gepleegde moord op te lossen.

Op de Quai d'Orsay probeerden specialisten het korte bestaan van het slachtoffer tot in de kleinste details te reconstrueren. Tegelijkertijd werd de Grand Orient de France gewaarschuwd dat een van haar archivarissen was omgekomen door een betreurenswaardig ongeval.

Binnen de obediëntie zelf werd alles geverifieerd en gecontroleerd. Op het ministerie van Binnenlandse Zaken was er al een informeel overleg gepland tussen een adviseur van de Grand Orient, een diplomaat en een topambtenaar van het ministerie.

Met het oog op dat overleg was Jade Zewinski naar Parijs ontboden met het verzoek zich ter beschikking van de autoriteiten te houden. Antoine Marcas had zijn voorzorgen genomen en was al sinds de vorige avond in Parijs.

Sophie Dawes, die bij haar leven nooit iemand last had bezorgd, werd nu ze dood was een netelige kwestie op het allerhoogste niveau.

Béchir, bijgenaamd de Emir, begon aan zijn lange reis naar Europa. In zijn koffer zat de zorgvuldig ingepakte steen van Thebbah.

Hélène, die Sophie van het leven had beroofd, wachtte in Rome op verdere instructies...

De leden van Thule hoopten dat hun tijd eindelijk was aangebroken en verheugden zich al op de steen van de Joden. Het ware Licht zou gaan schijnen...

Parijs, place Beauvau,
het ministerie van Binnenlandse Zaken

'Mooi, heren, dan zijn we het daarover dus eens? Mejuffrouw Sophie Dawes is helaas verongelukt. Het was een ongelukkige val van de grote trap van de ambassade in Rome. De Quai zal geen mededelingen doen over dat jammerlijke incident.'

De man van Buitenlandse Zaken keek zijn gesprekspartners rond de grote tafel vragend aan. Rechter Pierre Darsan, de juridisch adviseur van Binnenlandse Zaken, knikte en de vertegenwoordiger van de Grand Orient, Marc Jouhanneau, beperkte zich tot een handgebaar. Zijn gezicht stond gespannen.

'Dan moeten we alleen nog zorgen dat de zaak stilgehouden wordt,' ging de diplomaat verder.

'BZ heeft al het nodige gedaan. Morgen worden alle agenten die getuige waren van dit *ongeluk* overgeplaatst naar andere ambassades.'

'En het hoofd van de veiligheidsdienst, juffrouw Zewinski?'

'Ze heeft Rome verlaten nadat ze de zaak met een fantastische koelbloedigheid heeft afgehandeld. Zodra ze gedebriefd is komt ze bij onze werkgroep.'

'En de politieman, Antoine Marcas? Wat had die daar te zoeken?'

'Puur toeval. Hij was op de ambassade uitgenodigd door een vriend die ooit zijn hulp had gevraagd voor een ander onderzoek. Hij is ook al weer in Parijs.'

'Kunnen we op zijn discretie rekenen?'

De adviseur van Binnenlandse Zaken keek zijn buurman even aan voordat hij antwoordde: 'Ik denk dat ik voor hem kan instaan.'

'Mooi, juffrouw Zewinski, die onder Defensie valt, zal voor de tijd van het onderzoek tot uw beschikking staan. Nu moet u me excuseren, over een uur heb ik de uitreiking van een Légion d'honneur.'

De man van Quai d'Orsay stond op en nam afscheid. Hij was de deur nog niet uit of rechter Darsan wendde zich tot zijn buurman. De dubbele beglazing dempte het geraas van het verkeer buiten.

'En nu, beste Groot-Archivaris, hoop ik dat u me kunt uitleggen wat uw medewerkster in Rome deed!'

Marc Jouhanneau hief zijn hoofd op uit zijn handen, zijn trekken waren gespannen, zijn ogen rood.

'Sophie Dawes werkte voor de archiefafdeling van de Grand Orient en ze was op reis om bepaalde details te checken. Ze had een tussenstop gemaakt in Rome om haar vriendin, juffrouw Zewinski van de ambassade, op te zoeken.'

'Wat voor details?'

'Dat is een lang verhaal. Maar vertel me eerst of de Quai d'Orsay de documenten heeft gevonden die onze zuster Sophie bij zich had. Zoals u weet zijn die eigendom van de Grand Orient en...'

'Daar hebben we het nog over. Eerst uw verhaal.'

Voordat hij naar BZ ging had Jouhanneau het CV van rechter Darsan bekeken. Hij was uiterst competent in gevoelige zaken, maar wel een profaan die waarschijnlijk niet openstond voor maçonnieke kwesties. Het was ondenkbaar hem alles te vertellen. Hij mocht maar een stukje van de waarheid te horen krijgen.

Hij wreef vermoeid over zijn gezicht en begon aan zijn verhaal: 'Twee jaar geleden kregen we de laatste archiefstukken terug die sinds 1945 in Moskou waren. De documenten waren door de Sovjets meegenomen uit Duitsland, waar ze waren beland nadat de nazi's in 1940 Franse vrijmetselaarsloges hadden geplunderd, vooral in Parijs. Het was een georganiseerde razzia. Tonnen archiefstukken werden naar Berlijn gebracht om ze daar grondig te laten bestuderen.'

'Wat kon de Duitsers de geschiedenis van de vrijmetselarij schelen?'

'Daar waren twee redenen voor. De politieke reden was de vermeende invloed van onze loges. Het idee van een Joods-maçonniek complot leefde erg in die dagen. Extreem-rechts zag achter elk schandaal vrijmetselaars en Joden en de maçonnerie is altijd sterk gekant geweest tegen het fascisme. Men is nu geneigd dat allemaal een beetje te vergeten. De Duitsers wilden de hand leggen op namen, adressen en verslagen van zogenaamde acties tegen alles wat te maken had met hun gedachtegoed. Zulke complottheorieën duiken helaas aan het begin van het derde millennium ook weer op.'

Darsan fronste de wenkbrauwen.

'We zitten hier niet om de loop van de geschiedenis te beoordelen. Houd u bij de feiten alstublieft.'

Jouhanneau negeerde de terechtwijzing en ging door: 'Hun tweede zorg was van esoterische aard. Het nationaalsocialisme is altijd doordrenkt geweest van occulte stromingen. Het hakenkruis, bijvoorbeeld, is niet zomaar gekozen, maar werd Hitler aangepraat door leden van een geheim racistisch genootschap, het Thule-Gesellschaft, dat de swastika als embleem had.

'Thule?'

'Die groep Thule bestond al voor Hitlers toetreding tot de nationaalsocialistische partij en werd met de opkomst van de nazi's alleen maar belangrijker. De sekte werd in 1918 opgericht in Beieren door een neparistocraat, een zekere Von Sebottendorff, en wierf na de Eerste Wereldoorlog aanhangers onder Duitse intellectuelen, industriëlen en militairen. De leden ondergingen een inwijding, kwamen in het geheim samen en bedienden zich van speciale herkenningstekens.'

Darsan grinnikte.

'Als ik het goed begrijp, gaat het om een invloedrijk ultrarechts geheim genootschap dat de kern vormde van het naziregime. Ik zou haast zeggen dat ik een overeenkomst zie met de methoden van de vrijmetselarij...'

Jouhanneau antwoordde scherp: 'In de verste verte niet! Hun einddoel was puur slecht en ze beoogden maar één ding: een louter Germaanse samenleving, gezuiverd van jodendom en christendom; ze wilden het oude koninkrijk Thule herstellen, de bakermat van het Arische ras, dat tijdens een natuurramp onder het ijs van het Hoge Noorden verdween.'

'Zoiets als de Atlantis-legende?'

'Helemaal, maar dan een Atlantis met uitsluitend blonde mensen met blauwe ogen die allemaal fel antisemitisch zijn.'

'Bezopen...'

Jouhanneau keek hem aan met een droevig lachje.

'Ja, maar nazi-Duitsland heeft laten zien welke gevolgen zoiets kan hebben. Hooggeplaatste en invloedrijke mensen in de entourage van Hitler waren lid van Thule. Himmler, de leider van de SS, Rudolf Hess, Alfred Rosenberg, de partij-ideoloog van de nazi's. Hij was het trouwens die de plundering van onze archieven heeft georganiseerd, maar hem ging het alleen maar om de documenten van esoterische aard.'

'Die naam komt me bekend voor. Was hij niet bij het Neurenbergproces?'

'Ja, hij werd ter dood veroordeeld en geëxecuteerd. Hij was een dweper die het jodendom en alle andere godsdiensten wilde uitroeien, omdat hij ervan overtuigd was dat ook het Arische ras zijn Stenen Tafelen der Wet had. Dat er behalve een islamitische, christelijk en Joodse, nog een openbaring had plaatsgehad. Een openbaring die de Ariërs het oppergezag over alle rassen en godsdiensten had gegeven.'

'Ik zie nog steeds het verband met de vrijmetselarij niet...'

'Volgens het Thule-Gesellschaft waren de vrijmetselaren door de Franse Revolutie de eersten geweest die het christendom, sinds zijn opkomst in Europa, hadden neergehaald. Weer zo'n oud onzinverhaal. Bij het bevechten van de Republiek stonden heel wat vrijmetselaren in de voorste gelederen, maar onder de aristocraten die het slachtoffer waren van de revolutionaire terreur waren ook veel vrijmetselaren. Maar de leden van die Thule-groep bleven denken dat de vrijmetselaren een groot geheim bewaarden. En dat moest absoluut worden ontdekt. U weet dat de nazibonzen en de SS'ers hun afkeer van het christendom niet onder stoelen of banken staken. Voor hen was dat een slavengodsdienst en zij wilden een Germaans heidendom herstellen.'

'Een geheim?' drong Darsan aan.

'Ja, en die fanaten geloofden er zo heilig in dat ze er heel Europa voor overhoophaalden. Ze plunderden vrijmetselaarsloges in België, Nederland en Polen en namen alles mee om in Duitsland te bestuderen.'

'En toen?'

Jouhanneau haalde een blauw mapje uit zijn leren aktetas. Hij nam er een velletje vergeeld papier uit waarop een met verouderde letters getypte tekst stond.

'In de jaren vijftig heeft een van onze historici een korte schets gemaakt van de diefstal van onze archieven. Bekijk hem maar, dan zult u alles begrijpen.'

Darsan zette een dun rond brilletje op en begon te lezen.

Net zoals het geval is met die van de Grande Loge de France, bleef een deel van onze archieven in Frankrijk bij de 'Franse dienst geheime genootschappen' die onder bevel van Vichy stond, maar het grootste deel vertrok met wagonladingen tegelijk naar Berlijn om er te worden bestudeerd door nazionderzoekers. Documenten met een politieke lading gingen naar een afdeling van de Gestapo die belast was met opsporing van mensen die tussen de beide wereldoorlogen geageerd zouden hebben tegen het nazisme of het fascisme.

De archiefstukken betreffende esoterie kregen een andere bestemming en werden gestuurd naar een gespecialiseerd instituut: Ahnenerbe, wat vertaald kan worden als 'erfgoed van het ras'. Die organisatie werd in 1935 opgericht door Himmler en bestudeerde sporen van Arische invloed in de wereld, maar vooral de grote vijand, de Joden. Het motto was: Raum, Geist, Tot und Erbe des Nordrassischen Indogermanentum. Of: ruimte, geest, dood en erfgoed van de Indo-Europese noorderlingen. Het instituut in de Berlijnse Wilhelmstrasse beschikte over grote financiële middelen en had wel drichonderd specialisten in dienst. Archeologen, medici, historici, scheikundigen... Kortom, de top van de naziwetenschappers.

Het onderzoek van Ahnenerbe werd volledig gecontroleerd en gestuurd door een geheim genootschap, Thule. Die groep infiltreerde alle centra van de nazimacht en vooral het opperbevel van de ss.

Er is maar weinig geschreven over deze gevaarlijke sekte, maar we weten welke twee mensen er belast waren met de studie van de esoterische documenten uit onze archieven. Een van hen, een zekere Wolfram Sievers, de algemene secretaris van Ahnenerbe en een hooggeplaatst Thule-lid, werd veroordeeld in Neurenberg. Tijdens dat proces ontdekte een van onze broeders, een kapitein die de ondervra-

gingen leidde, wat de Duitsers hadden gedaan met onze documenten. Ahnenerbe had onderzoekers en gevangenen, allen vrijmetselaren, samengebracht in een kasteel in Westfalen, de Wevelsburg, dat op bevel van Himmler was gerestaureerd en verfraaid. Tussen 1941 en 1943 werd daar gestudeerd op onze archiefstukken die te maken hadden met esoterie. Sievers, die vreesde ter dood veroordeeld te worden, vertelde onze broeder dat de onderzoekers op het punt stonden om een ontdekking te doen die beslissend kon zijn voor de toekomst van het Arische ras. Een ontdekking die veel belangrijker was dan de V2-raketten. Onze broeder heeft die verklaring op schrift gesteld, met de aantekening dat Sievers hem niet helemaal toerekeningsvatbaar leek.

Darsan hield op met lezen. De fascinatie van de nazi's met het occultisme liet hem koud. Hij zuchtte wrevelig en keek naar Jouhanneau.

'Ik zie echt niet wat ik moet met die onzin. De nazi's waren een stelletje gevaarlijke gekken en de allergeksten waren lid van Thule, dat is geen grote onthulling! Ik moet een moord oplossen, dat is de realiteit. En tussen ons gezegd houdt het ook geen steek om de nazibarbarij te verklaren aan de hand van occulte theorieën. De historici zullen u alleen maar uitlachen.'

Jouhanneau keek hem strak aan.

'Dat is een beetje kort door de bocht, meneer de rechter. Natuurlijk had de opkomst van het nazidom in de eerste plaats te maken met een logica van economische, sociale, politieke, culturele en god weet welke factoren nog meer. Maar de esoterische dimensie van die beweging kun je niet zomaar terzijde schuiven. Hitler was zeker geen marionet van Thule en hij was volledig verantwoordelijk voor de wandaden van zijn regime, maar op een bepaald moment van zijn leven is hij er overduidelijk door beïnvloed geweest. Leest u nog even door. De moord op Sophie heeft misschien wel degelijk te maken met die archieven.'

Darsan haalde zijn schouders op en verdiepte zich weer in de beduimelde velletjes.

Toen de Duitsers na de nederlaag bij Stalingrad in 1943 het tij voelden keren, namen ze hun voorzorgen. De maçonnieke archieven werden geëvacueerd en in alle windrichtingen verspreid.
In Duitsland werden ze ondergebracht in Frankfurt, in Polen in Glo-

gow, in Tsjechoslowakije in Racibórz en Ksiaz. Ze lagen in kastelen en in zoutmijnen; er werd een heel net van dwaalsporen opgezet om te voorkomen dat de documenten in handen van de vijand zouden vallen.
Toen Duitsland in april 1944 op het punt stond de oorlog te verliezen, zette het SS-opperbevel de operatie Brabant op, om deze oorlogsbuit en archieven van andere bezette landen opnieuw te verbergen. Treinen reden af en aan om tonnen aan documenten te verspreiden over kastelen door heel Silezië: Wölfelsdorf, Fürstenstein...
Toen in 1945 de Russen Duitsland binnenvielen, gingen eenheden van de Russische geheime dienst, de NKVD, op zoek naar alles wat de nazi's hadden gestolen. Na de oorlog gingen meer dan vierenveertig wagonladingen met teruggevonden documenten linea recta naar Moskou. Het komt erop neer dat de NKVD nu alle gestolen Franse vrijmetselaarsarchieven in handen heeft.
We moeten absoluut van de Sovjetautoriteiten eisen dat onze eigendommen worden teruggegeven.
Onze Grootmeester heeft daartoe een verzoek ingediend bij de Russische ambassadeur in Parijs, die per kerende post heeft laten weten dat de Sovjet-Unie geen enkel maçonniek document bezit.

Daarmee eindigde de tekst.

Darsan keek op en schoof de papieren naar Jouhanneau toe.

'Samenvattend komt het erop neer dat de nazi's in 1940 jullie archieven hebben gestolen die ze vervolgens in 1945 zijn kwijtgeraakt aan de Russen. En wat gebeurde er daarna?'

Jouhanneau antwoordde: 'Tot aan de val van het communisme gebeurde er veertig jaar lang niets. Toen kwam de kwestie ineens weer bovendrijven. De Russen ontkenden niet langer dat ze onze archieven hadden en er begonnen onderhandelingen. In 1995 kwam er een eerste teruggave en tot aan 2002 volgde de rest stukje bij beetje. In principe hebben we nu alles terug.'

'In principe?'

'Ja, in principe. En hier komt Sophie Dawes in het spel. Ik heb haar vorig jaar gevraagd om een deel van dat archief te bekijken.'

Jouhanneau stond op. Hij keek naar de bomen buiten die begonnen uit te botten. Een nieuwe lente begon. Een seizoen dat Sophie Dawes niet meer kon meemaken. Hij ging door: 'Eigenlijk waren die archieven twee keer geïnventariseerd: eerst door de Duitsers en vervolgens door de Russen. Maar er bleek algauw dat de Duitsers meer documenten hadden dan de Sovjets. Er ontbraken stukken.'

'De geheime diensten in Moskou hadden die achtergehouden?'

'Dat dachten wij eerst ook, maar Sophie Dawes, die de twee inventarissen had vergeleken, had een eerdere lijst van de Russen gevonden, waar ze de echtheid van had kunnen vaststellen, en daarin werd al gewag gemaakt van het ontbreken van stukken.'

Darsan streek zijn snor glad. Een gebaar dat hij, veertig jaar eerder in Algerije, had aangeleerd.

'Ga door.'

Jouhanneau haalde een envelop uit zijn zak en gaf hem aan Darsan. Die schudde het hoofd.

'Nee, ik wil geen tekst meer. Geef me een snelle samenvatting.'

'Dit is de kopie van een ondervraging door het Franse leger in 1945 in een Duits dorpje. Een zekere Le Guermand werd er gearresteerd toen hij probeerde de Franse grens over te steken. Hij was een SS'er uit de Charlemagne-divisie, een helemaal uit Fransen bestaande eenheid die het zieltogende Berlijn moest verdedigen.'

'Wat is dat nu weer voor geschiedenisles. Wat heeft het te maken met de verdwenen archiefstukken?'

'Ik kom er zo aan toe. Even voor de val van het Reich werden Le Guermand en andere SS'ers teruggeroepen van het front voor een laatste opdracht: tot elke prijs een vracht naar het westen brengen. Maar op enkele kilometers van Berlijn liep het konvooi van Le Guermand op een Russische patrouille. Volgens zijn zeggen werden er twee vrachtwagens geraakt. Om te voorkomen dat hun lading in handen van de Russen zou vallen, liet de SS'er ze in brand steken. Le Guermand zelf kon in een andere truck aan de Russen ontkomen en raakte afgesneden van het konvooi. Een week later liet hij zich, in verwarde toestand, oppakken door de Franse eenheid die de sector bewaakte. Hij vertelde dat hij wist waar hij een kist kon vinden met kostbare documenten die als briefhoofd een winkelhaak en een passer hadden.'

'Waarom biechtte hij dat allemaal op?'

'Franse SS'ers werden in die tijd meestal gefusilleerd als ze gearresteerd waren. Maarschalk Leclerc had hoogstpersoonlijk de executie bevolen van tien Waffen-SS'ers van de Charlemagne-divisie die op een

Duitse weg waren opgepakt en die werden beschouwd als verraders omdat ze in het Duitse uniform vochten. Le Guermand, wiens missie was mislukt, wilde in ruil voor zijn leven zijn ondervragers naar de laatste vrachtwagen brengen die nog ongeschonden in een bos verborgen stond.

'En wat vonden ze?'

'Niets. Le Guermand ging op weg met drie Franse soldaten. De volgende dag vond een ordonnans vier lijken in een verlaten boerenschuur.'

'Waarom vertelt u me dit hele verhaal?'

'Omdat dit proces-verbaal bevestigt dat de Russen lang niet alle archiefstukken in handen kregen. Andere konvooien dan die van Le Guermand zijn spoorloos verdwenen. Sophie hielp me al een jaar lang met het classificeren van alle documenten die Rusland had teruggegeven. Zij hield zich vooral bezig met papieren waarvan we de herkomst niet konden vaststellen. Dat waren de documenten waar ik u aan het begin van ons gesprek naar vroeg.'

Het bleef even stil voordat rechter Darsan het woord weer nam: 'Als ik het goed begrijp weet niemand dus waar een deel van die archiefstukken zich nu bevindt: ofwel ze zijn voorgoed verdwenen, ofwel ze zijn teruggevonden. En iemand had belangstelling voor de papieren van uw assistente. Hebt u enig idee wie de moordenaars zijn?'

Jouhanneau tikte met een vulpen nerveus op het tafelblad, een zichtbaar bewijs van zijn ongeduld.

'Dat zei ik u al. De Thule-groep.'

'Meneer Jouhanneau, ik zie echt het verband niet tussen al die verhalen van vroeger en de moord op uw medewerkster. Hoe interessant uw archieven ook mogen zijn, ze zijn passé en ook de nazi's zijn al zestig jaar verdwenen, op misschien een kleine honderd diehards met een te laag IQ na. Behalve als die seniele SS-bejaarden in hun verzorgingstehuis besloten hebben om weer in actie te komen, denk ik niet dat dit spoor ons iets oplevert.'

Jouhanneau voelde woede opkomen, maar hij besloot zich nog in te houden.

'Acht u het dan niet mogelijk dat Thule de fakkel heeft doorgegeven aan latere generaties? Zegt "neonazi's" u niets? In 1993 ontdekte de Duitse politie met zijn viditelsysteem een informaticanetwerk, dat gebruikt werd door meer dan duizend extreem-rechtse activisten. Er stonden handleidingen op voor het maken van bommen, privéadressen van tegenstanders, van antifascistische militanten, plattegronden van vrijmetselaarsloges en synagogen. Dat geperfectioneerde netwerk was door zijn bedenkers... Thule gedoopt. U denkt toch niet dat het ging om een clubje senioren met heimwee naar het Derde Rijk en wat randdebiele skinheads? Vergist u zich niet, de mensen achter dat netwerk waren net afgestudeerde informatici, beursspecialisten en hoogopgeleide businessmanagers.'

Darsan zuchtte even.

'Er zijn zoveel heethoofden. En bovendien zijn we niet in Duitsland... En om er nu meteen een groot complot tegen jullie achter te zoeken...'

Jouhanneau keek hem koel aan en haalde nog een vel papier uit zijn tas. Hij las met nadruk een korte passage voor.

Wat jammer dat de Führer niet genoeg tijd had om de aarde te bevrijden van de broederschap die omwille van de volksgezondheid op de brandstapel gezet zou moeten worden... Heren vrijmetselaren, het uur van uw boetedoening nadert en deze keer zullen we niemand over het hoofd zien.
Heil Hitler

Jouhanneau trok een grimas.

'Dat stond vorig jaar voor iedereen leesbaar op het internet, op een van de ontelbare antimaçonnieke sites. Bekijkt u de maçonnieke blog maar eens die onze vijanden volgt en u zult versteld staan van de felheid van hun vuilspuiterij.'

Darsan voelde dat hij te ver was gegaan en sloeg een andere toon aan: 'Wind u niet op, ik wilde u niet kwetsen. Gelukkig hebben we de documenten van Sophie Dawes. De moordenaar of moordenaars zijn niet geslaagd in hun opzet.'

Hij schoof een dikke aktetas over tafel. Jouhanneau slaakte een zucht van verlichting. Darsan ging door: 'Eerlijk gezegd heb ik er even in gekeken, maar het is volmaakt ondoorgrondelijk. Ik heb daarom een voorstel. Commissaris Marcas en mevrouw Zewinski zullen worden belast met het discrete onderzoek van deze affaire, die, dat breng ik u in herinnering, officieel niet bestaat. Ze brengen alleen aan mij verslag uit. U hebt geluk, Marcas is ook van uw... club.'

Alles was gezegd en rechter Darsan deed zijn bezoeker uitgeleide.

'Ah, nog één vraagje. Heeft u het autopsierapport van juffrouw Dawes gelezen?'

'Nee.'

'Ze is op drie plaatsen geslagen: op het schouderblad, het voorhoofd en de hals. Zegt u dat iets?'

Zo beheerst mogelijk antwoordde Jouhanneau: 'Ja, dat is de rituele moord op Hiram, de legendarische vader van de vrijmetselarij.'

Darsan keek Jouhanneau recht in de ogen en vervolgde: 'De Quai d'Orsay kreeg van onze ambassade in Jeruzalem het wekelijkse rapport over de toestand daar. Weinig nieuws onder de zon: vermoorde kolonisten, aanslagen in bussen en ook nog een vreemde moord in een archeologisch instituut. Eerst dacht de lokale politie nog dat het een terroristische actie was. Maar betrouwbare bronnen melden dat het slachtoffer, een geleerde, was omgebracht door slagen op het lichaam en op het gezicht.'

Jouhanneau bevroor. De moordenaars waren ook in Jeruzalem geweest. Marek!

'Hebt u me niet verteld dat mevrouw Dawes op rondreis was?'

De Groot-Archivaris kon nog net uitbrengen: 'Israël stond niet op haar programma!'

Darsans stem kon niet vileiner klinken: 'Het gekste is dat Sophie Dawes en die geleerde in dezelfde nacht zijn vermoord. Tot ziens, meneer Jouhanneau.'

De deur zwaaide open om de doodsbleke vrijmetselaar uit te laten. Darsan ging weer zitten in zijn in de loop der jaren glimmend geworden stoel en dacht terug aan het gesprek. Het lag er dik bovenop dat die man niet de hele waarheid had verteld. De betrokken diensten op de Quai d'Orsay hadden direct het verband gelegd tussen de twee moorden, want de Israëlische diplomatieke bronnen hadden de moord uitvoerig beschreven, met veel details over alle bijzonderheden en de plaatsen waar het slachtoffer was geslagen.

Darsan stak een sigaret op en sloeg het dossier van Antoine Marcas open. Als inspecteur bij de recherche die kort deel had uitgemaakt van een arrestatieteam, was hij door zijn superieuren graag gezien. Hij klom probleemloos op tot de rang van commissaris, maakte een verrassende zijsprong naar de inlichtingendienst en vroeg vervolgens even onverwacht overplaatsing aan naar een gewoon commissariaat in Parijs.

In het dossier zat nog een extra aantekening van het feit dat Marcas als vrijmetselaar in zijn inlichtingendiensttijd een speciale loge bezocht. Die van de witwassers. Hij was gescheiden, had een zoontje van tien en schreef in zijn vrije tijd artikelen over maçonnieke geschiedenis voor special-interest bladen.

Pierre Darsan had bij de rechtbank en de politie veel contact met vrijmetselaren, die hij van nature een beetje wantrouwde. Als overtuigd praktiserend katholiek en afkomstig uit een nationalistisch voelende familie, had hij niet veel op met dat netwerk van broeders, hoewel hij nooit de confrontatie met hen zocht.

Marcas was geen lid van de loge van Marc Jouhanneau, Orion. En toch trok volgens de inlichtingendienst die klein gehouden loge alle broeders aan die zich bezighielden met maçonniek onderzoek. En Jouhanneau had niet gereageerd op de naam van de politieman. Hij kende hem dus niet of wilde hem niet kennen.

De rechter schoof het dossier Marcas terzijde en pakte dat van Jade Zewinski dat het ministerie van Buitenlandse Zaken had gestuurd. Voor een zo jonge vrouw zonder familie had ze een verbazingwekkend traject afgelegd. Ze was een van de tien besten van haar lichting, doorliep commandotrainingen, werkte voor de buitenlandse inlichtingen- en spionagedienst, voerde twee operaties in het Midden-Oosten uit en werd daarna overgeplaatst naar de Quai d'Orsay voor de beveiliging van ambassades. En vanaf heden was ze uitgeleend aan het ministerie van Binnenlandse Zaken.

Hij las nog een stuk of tien pagina's in het dossier, tot zijn oog viel op een onverwachte passage. Haar vader had vijf jaar tevoren zelfmoord gepleegd na het faillissement van zijn onderneming, een krantenknipsel uit die tijd herinnerde aan de feiten. Grijnzend las Darsan het artikel twee keer door. Jade Zewinski had zo te zien een goede reden om de broeders geen goed hart toe te dragen. Hij legde het dossier terug op het marokijnleer van zijn bureau om zijn secretaresse te bellen en hij besloot de twee speurders zo snel mogelijk bij zich te laten komen, te beginnen met de jonge vrouw.

Het zeebriesje ritselde door de pijnbomen en voerde een lichte zeelucht mee die zich vermengde met de houtgeur van de coniferen. Vijf mannen maakten een kalme wandeling en namen alle tijd om de schoonheid van het bos tot zich te laten doordringen. De langste man wees op een kleine naar zee aflopende rotspunt, met twee rijen vervallen zuilen op de rotsachtige bodem. Links van de zuilen, bijna op de rand van de rotsen, schitterde een witte kapel omgeven door drie majesteitelijke iepen in de hete zon.

Het groepje sloeg de richting in die de man met het borstelhaar aanwees en kwam na een afdaling van enkele minuten langs een met aromatische planten begroeid rotspad bij het natuurlijke uitkijkpunt.

De vijf mannen en twee vrouwen gingen zitten op de grote halfronde bank van gepolitoerd hout en bewonderden de Adriatische Zee die er prachtig bij lag in het heldere ochtendlicht.

Een van hen, de kleinste man, met een blozende gelaatskleur en zweetdruppeltjes op het voorhoofd, wees zijn buurman op het kapelletje waarvan de deur was vergrendeld met een hangslot.

'Schitterend uitzicht. Ik benijd je dat je hier woont. Alles is hier even perfect, het is een ode aan de natuur, maar waarom heb je dat christelijke kreng overeind gelaten? Die grond is al een eeuwigheid van ons. We kunnen er doen wat we willen, dus ook die kapel afbreken.'

Zijn buurman, een man met grijs haar en staalgrijze ogen, glimlachte en gaf hem een vriendschappelijk klopje op de rug.

'Kalm aan. Een beetje tolerantie. Wees gerust, hij doet geen dienst meer en ik heb hem een heel speciale bestemming gegeven. Je zult het nog wel zien, maar laten we het eerst hebben over wat ons hier samenbrengt.'

Er ging een gemompel door het groepje. De man vervolgde: 'We zijn in het bezit van de steen van Thebbah. Hij is tenminste in goede handen en in principe moet Sol hem morgen in Parijs ophalen. Daarentegen is de operatie in Rome mislukt en zijn de maçonnieke papieren nog steeds bij de vriendin van het slachtoffer.'

De mannen luisterden onbewogen.

'Maar dat wordt geregeld, ik heb daarvoor al orders gegeven.'

Een van de mannen, de magerste, met een scherpe blik en een bijna kaal hoofd, onderbrak hem: 'Dat is betreurenswaardig, ik herinner je eraan dat er drie elementen nodig zijn om het raadsel op te lossen dat ons bezighoudt. Het eerste was al in ons bezit, het tweede is in die Joodse steen gebeiteld en het derde, dat je net hebt verspeeld, is dus nog altijd in handen van de tegenstanders. En die zullen nu op hun hoede zijn. De moorden in Rome en Jeruzalem dragen onze handtekening. Het was trouwens jouw idee om ze die boodschap mee te geven.'

De kleinste van de vijf viel hem bij: 'Hij heeft gelijk. Ik heb altijd gezegd dat die operatie gevaarlijk kon zijn en de aandacht op ons kon vestigen. En waarom eigenlijk? Sol en jij hebben ons meegesleept in de zoektocht naar een hersenschim. Vergeet niet dat onze vijanden heel machtig zijn en dat ze overal zitten.'

'Genoeg! De bevelen van Sol worden nooit in twijfel getrokken! En ik herinner jullie eraan dat die rituele moorden de belofte aan onze voorgangers inlossen.'

'Ik blijf van mening dat we nooit aan die folklore hadden moeten meedoen. De Orden heeft belangrijkere doelen te verwezenlijken. Dit is een operatie van ondergeschikt belang. Daar blijf ik bij.'

De man met het borstelhaar keek even naar de ingang van de kapel. Hij stond op. Zijn toon was milder.

'Je hebt gelijk, ik heb me laten gaan. Kom, het weer is te mooi om ruzie te maken. Laten we in de kapel ter communie gaan.'

De anderen keken hem aan of hij gek was geworden. Hij barstte in lachen uit.

'Kom, betreed het huis van Christus en zijn moeder. Aanvankelijk heette het Onze Lieve Vrouw der Smarten. Jullie weten hoe katholiek dit land altijd is geweest.'

Het groepje liep naar de kapel. Bij de ingang roken ze een geur van vochtige steen vermengd met iets dat moeilijk was thuis te brengen. De man met de grijze ogen draaide een kleine schakelaar om.

Drie kleine spots verlichtten het eenvoudige kerkje met witte muren en net herstelde ramen. Achter het altaar hing een groot houten kruisbeeld waaraan een uitgemergelde Christus met een doornenkroon hing. Het klassieke kerkdecor, op één ding na: de ongebruikelijke aanwezigheid van een ijzeren sarcofaag van minstens twee meter hoog, die voor het altaar stond en de vorm had van een... vrouw. Dat was te zien aan het door de eeuwen gepolitoerde glimlachende gezicht, omkranst door een waterval van ijzeren lokken, aan de weelderige en nauwelijks gestileerde vormen van borsten en heupen.

Iemand uit de groep riep: 'De ijzeren maagd!'

De gids leidde zijn vrienden naar het vreemde object.

'Inderdaad, vrienden. Een van onze gezellen vond haar bij opgravingen in de kelders van een kasteel in de buurt van München. Het is een maagd uit de vijftiende eeuw, helemaal gerestaureerd en gebruiksklaar gemaakt.'

De man met een Engels accent onderbrak hem: 'Ik heb zo'n ding wel eens gezien in een horrorfilm, ik dacht dat het een vondst was van de scenarioschrijver.'

'Helemaal niet. De ijzeren maagd werd in het middeleeuwse Duitsland uitgevonden door het Fehm-Gericht, dat slechte christenen en plunderaars executeerde. Deze rechtbank had geen enkel wettig bestaansrecht en gedroeg zich als een geheim genootschap met heel speciale rites, waarvan u hier een van de overblijfselen ziet.'

Hij drukte op een knop die aan de zijkant van de sarcofaag verborgen was. Met een klik ging het deksel met het vrouwengezicht en -lichaam langzaam open en in het inwendige werd een rij ijzeren punten zichtbaar.

'Verbazingwekkend, toch? De rechters legden de veroordeelde in deze sarcofaag en sloten het deksel, waardoor de ijzeren punten overal in het lichaam drongen. De naam "ijzeren maagd" was een eerbetoon aan de moeder van Christus. Dit waren heel gelovige mensen...'

'Buitengewoon vindingrijk.'

De vloersteen waarop de sarcofaag stond leek bewerkt met een donkere kleurstof die in de steen was getrokken.

'Wil iemand het soms uitproberen?'

Een aarzelend gelach steeg op uit het groepje. Al die geharde mannen hadden al eens oog in oog met de dood gestaan, maar het idee om in dit marteltuig te liggen lokte niemand aan.

'Jij ook niet?' zei de gids en wees op de blozende man, die een grimas maakte.

'Liever niet. Zullen we maar weer naar buiten gaan?'

'Nog niet. In elk geval jij niet.'

Bij de ingang van de kapel klonk geschuifel, de silhouetten van twee mannen tekenden zich af tegen het helle zonlicht. En enkele seconden later wierpen zij zich op de kleine man en namen hem in de houdgreep. Tussen die twee bruten met hun vierkante koppen leek hij nog kleiner.

'Zijn jullie gek! Laat me los...'

'Stil jij!'

De stem van de man met de grijze ogen klonk als een zweepslag: 'Je had niet moeten knoeien met de rekeningen van de orde. Sol liet een boekhoudkundig onderzoek uitvoeren naar onze activiteiten in Noord-Europa en ontdekte daarbij dat jij ons hebt bestolen.'

'Dat is niet waar.'

'Mond houden! Je hebt ruim een miljoen euro verduisterd. En waarom? Om een villa in Andalusië te bouwen. Het is gewoon zielig!'

De beklaagde probeerde zich los te rukken, maar de mannen waren te sterk voor hem.

'Leg hem in de maagd.'

De man krijste: 'Nee!'

Vergeefs schopte hij naar alle kanten. Een van de mannen gaf hem een droge tik op het voorhoofd om hem te kalmeren en legde hem in de martelmachine. Het deksel ging dicht, maar nog niet helemaal, zodat er een kiertje openbleef en de pennen de ongelukkige nog niet doorboorden.

'Ik smeek u. Heb medelijden. Ik geef alles terug... Ik heb een gezin met jonge kinderen.'

'Kom, kom, je weet best dat wie toetreedt tot onze orde compassie met de medemens afzweert. Probeer te sterven als een Thule-man. Wij kennen geen angst.'

Gedempt gesnik weerkaatste in de kapel. Op zijn kruis beweende de houten Christus het lot van de mensheid.

De man met de stalen blik drukte op een andere knop die in het oog van de maagd verborgen zat. Er begon een motortje te zoemen.

'Ik heb het systeem laten perfectioneren door het sluiten van het deksel mechanisch te laten besturen door een elektronische tijdschakelaar. Als ik die op tien zet, zal je doodsstrijd tien minuten duren. De wijzerplaat gaat tot twee uur...'

'Ik... ik geef alles terug...'

'Spijtig genoeg heb ik deze vinding nog maar een paar keer kunnen testen. Je moet ook rekening houden met het gewicht en de lichaamsomvang van het slachtoffer. Niets is volmaakt.'

Het deksel begon zich haast onmerkbaar te sluiten, de punten raakten het lichaam al bij de ogen, de buik, de knieën en bijna ook bij het geslacht.

'Ik ben veel te week, want ik heb de klok afgesteld op een kwartier. Vaarwel, beste vriend. En laten we dan nu gaan lunchen, op het kasteel wacht ons een heerlijke maaltijd.'

Het groepje liep in de richting van de zonnestralen. De deur sloeg achter hen dicht, terwijl de ijzeren punten zich in het vlees van de ongelukkige boorden. De ijzeren maagd glimlachte in de schemering.

Een aanhoudend gegil galmde door de kapel.

16

Parijs,
Bibliothèque François-Mitterrand

Een koude plensregen veranderde het plein voor de Grande Bibliothèque de France in een glijbaan. In zijn oneindige wijsheid had de architect gekozen voor peperduur hardhout als bestrating, wat vanaf de eerste regenbui een explosieve toename van slippartijen en verzwikkingen had veroorzaakt. Niet lang na de opening van de bibliotheek hadden de onderhoudsdiensten de houten latten beplakt met stroken antislip, tot grote opluchting van vaste bezoekers en personeel, die angstig de hemel afspeurden naar het geringste regenwolkje.

Antoine Marcas ging toch nog haast onderuit op een onbehandeld stukje trap en kon zich nog net vastklampen aan het ijzerwerk dat een verdorde boom beschermde. Hij richtte zich weer op en vervolgde zijn klim naar het binnenplein. De vier torens in de vorm van boeken, tenminste voor de met enige fantasie begiftigde waarnemer, werden gegeseld door de felle wind die al drie dagen zonder ophouden door het Ile-de-France joeg. Uitzonderlijk in dit seizoen, na een hele periode van zonneschijn. De Parijzenaars haalden zuchtend hun regenkleding uit de kast in de hoop dat het weer snel zou opklaren.

Marcas knoopte zijn regenjas dicht toen hij de ijzeren ingang bereikte waardoor je het Heilige der Heiligen betreedt. Zoals gewoonlijk werkte de roltrap niet, wat de vaste bezoekers overigens niet leek af te schrikken. De hoge, slanke, exotische bomen die de immense centrale patio omzomen, rukten uit alle macht aan de kabels waarmee ze vastzaten aan het hoofdgebouw. Het was alsof ze besloten hadden van de wind gebruik te maken om zich vrij te vechten uit hun stalen keurslijf en ver weg te vluchten. Maar de ijzeren greep liet ze niet los en de naaldbomen bleven voor de zoveelste keer aan de grond genageld.

Vreemd genoeg hield Marcas wel van de futuristische bibliotheek, waarvan de bouw de emoties hoog had doen oplaaien. Hij vond de torens waarin de boeken stonden wel buiten alle proporties, maar apprecieerde het in de grond verzonken gebouw dat net een juwelenkistje was waar dat merkwaardige park in paste.

Een groepje mensen wachtte geduldig voor de veiligheidspoortjes waar twee bewakers rondhingen die geen haast maakten om ze binnen te laten. Hun bonte paraplu's vormden de enige vrolijke noot in dit decor van metaal en donker hout.

Terwijl hij in de rij stond te wachten, dacht Marcas weer aan zijn tripje naar Rome. Hij was pas een dag terug en had nog steeds het beeld op zijn netvlies van dat dode meisje op het parket van de ambassade. Een tragisch einde in een Italiaans operadecor. Het feit dat zij een zuster van de vrijmetselarij was verdiepte het gevoel van droefenis dat de politieman voelde. De keten van het verbond was een schakel kwijt.

Als hij zelf mocht kiezen waar hij zou overlijden, opteerde hij zonder aarzelen voor die Romeinse ambassade, waar het vast prettiger sterven was dan in een gewoon ziekenhuisbed. Hij zwakte die esthetisch getinte overpeinzing direct af met de tegenwerping dat het ervan afhing waaraan je stierf, en dat overlijden door stokslagen de schoonheid van de omgeving behoorlijk bedierf.

De ochtend na de moord in Rome had hij in de bibliotheek van de Italiaanse loge een hele tijd zitten studeren in manuscripten uit de achttiende eeuw en had aantekeningen gemaakt voor een bouwstuk, een voordracht over de Franse invloed op de Italiaanse vrijmetselarij, die hij ooit eens wilde geven.

Toen hij klaar was met zijn notities, kwam hij op het idee om de secretaris van de bibliotheek te vragen of er een overzicht bestond van ongewone of rare voorvallen in de geschiedenis van de Romeinse of Italiaanse loges. Een soort van geschreven rariteitenkabinet. De oude secretaris, een gepensioneerde vrijwilliger van over de tachtig met een witte haardos, had hem een grote bleekgroene kartonnen doos gebracht die uitpuilde met vergeelde papieren.

Weggedoken in een diepe leren leunstoel had Marcas gretig de inhoud van de doos geïnspecteerd. Hij was op zoek naar verhalen over moorden die vergelijkbaar waren met die op Sophie Dawes. De sporen van drie slagen op het lichaam waren een te flagrante overeenkomst met de legende van Hiram.

Wat hij las viel hem bitter tegen. Er waren verslagen van oninteressante blanke – voor profanen toegankelijke – logebijeenkomsten, krantenknipsels over uitreikingen van onderscheidingen aan dignitarissen van de orde, stukken over plunderingen door groepjes fascisten toen Mussolini net aan de macht was, en verder niets meer tot aan de bevrijding van Italië door de geallieerden.

Hij had de bejaarde archivaris zelf ook uitgevraagd over onopgehelderde moorden op broeders in de geschiedenis van de Italiaanse loges. De man had zich op het hoofd gekrabd en zich verontschuldigd voor zijn falend geheugen. Vervolgens herinnerde hij zich ineens dat er net voor de bevrijding van Rome drie vermoorde Achtbaren waren gevonden in een herenhuis niet ver van het Colosseum. Drie lijken van hoge dignitarissen van Romeinse en Milanese loges met ingeslagen gezichten, in een periode waarin standrechtelijke executies door de Gestapo schering en inslag waren. Het bloedbad was dus op rekening van de Gestapo geschreven.

De oude man, die tijdens de bevrijding bij de partizanen had gevochten, had een commissaris van politie en medebroeder gesproken die twijfelde aan de schuld van Hitlers politie. De Gestapo gebruikte andere methodes. Bovendien martelde en executeerde ze haar arrestanten in haar eigen gebouwen en waren haar slachtoffers herkenbaar aan de sporen van mishandeling op hun gefolterde lichamen. Ook hadden de nazi's met hun aangeboren organisatietalent alle slachtoffers bijeengedreven om ze af te maken in massagraven.

De ogen van de oude man schitterden toen hij vertelde over die duistere periode uit de geschiedenis en Marcas bedacht met spijt hoe weinig broeders van dat kaliber je tegenwoordig nog tegenkwam. Misschien kwam het gewoon doordat de huidige samenleving steeds minder uitdaagde tot het nemen van risico's en doordat stoutmoedigheid als deugd in onbruik was geraakt.

In deze door de tijd geharde held met zijn bescheiden toon en zijn bedachtzame manier van spreken, brandde ondanks zijn naderende einde, een niet te doven vuur. Misschien was dat dezelfde moed waarmee Hiram het had opgenomen tegen zijn beulen, als dat legendarische personage tenminste werkelijk had bestaan.

De archivaris had hem nog een andere, nog stoffiger map gegeven, gevuld met krantenknipsels over politiek geweld in de jaren dertig. Een van de berichten ging over de moord, in 1934, op een onderzoeker en vrijmetselaar die genadeloos was afgetuigd, voordat hij was vermoord door zware slagen op het hoofd. In de kantlijn van het artikel was het woord 'Hiram' geschreven, gevolgd door een uitroepteken in bijna verbleekte paarse inkt. Marcas maakte er een fotokopie van en nam zich voor om in Parijs te gaan zoeken naar sporen van soortgelijke moorden in het verleden. In een roodleren notitieboekje had hij een lijstje gemaakt van moorden op verschillende tijdstippen, die als enige overeenkomst de methode van doden hadden:

1934. Florence, een broeder.

1944. Rome, drie broeders.

2005. Rome, een zuster.

Hij hoopte dat het macabere lijstje een hersenschim zou blijken te zijn en dat de Parijse archieven niets zouden opleveren. Voordat hij de Romeinse loge verliet nam hij met diep ontzag afscheid van de oude man.

Het ging nog harder regenen. Marcas was blij dat hij kon schuilen in de hal van de bibliotheek, waar het krioelde van studenten die lawaai maakten onder de ongeïnteresseerde blikken van bewakers in blauwe uniformen.

Bibliothèque François-Mitterrand.

De naam van de voormalige president riep gemengde gevoelens bij hem op die hem terugvoerden naar het begin van zijn carrière. Er was veel gespeculeerd over de banden van de socialistische leider met de vrijmetselarij. Als hij al maçonnieke netwerken had gebruikt bij zijn lange mars naar het presidentschap, had hij er in elk geval vervolgens afstand van genomen met die weloverwogen tweeslachtigheid die hij op veel gebieden hanteerde. Zijn ambiguïteit ging van het toebedelen van ministersposten aan broeders zoals in de regering-Mauroy in 1981, tot de publieke veroordeling in de media tijdens zijn tweede regeerperiode van een 'maçonnieke kliek' die overheidsgeld verduisterd zou hebben.

Midden jaren tachtig was de carrière van het jonge inspecteurtje Marcas van start gegaan, net in de periode dat links zijn utopische illusies verloor en regeringsverantwoordelijk kreeg. Voor zijn inwijding had hij de klassieke weg afgelegd van de veelbelovende jongeling die werd opgemerkt door een broeder op de juiste plaats. Op een avond na een rijkelijk besproeide maaltijd had een meerdere hem op de man af gevraagd of hij geen zin had om bij de vrijmetselarij te komen, net zoals je iemand vraagt voor de plaatselijke jeu-de-boules club of de jagersvereniging.

Op zijn vijfentwintigste wist hij nog niet precies wat hij wilde en had hij weinig zin om zich te onderwerpen aan strakke regels. Een van zijn collega's aan wie hij dat vertelde, had hem sarcastisch gezegd dat je wel op je achterhoofd gevallen moest zijn als je zo'n uitnodiging afsloeg. Binnen de politiediensten was dat nog altijd de beste kruiwagen voor een snelle bevordering.

De jonge inspecteur Antoine Marcas werd vrijmetselaar uit nieuwsgierigheid en uit opportunisme. Maar hij koos wel voor de meest linkse obediëntie, de Grand Orient en niet de Grande Loge nationale de France, waar de meeste commissarissen zaten. Een maand later kwamen er drie onbekenden, gestuurd door de Voorzitter van de loge van zijn keuze, met hem kennismaken en praten over zijn toetreding.

Een van hen, een verzekeringsagent, wilde graag zijn flat zien om een idee te krijgen van zijn persoonlijkheid. Marcas herinnerde zich nog dat hij in allerijl de conciërge van zijn gebouw had gevraagd om de troep en de vuile was weg te werken. Hij was toen nog niet getrouwd. Noch gescheiden.

De zwijgzame en streng uitziende man had het interieur lang bekeken en stelde vragen over zijn manier van leven en zijn voorkeuren. Hij had een speciale, trage manier van praten en benadrukte elke lettergreep alsof hij de woorden in het hoofd van zijn gesprekspartner wilde inprenten, wat zo hypnotiserend werkte als een zachte melodie die zich in je hoofd nestelt.

Voor het eerst in zijn leven was de inspecteur de ondervraagde, wat op zich al verwarrend was, temeer daar de ondervrager alles leek te doen om te voorkomen dat hij het ware Licht zou zien.

Nog een maand later werd Marcas uitgenodigd in de tempel van het 15e arrondissement. Het onderzoek had kennelijk niets laakbaars aan het licht gebracht. Om een beetje voorbereid te zijn, had Marcas een boek gekocht over de maçonnieke inwijding en hij wist ongeveer wat hem te wachten stond.

Allereerst het wachten in de Kamer van Overpeinzing, een vertrek dat gevuld was met van oorsprong alchemistische symbolen, waar hij moest mediteren en zijn filosofisch testament neerschrijven. Daarna moest hij geblinddoekt en met bepaalde lichaamsdelen ontbloot de beproevingen doorstaan. Dat zijn lange gevaarlijke reizen door water, lucht en vuur, waarna men uiteindelijk het Licht mag zien. Dat is het belangrijkste moment. Dat is de wedergeboorte.

Eigenlijk is er niets geheim aan dat ritueel. Iedereen kan in de boekwinkel een van de duizenden boeken over de vrijmetselarij kopen waarin het uitvoerig beschreven wordt.

Maar die avond had Marcas begrepen dat het ondergaan van die inwijding hem innerlijk had doen groeien.

Hij had iets onzegbaars ervaren, het verstilde gevoel van de eeuwigheid, wat moeilijk te begrijpen is als je het niet hebt meegemaakt en dat je niet kunt halen uit geleerde boeken. Er is ook niets magisch aan, het is eerder een vorm van bewustwording.

Hij had er met medebroeders over gepraat en een van hen, een overtuigd agnost, antiklerikaal en liefhebber van aardse genoegens, had gezegd dat het net was als seks: je moet het hebben gedaan om te weten waarover het gaat. 'Probeer een pastoor maar eens uit te leggen hoe een orgasme voelt. Tenzij hij ooit voor de verleiding is bezweken, heeft hij geen idee waar je over praat...'

Na zijn inwijding leerde hij de andere logebroeders kennen, maar geen van hen was echt invloedrijk. Hij was haast teleurgesteld: geen enkele bekende politicus, geen voorbeeldige rechter en al helemaal geen mediaster. Alleen maar illustere onbekenden, politiemannen zoals hijzelf, onderwijzers, een paar managers, een handjevol handarbeiders, gepensioneerde academici en een kok die in de krant had gestaan toen hij een Michelinster kreeg.

In de loop der jaren raakte hij eraan verslingerd en klom hij op naar de graad van Gezel en werd vervolgens Meester. Vanaf dat stadium begon hij andere loges te bezoeken en had hij ook veel contact met een van de werkplaatsen die zo in de publiciteit stonden omdat bepaalde broeders hun rechtschapenheid hadden verloren. Maar hij keerde toch altijd weer terug naar de tempel waar hij zijn eerste passen tussen de kolommen had gezet. Daar voelde hij zich onder vrienden en op bekend terrein, ver weg van de opwinding van de profane wereld.

Veilig, te midden van medebroeders.

Toen hij bevorderd werd tot commissaris, kwam het netwerk in actie en werd hij uitgenodigd om bij de *fraternelle* te komen, een groep van ruim honderd commissarissen uit alle obediënties. Marcas heeft nooit geweten of het feit 'er een van te zijn' een rol had gespeeld bij zijn benoeming, maar in enkele jaren tijd had hij een welgevuld adresboekje samengesteld.

Sinds de zuivering na de Tweede Wereldoorlog had de Franse politie veel vrijmetselaars in de gelederen. Niet zoveel in de lagere rangen, maar hogerop in de hiërarchie nam het aantal broeders geweldig toe. Ten minste drie ex-directeuren van de gerechtelijke politie waren vrijmetselaar en in opeenvolgende kabinetten waren de broeders op het ministerie van Binnenlandse Zaken op place Beauvau niet meer te tellen.

Historisch bewuste broeders wezen erop dat de hechte band tussen de politie en de vrijmetselarij in Frankrijk te maken had met Fouché, de beruchte minister van Politie onder Napoleon en Lodewijk XVIII en ook een hoge graad in de Grand Orient van die tijd.

Marcas was weinig gecharmeerd van Fouché en had zijn onschuld al deels verloren door het gekonkel van sommige van zijn ingewijde collega's. Halverwege de jaren negentig, toen hij de verduistering onderzocht van gelden bestemd voor politieke partijen, kreeg hij tot zijn grote verbazing een bezoekje van een dubieuze tussenpersoon. De man begroette hem innig met het herkenningsteken van de bijzondere handdruk en begon een lang en warrig betoog over de verdediging van de Republiek tegen opkomend extreem-rechts, om te eindigen met het verzoek om niet te gaan snuffelen in een reeks transacties via een Zwitserse bank tussen een nationale oliemaatschappij en een Arabisch emiraat.

De man wist welke loge Marcas bezocht en was niet te beroerd geweest om zich te laten aanbevelen door de toenmalige minister. Marcas had hem beleefd laten uitspreken in zijn rollende Zuid-Franse accent en had hem toen afgepoeierd.

Hij verafschuwde dergelijke pressie des te meer omdat hij wist dat andere ingewijden in soortgelijke affaires uit misplaatste solidariteit vaak een oogje dichtknepen.

Zijn betrokkenheid bij de grondige studie van de maçonnieke symboliek en de geschiedenis ervan, was een tegengif tegen het venijn dat zijn foute gezellen verspreidden. In de loop van de vijftien jaar dat hij zocht naar het Licht, publiceerde hij onder pseudoniem regelmatig in geschiedkundige tijdschriften, en zijn deskundigheid was ook bekend in andere loges.

Dikke regendruppels bleven even hangen aan de glazen wanden voordat ze wegstroomden naar de goten. Het gebruikelijke publiek van verwoede raadplegers van zeldzame boeken had zich laten afschrikken door het slechte weer en het was spookachtig leeg in de bibliotheek.

Marcas ging naar de eerste verdieping en stak de stalen loopbrug over die leidde naar de cafetaria, waar je nog net de duizelingwekkende diepte kon zien. Hij duwde de zware deur open en keek rond in de grote zaal met de donkere wanden. Een clubje van vier studenten kletste gedempt rond een map met collegedictaten, een Japans stel zat zwijgend tegenover elkaar en een oudere dame las ijverig in een antiektijdschrift. Zijn afspraak was er nog niet. Hij bestelde koffie en ging in de meest linkse hoek van de cafetaria zitten. Die lag op het oosten.

Verstrooid pakte hij het foldertje dat op tafel lag en bekeek de aanlokkelijke aanbiedingen van reizen naar Cuba en de Dominicaanse Republiek, met foto's van palmbomen en maagdelijke zandstranden. Vierhonderd euro per week; je kon tegenwoordig goedkoper naar het andere eind van de wereld dan een weekendje naar de Côte d'Azur.

Het was een provocatie met dit hondenweer, maar vooral bedrog. Eind mei, begin juni was niet bepaald het ideale seizoen voor een vakantie in die hoek van het Caraïbisch gebied, dat dan geteisterd werd door tropische regenbuien. Marcas herinnerde zich nog een weekje Havana in de stromende regen.

Hij had, samen met zijn vrouw en net voor hun scheiding, de tijd gedood met het proeven van de lokale rumvariëteiten en het herkauwen van hun wederzijdse slechte humeuren in bars waar zich lam vervelende toeristen werden afgezet. Op hun kamer in een sjofel driesterrenhotel met vochtige, afbladderende muren zapten ze langs de twee dodelijk vervelende nationale zenders die voor de duizendste keer een propagandadocumentaire over Che Guevara uitzonden. Ze hadden hem bekeken met het onaangename gevoel dat ze bedonderd werden door de grote leider die met een ironische glimlach overal de grote vooruitgang van het socialisme aanprees onder de stralende hemel van de jaren vijftig.

Hij had later nooit meer een voet gezet op dat door sommigen zo bewierookte eiland waaraan hij zulke slechte herinnering had overgehouden.

Hij keek onverschillig op en zag haar direct.

Haar gestalte viel op tussen de studenten en de oude academici. Zelfbewust, gehuld in een modieuze wijde crèmekleurige mantel, marcheerde Jade Zewinski resoluut op hem af.

Ze had iets, hij wist niet wat, geen klassieke schoonheid, maar iets natuurlijks dat haar aantrekkelijk maakte.

Ze had hem die ochtend gebeld op zijn privémobieltje, hoewel hij officieel nog met vakantie was. Ze moest hem dringend spreken. Hij had bijna afgehaakt, maar ze had de opdracht gekregen om contact met hem op te nemen. De opdracht kwam van het ministerie. Van het hoogste niveau. Hij had met haar afgesproken in de cafetaria van de bibliotheek, een ideale plek voor vertrouwelijke gesprekken.

Jade ging met haar jas aan tegenover hem zitten.

'Hallo... broeder. Hoe gaat het?'

Marcas' kaak verstrakte onmerkbaar. De toon die die jonge vrouw aansloeg maakte hem stekelig. Net als in Rome. Hij maakte aanstalten om op te staan. Jade trok hem aan zijn arm.

'Toe, het was een grapje. Doe niet zo kinderachtig. Vrijmetselaars hebben geen gevoel voor humor. Sorry, ik zal het niet meer doen.'

Ze stak haar hand op om het te zweren. Marcas ging weer zitten.

'We hebben misschien niet hetzelfde gevoel voor humor, mevrouw Zewinski. Vertelt u me liever waarom ik een uur vakantie moet opofferen om naar u te luisteren.'

Jade keek hem ernstig aan, haar gezicht stond nu somber. Voor het eerst zag hij de kleur van haar ogen, heel lichtbruin met groene stipjes.

'Ik heb ontdekt waarom ze Sophie hebben vermoord.'

17

Amsterdam

Passagiers die voor de eerste keer op Schiphol landen staan vaak paf van het enorme aantal winkels op de Amsterdamse luchthaven. Het is een enorm winkelcentrum met een verbluffend aanbod van alles wat je maar kunt bedenken. Het is zonder meer een eerbetoon aan de koopmansgeest waar de Hollanders al eeuwenlang blijk van geven.

Slimme ondernemers met hun zucht naar nieuwe ideeën hadden ook net een wijn- en oesterbar geopend waar passagiers in afwachting van hun vlucht oesters, gerookte zalm en krab konden eten. Voor de wijnliefhebbers stond er een enorme stelling van een meter of tien hoog met honderden wijnsoorten in speciale zwarthouten kistjes.

Aan een transparant glazen tafeltje gezeten, staarde Béchir dromerig naar zijn glas Château Margaux en dacht terug aan zijn omzwervingen van de laatste twee dagen. Hij had Israël uiteindelijk verlaten als een Jordaanse handelaar in grind. Het was een ideale dekmantel, aan het stuur van een geleende pick-up geladen met puin van bouwwerven en stenen, waaronder de steen die hij had ontvreemd uit het Instituut. Bij de Israëlische grenspost wilde een overijverige Joodse politieman hem zijn lading laten lossen, een te voorziene vernedering. Béchir had daarom een handlanger opgetrommeld die achter hem aan was gereden. Die verliet nu als een bezetene claxonnerend de rij wachtende auto's en werd onmiddellijk omsingeld door een zwerm Israëlische soldaten, die met de vinger op de trekker klaarstonden om zelfmoordenaars uit te schakelen.

De politieman had tegen Béchir gebruld opzij te gaan en op te donderen naar zijn smerige bedoeïenenland. Bij een vriend in Amman had de Emir zich ontdaan van pick-up en identiteit en had hij zich snel omgekleed. Hij werd Vittorio Cavalcanti, een Milanese toerist die een rondreis had gemaakt langs de prachtige bezienswaardigheden van Jordanië. Het nagemaakte paspoort vol met valse visums had prima dienstgedaan.

Met een grote koffer vol met souvenirs, waaronder de zorgvuldig verpakte steen van Thebbah, haalde hij op het nippertje zijn vlucht naar Parijs via Amsterdam.

Alles had verder op rolletjes moeten lopen, ware het niet dat de chartermaatschappij op last van de Nederlandse luchtvaartautoriteiten de vlucht op Schiphol had moeten onderbreken. Een verrassingsinspectie van het vliegtuig tijdens de tussenstop had een probleem aan het hydraulische systeem van het landingsgestel aan het licht gebracht. Alle passagiers met bestemming Parijs kregen te horen dat ze moesten uitstappen.

Béchir had zonder tegensputteren zijn koffer opgehaald en liet zijn overwegend Franse medepassagiers zich afreageren op de arme medewerkster van de vliegtuigmaatschappij.

Genietend van de wijn nam Béchir de tegenslag kalm op. Hij kon zichzelf best een onderbreking van twee dagen gunnen, zelfs al vertoonde zijn klant tekenen van groeiend ongeduld. Hij wist nauwelijks wie de afnemer was; hun contact beperkte zich tot mails die werden verzonden via een serie fictieve adressen verspreid over de hele wereld.

Hij gebruikte zelf ook een heel slim programma dat de herkomst van zijn mails kon verhullen door ze binnen een minuut te versturen via een willekeurig gekozen route van een stuk of honderd providers over de hele wereld. Alleen de speciale computers van grote informaticabedrijven konden zo'n systeem kraken en hij verstuurde trouwens enkel berichten die er heel onschuldig uitzagen.

Zijn opdrachtgever plaatste zijn bestellingen via een discussiegroep over Amerikaanse stripheldinnen die door nieuwe verfilmingen weer populair geworden zijn. Omdat zulke comics over de hele wereld worden verspreid, kon Béchir gemakkelijk aan de Amerikaanse versie van *Wonder Woman* komen om de geldende code te achterhalen. Hij scande de eerste vier pagina's van het nieuwe nummer om het geheimschrift eruit te halen, dat maandelijks in elke nieuwe uitgave veranderde.

De klant meldde zich altijd met dezelfde schuilnaam: *Sol*.

Bij elke missie veranderde Béchir systematisch van naam als de preoperationele fase was afgesloten.

En hij gebruikte altijd voornamen van vrouwen, dit keer Béatrice, vanwege Dante die hij pas had ontdekt en ook vanwege een vroegere Franse minnares, aan wie hij nog een vage herinnering bewaarde. Een appetijtelijke dochter van een militair, verslaafd aan de wandelsport, die hij had ontmoet op een trektocht in de Jordaanse woestijn. Hij had zich toen voorgedaan als lokale gids om verkenningen uit te voeren naar mogelijke nieuwe schuilplaatsen voor Hamas-commando's. Hun verzengende passie in het woestijnzand was hem altijd bijgebleven. De mails van Sol werden bewerkt door een geavanceerd scramble-programma dat de zinnen en woorden omzette in klare taal. Het laatste bericht voor Béatrice, verstuurd net voordat hij Palestina verliet, luidde: AFSPRAAK ZSM IN PARIJS, NEEM CONTACT OP MET TUZET IN DE PLAZA ATHENEE. VRAAG DE SLEUTELS VAN ZIJN DAIMLER.

Hij wist niet wie Tuzet was en zolang hij zijn geld maar kreeg kon de identiteit van zijn Parijse contactpersoon hem ook geen lor schelen.

Hij dronk zijn glas leeg en liep naar de balie van de hotelreservering net naast de autoverhuurders een beetje opzij van de winkels.

De hostess tikte op haar toetsenbord en toverde een selectie van vier luxehotels op het scherm. Het Bilderberg Garden Hotel, een zakenhotel in Amsterdam-Zuid net tegenover het enorme Hilton met zijn wat achterhaalde architectuur; het InterContinental Amstel, een beetje achteraf gelegen, een en al kristal en marmer en trots op zijn sterrenrestaurant La Rive; het romantische l'Europe, pal in het centrum en ook met uitzicht op de Amstel, en ten slotte Krasnapolsky, een monumentaal gebouw met vierhonderdachtenzestig kamers tegenover het koninklijk paleis.

Béchir koos het op een na laatste hotel, het meest karakteristiek te midden van de grachten gelegen, waar hij vier jaar geleden al eens een week had gelogeerd. Hij gaf een bankkaart die hoorde bij een vette rekening van een Italiaanse bank en bevestigde de reservering.

Uit speakers ergens in de luchthaven klonk housemuziek, een onprettige dreun voor een dergelijke plek. Béchir keek op zijn horloge. Het was vijf uur 's middags, dus het verkeer tussen Schiphol en het centrum zou muurvast zitten. Hij besloot de trein te nemen die hem in een kwartier naar het Centraal Station in het centrum zou brengen.

De praktische Hollanders hadden het treinstation aangelegd vlak onder de ingang van het winkelcentrum. Vijf minuten later stond Béchir op een overvol perron op zijn trein te wachten. De sneltrein reed op tijd en na een kwartier stapte hij voor het Centraal Station op tramlijn 16, die vlot door het drukke centrum reed. Op het Muntplein stapte hij uit, liep richting Nieuwe Doelenstraat aan de overkant van de brug en stond met een paar stappen bij zijn hotel.

De geüniformeerde portier begroette hem beleefd en hij liep de grote hal binnen van het luxueuze hotel dat was gerenoveerd door de Nederlandse biermagnaat Freddy Heineken, die jammer genoeg een liefhebber was geweest van nogal kitscherige negentiende-eeuwse romantiek.

Achter een grote halfronde balie stonden drie receptionistes de gasten te woord. Hij koos de kleine rossige met onberispelijk opgestoken haar die net uitleg gaf aan twee Joden met hoeden en pijpenkrullen, waarschijnlijk diamantairs op doorreis. Onwillekeurig balde hij zijn rechtervuist in zijn jaszak, alsof hij zich moest beheersen om ze niet overhoop te steken, enkel en alleen omdat ze hoorden bij het volk dat zijn land had gestolen.

Toen ze zich omdraaiden om weg te gaan, glimlachte hij ze beminnelijk, bijna hartelijk toe, terwijl hij ze inwendig hartgrondig vervloekte. De receptioniste, een Spaanse die volgens haar badge Carmen heette – hij had nooit geweten dat Spaanse vrouwen rossig konden zijn – begroette hem met een blik op zijn paspoort in het Italiaans en gaf hem zijn sleutel.

Hij gaf zijn koffer aan de bagageknecht met de opdracht die meteen naar zijn kamer te brengen.

Een uur na zijn vertrek van Schiphol, liet hij in de witmarmeren badkamer het bad vollopen. Alles in het hotel was op en top verzorgd, de badspullen waren van Bulgari, een luxe die hij zeer waardeerde na twee maanden in stinkende schuiladressen tussen Gaza en Jeruzalem.

Met welbehagen liet hij zich in het hete water zakken. Zijn door die tweedaagse reis afgepeigerde lichaam ontspande zich toen de warmte hem omhulde. Hij was niet meer Béchir, een van de meest beruchte emirs van de Palestijnse gebieden, maar Vittorio, levensgenieter uit Milaan, liefhebber van wijn en van vrouwen.

Zijn omgeving in de Palestijnse gebieden was eraan gewend dat hij regelmatig verdween en dacht dat hij zich weer ging laven aan de zuivere

Iraanse islam. Hij had zelf nooit enige uitleg gegeven over zijn afwezigheid en niemand van zijn Palestijnse vrienden kon ook maar een seconde vermoeden dat hij lag te weken in een Amsterdams bad. Dit keer was hij zogenaamd op reis in Jordanië en aansluitend in Syrië voor de aankoop van lichte wapens om de Joodse kolonisten mee te bestoken. Hij werkte sinds enige tijd voor een factie van de al Aksa-brigades, die veel professioneler waren dan Hamas. De recente zelfmoordacties in het centrum van Jeruzalem waren geweldig succesvol geweest en druppelden het bijtende zuur van de angst in de harten van de Joden. Niemand durfde aan zijn woorden te twijfelen als hij zijn vertrek voorbereidde.

Maar sinds enkele maanden vermoedde Béchir dat iemand in zijn omgeving voor de Mossad werkte en zijn verplaatsingen soms doorgaf aan de Joden. Vorige maand was hij bijna opgepakt in de oude stad van Jeruzalem en dat hij was ontkomen dankte hij enkel aan een stommiteit van de Israëli's. Hij wist dat zijn geluk niet zou blijven duren en dat hij vroeg of laat als een overrijpe vrucht in hun handen zou vallen.

Zijn carrière als deeltijdhuurmoordenaar liep ten einde en Béchir probeerde nog zoveel mogelijk contracten af te werken om zijn pensioengat te vullen. De klus van de steen van Thebbah had hij aangenomen uit pure inhaligheid. Na die opbrengst had hij nog maar één laatste bestelling nodig om de winkel te kunnen sluiten en op zijn lauweren te gaan rusten.

Hij stapte uit het bad en deed een dutje op de canapé, een tevreden glimlach op de lippen. Toen hij wakker werd, was het donker in de stad. Hij had meer dan vijf uur geslapen en voelde zich verkwikt en opgewekt. Alle vermoeidheid was verdwenen en hij had zijn oude energie weer terug.

Hij sloot zijn laptop aan op het internet en logde in op de discussiegroep van zijn klant. Hij stuurde een versleutelde mail aan Sol om hem zijn vertraging te melden en hem te laten weten dat hij de volgende dag de Thalys van kwart over drie naar Parijs zou nemen. Als alles goed ging zou hij uiterlijk de volgende avond in de Franse hoofdstad arriveren.

In afwachting van het antwoord, zette hij de tv aan en zapte langs de Nederlandse zenders. Op een ervan was een reportage te zien over het toenemende gebruik van hallucinogene paddenstoelen die verkrijgbaar waren in gespecialiseerde winkels. De coffeeshops waar cannabis werd verkocht liepen slecht en verloren klanten aan de winkels waar allerlei paddosoorten werden aangeboden. Béchir nam zich voor om voor hij vertrok een voorraadje voor eigen consumptie mee te nemen naar Parijs.

Hij had in Mexico al eens psilocybine gebruikt en dat was een geweldige ervaring geweest. Een hallucinante trip, totaal anders dan marihuana. Paddo's geven een heerlijke roes en zijn niet verslavend, maar ze werken wel vier uur lang en veroorzaken vaak diarree en misselijkheid bij de 'landing'.

Hij bleef zappen en kwam terecht bij de hotel-tv met pornofilms die toeristen moesten opgeilen, althans dat hoopten de Nederlandse aanbieders.

Twee mannen en een vrouw spanden zich geweldig in. Het leek erop dat de mannen meer plezier aan elkaar beleefden dan ze bezorgden aan de superbe blondine met haar weelderige vormen. Zijn vermoeden werd bewaarheid toen de actrice pruilend uit bed stapte. De twee bodybuilders wierpen zich met onverbloemd enthousiasme op elkaar. Béchir vloekte knetterend bij de scène die zijn machismo ernstig kwetste. Bovendien was de bruine jongen die zich liet pakken een Arabier.

Woedend zette hij de tv uit en liep naar het raam. Hij had geen zin meer om te gaan slapen. Ineens realiseerde hij zich dat een paar honderd meter verderop de Amsterdamse hoerenbuurt lag, het Red Light District met zijn raamprostitutie.

Hij was er nog nooit geweest, dus het was nu of nooit, vooral omdat hij een even aangename als kwellende lust voelde opkomen.

Voordat hij de lauwe Amsterdamse nacht in stapte, haalde hij de steen van Thebbah uit zijn koffer om die in de kluis achter een van de glazen kastdeuren te leggen. Voorzichtig, met een concentratie of hij een instabiel explosief vasthield, verwijderde hij de doek waarin de steen was gewikkeld. De compacte, donkere, met oude Hebreeuwse letters beschreven steen lag nu op het smetteloos witte laken van een luxe hotelkamer, duizenden kilometers verwijderd van het woestijnzand waaruit hij naar boven was gehaald, en morgen reisde hij weer verder, eerst naar Parijs en daarna naar een onbekende bestemming.

Béchir bekeek de steen geboeid, er ging een dreiging van uit die hij niet kon benoemen. Aan bijgeloof deed hij niet, maar toch vervulde de steen waarvoor hij had gemoord hem met een onbestemde onrust. Die oude Joodse geleerde scheen hem te beschouwen als een heilige schat.

Hij doorliep de aantekeningen van de oude man, waarin sprake was van vreemde begrippen, zoals het Tempelierskruis, en onbekende woorden zoals het in hoofdletters geschreven BV'ITI. Béchir hield niet van raadseltjes, hij hield alleen van geld.

En deze steen moest heel waardevol zijn als iemand zomaar een fortuin uitgaf om hem in handen te krijgen. Zijn opdrachtgever had een week tevoren contact met hem gezocht en wist toen al dat de handelaar Perillian de steen had. De nieuwe klant was hem aangebracht door een van zijn beste contactpersonen, de nummer drie van de Syrische geheime dienst die hij af en toe goede diensten bewees.

De Syriër had ingestaan voor de opdrachtgever zonder diens identiteit te onthullen en zei erbij dat Sol grote belangen vertegenwoordigde en toevallig ook een oude vriend was van de Palestijnse zaak. Het vermoorden van de bejaarde Jood en het stelen van de steen was de eenvoudigste opdracht in tien jaar geweest.

Hij vouwde het linnen weer om de steen en legde hem in de kluis, die een digitale sleutel had. Hoe eerder hij het ding afleverde, hoe beter; er ging iets onheilspellends van uit dat hem vreselijk tegenstond.

Hij checkte de computer in de hoop dat er antwoord op zijn mail was. Rechts onderaan het scherm knipperde het envelop-icoontje. De boodschap van Sol was kort: 'Bevestig voornoemde afspraak.'

Geen verdere uitleg. Hij verwijderde het bericht en sloot de computer af, waarna hij opstond en een tijdje naar buiten keek. Het water van de Amstel glinsterde, de lampen in de huizen met de topgevels vormden een lichtsnoer waarvan de schittering weerkaatste op het donkere wateroppervlak. Op de brug liepen groepjes uitgelaten voorbijgangers en fietsers schoten overal tussendoor.

Hij dacht aan de avonden in Gaza, waar elk uur de stroom werd afgesloten en de mensen niet naar buiten durfden. De fiets pakken om een avondje bij vrienden door te brengen, was een luxe die de meesten van zijn landgenoten niet kenden. Het was zo onrechtvaardig! Waarom had Allah alle rijkdom geschonken aan die ongelovigen in het Noorden en niets aan zijn volk? Maar Béchir stond nooit lang stil bij zulke dingen; zijn levensbeschouwelijke opvattingen stonden vast. Het leven had geen enkele zin en alleen de sterksten en de slimsten konden zich redden, de rest was gelul. Hijzelf hoorde bij degenen die altijd overal voordeel uit wisten te halen. Zo was het leven nu eenmaal.

Hij schoot een open hemd, een lichte broek en een donker suède jasje aan en daalde stijlvol af in de dienstlift. In de hal botste hij op een bejaard echtpaar. Te oordelen naar hun plompe manieren waren het vast Russen, en ze droegen allebei voor minstens vijftienduizend euro aan dure kledij en rinkelende sieraden van bedenkelijke smaak.

Hij ging door de draaideur naar buiten en liep in de richting van de hoerenbuurt rond de Nieuwmarkt, hij kon hem niet mislopen als hij de Kloveniersburgwal maar volgde.

Het stadsbestuur dat bekendstond om zijn tolerantie op het gebied van seks, ging daarin zover dat toeristen door middel van borden de weg werd gewezen naar dit in Europa unieke bordeel, waar mannen zich konden verlustigen aan honderden meisjes die schaamteloos in glazen hokken werden tentoongesteld. Bruine, blonde, Aziatische, zwarte, Russische; ze waren er in alle smaken. De best gehuisvesten zaten op de eerste etage met uitzicht over de gracht, de anderen moesten zich tevredenstellen met een benedenverdieping. De alleroudsten zaten in piepkleine hokjes in steegjes rond de kerk.

Béchir kruiste een clubje aangeschoten Engelse jongens die zich met zijn zessen joelend verdrongen voor een raam. Ze maakten obscene gebaren naar een brunette van Noord-Afrikaanse afkomst in een zwarte string die hen minachtend bekeek. Ze weigerde haar gordijn dicht te doen, alsof ze wilde benadrukken hoe ze op die zatte bende neerkeek. Zich onzichtbaar maken zou een vlucht betekenen.

De moordenaar voelde bewondering voor de manier waarop de prostituee het opnam tegen die hatelijke meute bronstige honden. Hij ving de hooghartige blik op uit de zwaar opgemaakte ogen van de vrouw en meende er even een vluchtige verstandhouding in te lezen. Hij besloot haar een handje te helpen.

In een zijstraat zaten drie klaplopers met overgave bier te hijsen. Hij gaf ze honderd euro om met de Engelsen op de vuist te gaan, waarbij hij zei dat het schoelje alle Nederlanders voor kleffe nichten stond uit te maken. Als de buitenlanders in elkaar geslagen werden, zou er nog een biljet van honderd euro volgen. De grootste van de bierdrinkers, een klerenkast in een Hell's Angels-outfit, sprong vloekend overeind en sleepte zijn maten mee naar de toeristen.

De zes Engelsen wisten niet wat hun overkwam toen ze ineens bestormd werden door drie dronkenmannen en er ontstond meteen een handgemeen. Béchir bleef naast het raam staan om te genieten van het spektakel en een broederlijk knipoogje te werpen naar de prostituee die wraakzuchtig stond te lachen. Met het tafereel van die ongelovige honden die met gescheurde kleren en bebloede gezichten over straat rolden had hij haar een groot plezier gedaan.

De donkere vrouw beloonde de voorstelling met een applausje en maakte een uitnodigend gebaar naar Béchir. Even aarzelde hij, maar hij sloeg het voorstel met een vriendelijk knikje af en stapte over de kluwen mensen heen waarop hij in het voorbijgaan een biljet van honderd euro gooide.

Hij had geen zin meer om van bil te gaan; hij voelde zich trots dat hij iets rechtvaardigs had gedaan en dat hij zich niet had gedragen als een hond die alleen zijn instinct gehoorzaamt. De aanblik van die zatte Engelsen had een eigenaardige uitwerking op hem gehad; hij wilde niet op die varkens lijken. De seks kon nog wel wachten tot hij in Parijs was en die steen had afgeleverd.

Hij sloeg af op de hoek van een slecht verlicht steegje dat uitkwam op een brug over een grachtje. Een gesluierde vrouw met twee kleine kinderen aan de hand keek hem kil aan, omdat ze meende te weten wat hij in deze achterbuurt kwam doen. Hij begreep haar minachting. Uitgerekend nu hij zich net een keer fatsoenlijk had gedragen kon de Emir zich inleven in de afkeuring van een gelovige. Hij had iets in het Arabisch tegen haar kunnen zeggen, maar hij deed het niet. Wat voor zin had het? Ze bekeek waarschijnlijk alle ongelovigen op die manier. Het verschil tussen die prostituee, bijna naakt achter haar raam, en deze moeder, ingebakerd om zich te beschermen tegen de blikken van mannen, was enorm, maar waren ze niet allebei het slachtoffer van regels gemaakt door en voor mannen? Seks voor de een, God voor de andere. Béchir ontdekte een pikante vergelijking. De Europeanen namen meer aanstoot aan een sluier dan aan een string, terwijl een groeiend aantal islamitische fundamentalisten het tegendeel vonden...

Sinds een jaar was de islamitische sluier onderwerp van een verhitte discussie in Nederland. Met de moord op de provocerende cineast Theo van Gogh door een extremist met een Marokkaanse achtergrond ontdekten de media de problematische kanten van de immigratie. Nederland, land van tolerantie en openheid, kreeg, wat later dan andere Europese landen, oog voor de tragische gevolgen van het wij-zijdenken. In het naburige Vlaanderen stookte het Vlaams Belang het vuur van het nationalisme op en zestig jaar na de val van het nazisme bloeide er alweer een giftig verlangen naar de heerschappij van het blanke ras.

Béchir hield niet van Joden, maar evenmin van neonazi's en hun handlangers. Hij was in een razende woede uitgebarsten toen hij het portret van de Führer ontdekte in de slaapkamer van een neefje dat de nationaalsocialistische leider vereerde.

Het neefje was trouwens geen uitzondering. In grote delen van de Arabische wereld bestond nog steeds waardering voor Hitler als dictator, maar ook als vaandeldrager van de strijd tegen het Joodse gevaar. De *Protocollen van de wijzen van Sion*, een uit het tsaristische Rusland afkomstig vals pamflet over het bestaan van een wereldwijde Joodse samenzwering, was in alle soeks te koop. Je vond ze van Marrakech tot Caïro, in de oude stad van Teheran en zelfs in kraampjes in de buitenwijken van Jakarta.

Béchir, die veel reisde en die geschiedenis had gestudeerd, vond die bewondering belachelijk en jammerlijk. In de Tweede Wereldoorlog pasten de Arabieren als bondgenoten in de strategie van de Duitsers, die lokale nationalistische bewegingen gebruikten in hun strijd tegen de Engelsen.

Anwar al-Sadat, de raïs van Egypte, dezelfde man die het schandelijke vredesakkoord met de Joden had ondertekend, was tijdens de oorlog geheim agent voor de Duitsers geweest. De groot-moefti van Jeruzalem was in 1941 door Hitler met alle eer onthaald in Berlijn, hij had er de drie moslim SS-divisies gezegend: Handschar, Kama en Skandenberg. Een Syrische SS-veteraan van Kama, die Béchir had ontmoet op een diner in Damascus, placht de moefti na te zeggen: 'De halve maan en het hakenkruis hebben een gemeenschappelijke vijand, de davidsster.'

Maar Béchir wist ook dat in de nazi-ideologie moslims beschouwd werden als een inferieur ras, dat op de evolutieladder niet hoger stond dan de Slaven of de Latijnse rassen.

In trainingskampen in Syrië, Libanon en Libië was hij Europese neonazi's tegengekomen. Skinheads die voor sympathisant van de Palestijnse zaak speelden, omdat ze tegen de zionisten waren, en die zodra ze weer in hun noordelijke nevels waren opgegaan, thuis geweld tegen Noord-Afrikanen gebruikten.

Béchir wendde zijn blik af van de gesluierde vrouw en verliet de hoerenbuurt. Hij wandelde het centrum in op zoek naar een Indonesisch restaurant waar hij een copieuze rijsttafel kon eten, het assortiment kommetjes met exotische specialiteiten waar Nederland beroemd om is.

Achter hem klonk belgerinkel en hij kon nog net voorkomen dat hij omver werd gereden door een vrolijke man die in razend tempo langsfietste. Je moest goede reflexen hebben wilde je in deze stad overleven, de fietspaden leken op voetpaden en toeristen moest voortdurend opzij springen.

Aan het trottoir waar Béchir zijn toevlucht had genomen, lag een winkel met een violet getinte etalageruit en een enorme kunststof paddenstoel van fluorescerend rood aan de gevel. De moordenaar grijnsde tevreden en ging naar binnen in een soort spelonk met een nepwaterval van grijsgeschilderd piepschuim. Overal stonden uitheemse, vooral Colombiaanse en Noord-Afrikaanse, instrumenten uitgestald die dienden voor het oproepen van kunstmatige paradijzen. Honderden zakjes met namen van gedroogde paddenstoelen of zaadjes langs de muren gaven een landelijke sfeer, de bezoekers kregen bijna de indruk dat ze in een zaadhandel waren. Het leek een tuincentrum voor junks.

Achter de toonbank stond een jonge Hollander die eruitzag als een theologiestudent een Duits stel deskundig advies te geven over het kweken van psychotrope paddenstoelen. 'Alles valt of staat met de grond,' verklaarde hij belerend aan de twee naïevelingen die wel twintig zakjes zaad hadden gekocht, genoeg om een hele kas te beplanten.

Béchir was een kenner en hij koos een zakje met zes paddo's die een slank wit steeltje hadden dat eindigde in een fallusachtig hoedje, de *Psilocybe semilanceata*. Hij bevoelde de textuur en trok een gezicht. Geen goed spul. Hij wachtte tot de verkoper zijn duifjes had uitgelaten en vroeg hem in het Engels of hij niet iets van betere kwaliteit had. Behulpzaam kwam de jongen achter de toonbank vandaan en wees op een andere vitrine met gekleurde zakjes waarop guitige kabouterhoofdjes stonden. Béchir schudde van nee.

'Echte kwaliteit, maakt niet uit wat het kost.'

De verkoper behield zijn onverwoestbare glimlach en verdween naar achteren om een doos uit de ijskast te halen. Daar kwamen geen zakjes met vrolijke dwergen uit, maar felgekleurde plastic doosjes met paddenstoelen die eruitzagen of ze net geplukt waren. Hij haalde er vier uit en legde ze voorzichtig op een stukje aluminiumfolie.

'Goddelijk spul, man, een trip van gegarandeerd zes uur en een zachte landing. Maar het kost wel wat.'

'Hoeveel?'

De jonge man keek berouwvol.

'Driehonderd euro is nog een schijntje, man.'

'Oké. Houd ze koel voor me tot morgen. Ik kom ze tegen de middag ophalen.'

De verkoper begreep dat hij het dubbele had kunnen vragen, maar hij drong niet verder aan. Béchir betaalde en vertrok. Bij de deur kruiste hij een charmante oma met witte haren en een foxterriër, die ook haar inkopen kwam doen.

Raar land, dacht hij op weg naar de Dam, het plein met het koninklijke paleis waar de koningin nooit overnachtte.

Hij dacht aan de grimmige regie van Sol, waarvan hij waarschijnlijk nooit het fijne te weten zou komen.

Toen hij op het punt stond Israël te verlaten, berichtten radio en televisie over de dubbele moord in het Archeologisch Instituut. Een onderzoeker en de bewaker waren op brute manier doodgeslagen. Het vermoeden was dat het ging om een uit de hand gelopen inbraakpoging.

De media wisten uiteraard niet wat er was gestolen, want Marek had niet de tijd gehad om het bestaan van de steen van Thebbah wereldkundig te maken.

Er werd alleen gezegd dat de moordenaar een verzamelobject had gestolen uit de werkkamer van de geleerde. Béchir en zijn opdrachtgever kenden allebei het motief van de moord, maar slechts een van hen kende de echte waarde van de steen van Thebbah.

18

Parijs,
Bibliothèque François-Mitterrand

Marcas bestelde nog een kop koffie en legde zijn handen samengevouwen op tafel. Een paar studenten die twee tafels verderop waren neergestreken hadden veel belangstelling voor Jade.

De Afghaanse praatte gedempt verder: 'Ze hebben haar vermoord vanwege die verdomde documenten van uw maçonnieke vrienden. De dag ervoor vertelde Sophie me dat ze voor de Grand Orient papieren naar Jeruzalem moest brengen, of liever gezegd voor iemand met wie ze samen die archieven bestudeerde. Ze heeft me niet verteld wat voor documenten, maar volgens haar waren ze van groot historisch belang. Om veiligheidsredenen heb ik haar toen aangeboden ze in mijn kluis in de ambassade te leggen.'

'En u hebt ze nog?'

'Natuurlijk. Ik heb kopieën meegenomen naar Parijs.'

Marcas' belangstelling was gewekt. Maçonnieke documenten die in handen waren van een profaan konden gevaarlijk zijn. Maar hij liet zijn ongeduld niet blijken.

'Hebt u ze gelezen?'

Jade voelde de belangstelling van haar collega, ook al leek die onaangedaan.

'Eerlijk gezegd begrijp ik er geen woord van. Je moet historicus of vrijmetselaar zijn om die abracadabra te snappen. Ze gaan over rituelen, over meetkundige constructies en verwijzen naar de Bijbel. Zo te zien dateren ze uit de achttiende of negentiende eeuw.'

'U moet ze teruggeven aan de rechtmatige eigenaren. Alleen zij kunnen eventueel verklaren waarom iemand ervoor werd vermoord.'

Jade keek hem boos aan.

'Ik weet wat me te doen staat, maar voorlopig zijn het nog bewijsstukken in het onderzoek naar een moord die niet is gebeurd. Uw makkers krijgen ze te zijner tijd wel terug...'

'En waarom vertelt u mij dat allemaal?'

De jonge vrouw streek met haar hand door het haar; ze leek even te aarzelen.

'U weet het nog niet, maar we gaan samenwerken. Het ministerie van Binnenlandse Zaken heeft vergaderd over deze moord. De Quai d'Orsay heeft mij op de zaak gezet, samen met u.'

Marcas nam een slok van zijn hete espresso om bedenktijd te hebben.

'Ik heb nog een maand vakantie en een hoop prettige dingen in het vooruitzicht, waarbij een relatie met u, in welke vorm dan ook, niet is inbegrepen. Het spijt me vreselijk. Ik vind het heel erg van uw vriendin, maar ik peins er niet over om me met die zaak te bemoeien.'

Jade grijnsde spottend.

'U hebt geen keuze. Het schijnt dat ergens in de top een groot licht zit die wil dat u het uwe hierover laat schijnen. Ik ben geen astrologe, maar ik voorspel dat u zeer binnenkort een telefoontje van uw baas krijgt.'

'Bedankt voor de tip.'

'Ik probeer gewoon alles op een rijtje te krijgen. Als we dan toch moeten samenwerken, moeten we de terreinen goed afbakenen. Ik moet me ook nog gaan verdiepen in jullie poppenkast met die voorschoten, en dat trekt me helemaal niet.'

Marcas zette zijn kopje neer. Dat mens liet geen gelegenheid voorbijgaan om te spotten met zijn vrijmetselaarschap. Om hem belachelijk te maken.

'Ik onthoud me van commentaar tot ik dat fameuze bevel heb gekregen. Maar ik heb wel een vraag aan u.'

'Wat dan?'

'Waarom hebt u zo de pest aan vrijmetselaars?'

De blik van Jade verhardde zich. Ze schikte haar jas om haar schouders en stond abrupt op.

'Dat vertel ik u nog wel. Maar u hebt het goed dat ik weinig waardering heb voor jullie ideeën en ik weet zeker dat Sophies dood te maken heeft met het gesjoemel van uw kompanen, de achterbakse aanhangers van de Opperbouwmeesters des Heelals. Dit gesprek is beëindigd; we spreken elkaar verder in officiëler verband.'

Stomverbaasd nagestaard door Marcas liep de jonge vrouw weg en sloeg de deur van de cafetaria achter zich dicht. De politieman was verbijsterd door het botte karakter en de koppigheid van de jonge vrouw. Er was geen sprake van dat hij met die Walkure zou samenwerken. Hij moest er niet aan denken dat hij zijn vakantie moest afzeggen voor dat kind met die idiote voornaam. Hij betaalde de koffie en liep binnensmonds foeterend naar buiten. Had hij maar nooit die uitnodiging van de ambassade aangenomen... Bovendien zou hij over een week naar Washington vliegen om in het Georgetown Instituut vrijmetselaars te ontmoeten. Die bijeenkomst lag al maanden vast, ze zouden bevindingen uitwisselen over de inbreng van de alchemistische iconografie in de achttiende-eeuwse rituelen.

Terwijl hij de voordeur van de bibliotheek openduwde, besefte hij dat zijn plannen wankelden. Een telefoontje zou ze definitief in duigen doen vallen.

19

Parijs,
16, rue Cadet,
de hoofdzetel van de Grand Orient de France,
middernacht

Het was halfdonker in tempel nummer 11. In het Oosten, aan de voet van de drie treden naar het spreekgestoelte van de Voorzittende Meester, brandden twee groene vlammen die een schimmig licht wierpen op muren die waren bespannen met zwarte doeken met rouwtekens. Bij de ingang van de tempel, net voor de Broeder Dekker, bladerden de twee Opzieners bij het zwakke kaarslicht door het rituaal. In de kolommen wachtten de broeders zwijgend tot de bijeenkomst van de derde graad, de meestergraad, zou beginnen.

In het Oosten klonk een mokerslag, onmiddellijk gevolgd door twee slagen aan het uiteinde van elke kolom.

'Broeder Eerste Opziener, wat is de eerste plicht van een Opziener in de loge?'

'Eerwaarde Meester, dat is erop toe te zien dat de loge naar behoren is gedekt.'

'Broeder Eerste Opziener, laat Broeder Dekker u hiervan verzekeren.'

De Dekker, die met het zwaard in de rechterhand naast de ingang zat, stond op en controleerde of de deur van de tempel goed dicht was.

'Eerwaarde Meester, de loge is naar behoren gedekt.'

Op de kolom in het Noorden, vlak naast de Broeder Aalmoezenier, staarde Patrick de Chefdebien, president-directeur van de cosmetica-multinational Revelant, naar het Oosten.

Over een paar minuten moest hij opstaan, de drie treden bestijgen en op de plaats van de Redenaar zijn voordracht houden voor een aandachtig gehoor van medebroeders.

'... Broeders, wilt u zich als de Opziener van uw kolom langskomt in orde stellen als Meester-Vrijmetselaar?'

Een voor een stonden de broeders op en gaven het teken van Meester-Vrijmetselaar bij het passeren van de Opziener, die de tempel door liep met de moker voor de borst.

Een driehoek vormend met zijn handen vroeg Marc Jouhanneau, Groot-Archivaris van de Grand Orient, zich af hoeveel meesterverheffingen hij al had bijgewoond. In bijna zestig jaar waren het er misschien honderd, of meer, geweest, en de ceremonie boeide hem nog steeds.

Maar door de dood van Sophie Dawes kon hij zich vanavond niet concentreren. Hij was te aangeslagen door de moord op zijn protegee. Hij voelde zich schuldig dat hij haar op reis had gestuurd. Hij voelde zich verantwoordelijk voor haar dood. En ook Marek, de metgezel van zijn vader, was ingehaald door zijn lot.

Jouhanneau vermande zich en richtte zijn aandacht op de doodshoofden die op het zwarte doek stonden afgedrukt. Het was indrukwekkend, overal die schedels met hun donkere oogkassen, afgewisseld met helwitte gekruiste beenderen. De dood was alom tegenwoordig.

In alle loges in de hele wereld werd in elke bijeenkomst van de meestergraad de moord op Hiram herdacht, de Meester van de vrijmetselaren, die was vermoord door mensen die hem zijn geheim wilden ontstelen.

Jouhanneau onderging dat ook telkens weer als een herdenking van de moord op zijn vader in de hel van het nazikamp.

'Broeder Eerste Opziener, hoe laat beginnen de Meesters met hun werk?'

'In de middag, Eerwaarde Meester.'

'Hoe laat is het, Broeder Tweede Opziener?'

'Het is volle middag, Eerwaarde Meester.'

'Het uur waarop de Meester-Vrijmetselaars met hun werk begonnen. Nodig daarom de Broeders in uw kolommen uit, evenals ik degenen van Debbhir vraag om zich bij ons te voegen en het werk aan te vangen in de Achtbare Loge Orion, in het Oosten Parijs.'

Jouhanneau keek de kring broeders rond. Elk van de aanwezigen was een erkende specialist op het gebied van de vrijmetselarij. Je werd pas gekozen voor Orion als je jaren onderzoek had gedaan en dan nog alleen na een introductiebouwstuk te hebben uitgesproken. Dat was een geducht mondeling examen waarbij de adept alle broeders moest overtuigen.

Die avond was het de beurt aan Chefdebien om, hoogste baas van Revelant of niet, zijn proef af te leggen.

'Waarde Broeder Secretaris, kunt u ons de notulen voorlezen van de laatste bouwstukken.'

Na de rituele formules en het lezen van de presentielijst van de vorige zitting, stelde de secretaris de twee opgeleverde bouwstukken voor en resumeerde die.

De notulen werden door alle broeders goedgekeurd en de Eerwaarde Meester nam weer het woord: 'Broeders, we zullen vanavond het bouwstuk beluisteren van broeder Patrick de Chefdebien. Zoals u weet, is hij de neef van onze betreurde broeder Guy de Chefdebien, die vorig jaar naar het Eeuwige Oosten afreisde en die een van de grote geesten van onze werkplaats was. Zijn neef en erfgenaam nam de maçonnieke fakkel van hem over en komt nu deze avond spreken voor de voltallige Orion.

Broeder Ceremoniemeester, wees zo goed onze broeder uit zijn kolom te halen en naar de plaats van de Redenaar te begeleiden.'

De Ceremoniemeester liep rond de mozaïekvloer die bedekt was met het tableau, in een rituele rondgang die hem tot voor Patrick de Chefdebien bracht. Met een hand het ordeteken makend, met in zijn andere hand de papieren van zijn bouwstuk, volgde Chefdebien hetzelfde symbolische spoor rond het heilige middelpunt van de loge. Vervolgens besteeg hij de drie treden van het Oosten, gaf de Redenaar een broederlijke accolade en nam plaats tegenover zijn gehoor van onbeweeglijke en zwijgende broeders, de gehandschoende handen ritueel plat op de dijen rustend.

Chefdebien schraapte de keel voor hij van wal stak.

'Eerwaarde Meester, Achtbaren gezeten op Debbhir en u al mijne Broeders.'

Jouhanneau luisterde zwijgend naar de woorden die door de tempel schalden. Hij had instinctief een afkeer van die Chefdebien, een broeder die bekendstond als ambitieus en hongerig naar macht.

De montere industrieel was een dertiger met peper-en-zoutkleurig haar die een goede pers kreeg voor zijn prestaties aan het hoofd van Revelant en het royale salarisbeleid voor het personeel, dat zeer gehecht was aan de vijfendertigurige werkweek. Hij had een cosmetica-imperium opgebouwd dat zich onstuitbaar over de wereld uitbreidde, en tegelijkertijd had hij als organisator van grote humanitaire acties een warm imago. Met gebaren als een schenking van twintig miljoen euro aan de Telethon-actie en de gift van een van zijn privéhuizen aan een instelling voor daklozen, profileerde hij zich als een industrieel die helemaal niet leek op veel graaiers aan de top.

Patrick de Chefdebien was tien jaar geleden ingewijd op voorspraak van zijn oom. Hij had in hoog tempo, te hoog naar Jouhanneaus smaak, de graden doorlopen en had binnen de obediëntie heel wat aanhang gekregen.

Sommige broeders waren verblind door zijn uitstraling en zijn zeer hoge intelligentie en er werd al gefluisterd dat hij een uitstekende Grootmeester zou zijn, nu de vrijmetselarij door de media voortdurend aan de schandpaal werd genageld. Hij zou een toonbeeld zijn. Jouhanneau was ongevoelig voor de charmes van Chefdebien. De president-directeur van Revelant was totaal anders dan zijn oom, een oude, ook buiten de loge Orion gerespecteerde en bewonderde geleerde, die Jouhanneau goed had gekend. De neef vond hij een carrièrejager, maar één die stukken intelligenter was dan de promotiezoekers die de loge bevolkten. Hij was ook gevaarlijker omdat hij al was verheven tot een eigentijdse heilige.

Jouhanneau had geen woord gehoord van het verhaal van Chefdebien. Zijn hoofd liep om, wat in zijn geval een alarmsignaal was. De absurde dood van Sophie liet hem niet los. Hij dacht aan de uren dat ze in zijn werkkamer samen over haar proefschrift hadden gepraat... Ze was zo jong en zo mooi...

En Marek, zijn oude kameraad, die hem de waarheid had verteld over de dood van zijn vader, was eveneens doodgeslagen. Hij dacht ook aan de archiefstukken die hij aan Sophie had meegegeven. De obediëntie had ze al wel teruggekregen, maar hij was er zeker van dat Darsan er kopieën van had gehouden.

De donkere, omfloerste stem van Chefdebien vulde de tempel: '... we hoeven maar te kijken naar de mozaïekvloer in elke loge, naar de afwisseling van zwarte en witte tegels, die aan een schaakbord doet denken. U hebt allemaal de gang gemaakt rond die betegeling die in het midden van de loge wordt afgebakend door de drie grote kandelaars. Hij symboliseert onze verbondenheid, maar kan ook, zoals wordt benadrukt in de *Emulation Lecture* van onze Engelse vrienden, worden gezien als een vergelijking met ons leven op de aarde. Witte tegels, zwarte tegels. De afwisseling van gelukkige dagen en dagen van tegenslag of ontgoocheling, vormt ook het patroon van een mensenleven. Maar tevens herinnert dat oeroude schaakbordpatroon zoals u weet aan de banier van de

Tempeliers. Een tot nu toe onbekend document, waarvan ik u straks een kopie geef, onthult dat de Tempeliers...'

Jouhanneau haakte af. Een ander lid van Orion, de auteur van de vuistdikke *Dictionnaire illustré de la franc-maçonnerie*, had al eens een bouwstuk gemaakt over de mozaïekvloer. Hij had er Talmoedteksten bij aangehaald en citaten van de merkwaardige Shekalim en Tosafta uit de Misjna-voorschriften, waarin sprake is van een steen die is aangebracht op de *tegelvloer van de tempel* die het geheim zou bevatten van de bergplaats van de verloren Ark des Verbonds. Dezelfde Ark die zo naarstig werd gezocht door de filmheld van zijn zoon, Indiana Jones.

Het aantonen van de band tussen de vrijmetselarij en de Tempeliers was een oefening die hem allang niet meer boeide. Sprookjes en legendes rond de tempelridders waren voor hem volstrekt onbelangrijk geworden in vergelijking met zijn eigen zoektocht.

De zoektocht die berustte op de documenten die hij aan Sophie had gegeven en op het archeologisch onderzoek van Marek.

Hij dacht aan het telefoontje waarmee de oude vriend van zijn vader hem de ontdekking van de steen van Thebbah had meegedeeld.

Marc, ik heb hem. Stel je voor, ik heb hem in mijn hand. Ik had zo graag gewild dat je vader hier was. Stuur je assistente, dan kunnen we alle elementen bij elkaar leggen. Met wat jullie in de archieven vonden en met mijn steen zijn we dicht bij ons doel...

Voor Marek bleek het doel een gruwelijke dood te zijn. Zijn tegenstanders waren in het bezit van de andere stukken van het raadsel. Een mysterie dat leidde naar een geheim dat duizenden jaren lang bewaard was gebleven. De strijd om dat geheim was weer hoog opgelaaid en hij zou genadeloos zijn, dat was de boodschap die Thule met de dood van Sophie had afgegeven.

Het was een geheim dat alleen aan hem geopenbaard mocht worden, al kostte het hem zijn verstand. Het was een geheim dat zijn vader op het punt stond te ontdekken, voordat hij door de nazi's in Dachau meedogenloos werd afgeslacht.

Of liever gezegd, door de degenen die zich achter de nazi's verscholen en wier boosaardige schaduw hij nu ontwaarde aan de poort van de tempel.

20

Kroatië,
het kasteel van Kvar, tien kilometer ten noorden van Split

De soepele houten bar boog door onder het gewicht van het been. De hand gleed langs de dij en schoof zachtjes verder naar de kuit en met een uiterste inspanning door naar de hiel. De wang die tegen het bovenbeen rustte was nat van het zweet. Er klonk gekreun toen de rug nog een rukje naar het midden van de bar gaf.

Hélène voelde de pijn door haar bekken en haar been trekken, maar ze bleef zich forceren om de stretching vol te houden tot het uiterste, tot op het punt waarop gewrichten het dreigen te begeven en pezen kunnen scheuren als papier.

'Pijn baart dromen,' schreef de Franse dichter Aragon die ze zo graag las. Het was waar dat hoe heviger de pijn, hoe helderder de geest is en hoe beter je kunt denken.

De voet spande zich een laatste keer. De spieren ontspanden zich geleidelijk, al naar gelang het lichaam overeind kwam uit de haakse stand tegen de balletbar.

Hélène had verschillende methodes om haar hoofd leeg te maken, maar er ging niets boven de marteling van een extreme stretching, die haar bovendien de voor haar vak broodnodige lenigheid gaf.

De fitnesszaal van het kasteel was op dat late uur bijna uitgestorven. Behalve Hélène was er nog een bewaker die bloed en tranen zweette op een glimmend toestel in een zaaltje op de eerste verdieping.

Gasten mochten gebruikmaken van alle luxueuze ontspanningsfaciliteiten, fitness, sauna, jacuzzi en zelfs een verwarmd zwembad met olympische afmetingen, dat was uitgehouwen in het klif dat hoog boven de baai van Kvar uittorende.

De Orden had identieke bezittingen in München, Cannes, Londen en in vijf steden op het Amerikaanse continent – die in Asunción in Paraguay had zelfs een golfterrein en een ranch – en in Azië waren er twee in aanbouw. De leden kwamen er ontspanning zoeken of er, ver van ongewenste blikken, vergaderen. Kvar had het voordeel dat het aan de kust lag met een geweldig uitzicht over de Adriatische zee, in een streek die nog gespaard was gebleven voor de bouwwoede van de projectontwikkelaars.

Het in 1942 door de toenmalige regering volledig gerestaureerde kasteel had gediend als dependance van de Duitse diplomatieke dienst. In werkelijkheid was het de hele oorlog een vooruitgeschoven post van Ahnenerbe, onder toezicht van de SS.

Na de bevrijding van Joegoslavië werd het onder Tito verbouwd tot paleis van het volk, maar was uitsluitend gebruikt door de garde van de bejaarde maarschalk.

Na de val van het communisme werd het gebouw ondershands gekocht door een consortium van Duitse en Kroatische zakenlieden als onderkomen voor een van de ontelbare dekmantels van de Orden, in dit geval het Onderzoeksinstituut voor Adriatische cultuur. 'Orden' was de naam waaronder de overlevenden van Ahnenerbe, allemaal oudgedienden van Thule, hun heilige missie voortzetten, die niet mocht eindigen bij de val van nazi-Duitsland.

'Wij bestonden al voordat Hitler opstond. Hij is dood, wij leven voort.'

Wie zou willen uitzoeken wie de echte eigenaars van het kasteel waren, zou terechtkomen bij een onroerendgoedfirma in Zagreb, die weer op naam stond van een trust op Cyprus, die op zijn beurt weer ondergeschikt was aan drie lege stichtingen in Liechtenstein. Dergelijke constructies werden ook opgezet voor de andere bezittingen in de wereld en alleen een heel scherpe waarnemer zou hebben doorzien dat al die luxueuze gebouwen met elkaar gemeen hadden dat ze onderdak boden aan een cultureel instituut waarvan het doel per locatie verschilde; in Londen studie van de symbolistische schilderkunst, in München van arbeiderscultuur en in Paraguay van precolumbiaanse muziekinstrumenten.

De neomiddeleeuwse burcht van Kvar, met zijn twee kanteeltorens, had vijfentwintig kamers, drie grote vergaderruimten, een helihaven en een lager gelegen pier voor schepen met een groot tonnage. Kvar was, na

Asunción, het op een na grootste onroerend goed van de Orden, de andere waren even gerieflijk, maar niet groter dan een herenhuis.

Hélène ging voorzichtig rechtop staan en voelde een intens welbehagen, alle verkrampheid was uit haar spieren verdwenen en haar lichaam was heerlijk licht en ontspannen. Ze pakte de telefoon die naast de deur hing en belde de receptioniste om ook nog een massagebeurt te reserveren. Toevallig was de masseur vrij en kon hij haar ontvangen in een belendend zaaltje.

Hélène pakte een handdoek en keek door de grote glazen wand van de gymzaal uit over zee. De golven schitterden in het maanlicht, drie uitbundig verlichte jachten voeren langs en de lantaarn van een vissersboot verwijderde zich van de kust. Het was een idyllisch decor; geen wonder dat de Kroatische kust steeds meer toeristen trok.

'Moe?'

Ze keek om en zag haar vader in de deuropening naar haar staan kijken. De man met de staalgrijze ogen glimlachte.

'Een beetje wel, ik ga vroeg naar bed vanavond, en jij?'

'Het gewone gangetje... Ik hoop dat die nieuwe missie van je slaagt. Je weet hoe Sol op je rekent.'

'Ja, dit keer zal het me lukken.'

'Mooi zo. We eten over een kwartier, dus als je zin hebt...'

'Nee, ik krijg nog een massage en dan ga ik naar bed.'

'Slaap lekker dan, meisje. Je gaat steeds meer op je moeder lijken, het is ongelooflijk, elke keer als ik naar jou kijk denk ik dat ze weer levend voor me staat.'

'Welterusten, vader.'

Zijn gezicht kreeg een nadenkende uitdrukking, hij draaide zich om en verdween even geruisloos als hij was gekomen.

De jonge vrouw droogde haar voorhoofd af en ging naar de doucheruimte om elk spoortje van zweet weg te wassen. Haar ouders hadden haar geheel volgens de geboden van de Orden opgevoed met de meest strikte hygiëneregels, waarvan niet afgeweken mocht worden. Ze had daarom vreselijk afgezien tijdens haar commando-opleiding, ze herinnerde zich nog het vuil en de vermoeidheid van dat dagenlange tijgeren in de vochtige Kroatische wouden. Maar het was voor de goede zaak. Ze had er alle mogelijke manieren van moorden geleerd, van de snelste tot de meest pijnlijke methode. In die tijd was ze nog geen Hélène, noch een van die ontelbare andere valse namen die ze al had gebruikt, maar Joana, een in de Joegoslavische burgeroorlog verdwaald kind.

Nu had ze geen drang tot moorden meer, maar werd ze gedreven door het plezier van de jacht en de sensatie haar prooi te domineren. Haar vader was de leider van een politieke groepering die zich beriep op de oustachi, de wrede collaborateurs van de nazi's tijdens de Tweede Wereldoorlog. Hij had haar sinds haar vroegste jeugd opgevoed in de verheerlijking van een soeverein Kroatië, gezuiverd van Serviërs, Joden, vrijmetselaars, Bosniërs en alle andere minderwaardige rassen en groeperingen.

Na de dood van Tito, tijdens het uiteenvallen van wat nu ex-Joegoslavië is, had Joana's vader zijn gezin en zijn dorp bij Osijek, aan de Servische grens, verlaten om een paramilitaire groep te gaan aanvoeren, die was gespecialiseerd in het elimineren van Serviërs en Bosniërs.

Voor Joana was alles ingestort op een ochtend in augustus. Drie dagen na haar vijftiende verjaardag.

'Tsjetniks, Tsjetniks! De Serviërs komen eraan, de Serviërs komen...'
De angstkreten van de dorpeling veroorzaken een golf van paniek in het gehucht. Luiken ratelen naar beneden, deuren slaan dicht. Haar moeder propt kleren in een tas en roept tegen Joana dat ze snel iets moet aantrekken om te vluchten. Haar moeder is doodsbang. Als ze naar buiten willen gaan, komen ze tegenover drie mannen in uniform te staan. Serviërs.
Ze schreeuwen, maar de mannen sleuren hen hardhandig mee naar het dorpsplein. Tien dorpelingen, tien mannen, worden tegen de muur van het postkantoor gezet. Ze herkent Ivano, haar jeugdvriend, die staat te beven op zijn benen. De soldaten maken grappen en ze lijken van de angstige blikken te genieten. Een van hen, die een meerdere moet zijn, gaat met de handen in de zij op het midden op het plein staan en kijkt ze minachtend aan als hij brult: 'Jullie mensen hebben de bewoners van ons dorp afgeslacht, ze hebben onze broers opgehangen en onze vrouwen verkracht. Mijn zusje van twaalf werd vermoord. Laffe honden zijn het. Hun aanvoerder woont hier. Als jullie me zijn familie aanwijzen strijk ik met mijn hand over mijn hart en laat ik jullie in leven...' Niemand zegt iets. Joana weet dat de Serviër haar en haar moeder bedoelt.

Het gezicht van de man betrekt. Hij maakt een gebaar, het dekzeil van een truck wordt teruggeslagen en de zwarte loop van een zware mitrailleur wordt zichtbaar. Joana wil iets zeggen om zichzelf aan te geven, maar het is te laat. Ratelend spuugt de kogelband van de mitrailleur zijn venijn uit. De witte muur van het postkantoor kleurt bloedrood, lichamen worden uiteengereten, stukken menselijk weefsel vliegen in het rond. Ivano, die nog maar veertien jaar is, leeft niet meer, hij is een door kogels doorboorde ontzielde massa geworden.
Met een handgebaar maakt de Servische officier een einde aan het schieten. Joana hoort de gewonden schreeuwen. Haar moeder komt naar voren en spuugt de beul in het gezicht. Joana gaat naast haar staan om haar niet alleen te laten in het aangezicht van de dood.
De man zwijgt en bekijkt hen dof alsof hij ergens in teleurgesteld is. Traag pakt hij zijn revolver en zet de loop tegen het voorhoofd van haar moeder, precies boven de neuswortel. Ze beeft niet meer. Ze schreeuwt dat haar man haar zal wreken en dat hij een vuile Servische hond is.
Het schot gaat af, Joana ziet heel duidelijk hoe de achterkant van de schedel wordt weggeblazen, terwijl het lichaam voorover valt. Joana's keel staat in brand, maar ze slikt uit alle macht. De officier draait zich naar haar om en drukt de revolverloop heel lichtjes tegen haar slaap. Ze ziet dat hij nog jong is, hoogstens vijfentwintig. Hij buigt zich naar haar over. Ze voelt zijn adem tegen haar oorschelp. 'Ik laat je leven, ik ben niet zo'n zwijn als je vader. Als jij blijft leven kun je hem vertellen dat ik hem met mijn blote handen zal vermoorden. Knik ja als je me hebt begrepen.' Joana knikt snikkend.
De man steekt zijn revolver weg. Het is voorbij. Nauwelijks vijf minuten later trekken de Serviërs weg uit het dorp. Joana valt op haar knieën naast het lichaam van haar moeder en schreeuwt het uit van smart en van haat.
Als haar vader thuiskomt, brengt ze hem de boodschap heel beheerst over. Een jaar later neemt de gevechtsgroep waartoe ze behoort, tijdens een zuiveringsoperatie een kleine Servische eenheid gevangen. Ze herkent de moordenaar van haar moeder. Nadat ze hem twee kogels in de knieën heeft geschoten en elk stukje van zijn lichaam met een mes heeft bewerkt, neemt ze nog een halfuur de tijd om hem af te maken. Zijn gekrijs weerkaatst in de verkoolde straatjes van het dorp. Dan

fluistert ze de gefolterde man in het oor: 'Jij hebt me gemaakt, dankzij jou ben ik een tweede keer geboren. Ik dank je voor dat geschenk, het vermogen om te doden.' De man sterft door een kogel tussen de ogen. Joana is nog maar zestien jaar oud.

Een paar jaar later had ze al een geduchte reputatie opgebouwd als bekwame en meedogenloze moordenares. Toen de oorlog was afgelopen vond ze vlot werk als huurmoordenares en als uitvoerster van allerhande illegale klussen. Als vrouw vond ze een gat in de markt.

Kroatië werd zelfstandig en haar vader veranderde in een keurige zakenman die in internationaal toerisme deed. Niettemin bleef hij in het verborgene de leider van de nostalgische oustachibeweging en was hij voor zaken en om politieke redenen regelmatig in Duitsland. Tussen Kroatië en Duitsland bestonden er al heel lang hechte banden; de Duitsers hadden trouwens in het geheim de aanschaf gefinancierd van zware wapens waarmee de Kroaten konden standhouden tegen de veel sterkere Serviërs.

De vader van Joana was goed thuis in kringen van Europese extreemrechtse partijen en had zijn dochter voorgesteld aan bepaalde Duitse vrienden, onder wie een groepje boven alle verdenking verheven en zeer invloedrijke mannen. Het waren ingewijden die hem de politieke en verheven zin van alles hadden onthuld.

Zo werkte de broederschap van de Orden, behoeders van het oude Thule, de bakermat van het zuivere Arische ras. Joana begon te begrijpen waarom het lot haar had uitgekozen. Wraak en geweld zonken in het niet bij het gevoel van oppermacht dat haar werd ingeprent.

En dat werd haar derde geboorte.

Het hete water uit de douche op haar huid was een intense ervaring, alsof ze samensmolt met de gloeiende straal. Haar spieren ontspanden door de warmte, ze werd bevangen door een weldadige slaperigheid die ze zou willen vasthouden.

En op hetzelfde moment waarop ze haar wilskracht voelde wegglippen en het bijna haar krachten te boven ging de waterstraal te onderbreken, zette ze de waterkraan op de koude stand. De bijtende kou verjoeg ineens de heerlijke warmte en haar lichaam rilde onder die kille omhelzing. Haar aderen trokken samen door de temperatuurwisseling.

Ze deed de kraan dicht en kreeg opnieuw een rilling van genot. De

Schotse douche was een van de technieken die ze dagelijks toepaste om lichamelijk en geestelijk in vorm te blijven.

Terwijl ze zich afdroogde met een handdoek van ruwe wol, dacht Hélène terug aan de executie van Sophie Dawes, tot haar hand tussen haar dijen gleed. Ze trok hem bruusk terug. Ze mocht nog niet. Zolang ze de documenten niet had teruggehaald, zolang ze haar opdracht nog niet volledig had vervuld, moest ze zich dat plezier ontzeggen.

Na haar halve mislukking had men haar opgedragen om Rome direct te verlaten en naar Kvar te komen voor nieuwe bevelen. Ze was met een lijnvlucht van Rome naar Zagreb gevlogen, waar ze was opgewacht door een auto die haar naar het kasteel had gebracht. De avond van haar aankomst had ze al de laatste instructies gekregen. Ze moest terug naar Parijs om achter de vriendin van Sophie Dawes aan te gaan. Zodra ze er was aangekomen, zou men haar het adres van haar nieuwe prooi geven.

En instructies over de manier waarop die aangepakt moest worden.

De Kroatische had al een nieuwe identiteit uitgekozen met het bijbehorende paspoort, dat de Orden haar bezorgde. Voortaan heette ze Marie-Anne. Hélène hield op te bestaan.

De moordenares kon zich niet meer herinneren hoeveel verschillende identiteiten ze voor al haar opdrachten al had gehad, zeker een stuk of tien, maar gaandeweg had ze een eigenaardige gewoonte aangenomen. Haar eigen persoonlijkheid behield telkens een trekje van elk laatste personage dat ze had gespeeld.

Ze werd er zelf zo'n mengelmoes door dat ze zich soms afvroeg of dat spel met identiteiten niet een voorwendsel was om geleidelijk de echte Joana uit te wissen, om haar laag voor laag te vervangen door een uitwisselbare vrouw.

Tijdens een van haar tussenstops in Kroatië had ze om niet schizofreen te worden een psychotherapeut bezocht. De therapeut, de trouwens een oude vriend van haar vader was en heel goed wist wat ze deed, vond ook dat al die identiteitswisselingen ten koste van haar eigen persoonlijkheid gingen. Natuurlijk was Joana doorgegaan met haar gedaanteverwisselingen.

De jonge vrouw knoopte een handdoek om haar heupen en betrad een piepklein rustkamertje waar een oosters aandoend muziekje klonk. Ze legde de handdoek af en vlijde zich neer op haar buik. De masseur, een man met een atletische gestalte en kastanjebruin haar, wreef zijn handen in met een olie die naar sinaasappel rook; alles was erop gericht om de sfeer zo sereen mogelijk te maken.

'Dag, mevrouw.'

'Hallo, Pjotr.'

'De complete massage zoals gewoonlijk?'

'Alsjeblieft. Niets is heerlijker dan totale overgave aan jouw vaardige handen.'

Met professionele fermheid liet de man zijn handen van boven naar beneden over Marie-Annes lichaam gaan. Op het moment dat de stevige handen de rug onder aan de schouderbladen kneedden, zag Marie-Anne het smekende gezicht van Sophie Dawes voor zich toen ze de derde slag ontving. Ze glimlachte even. Het was een vlekkeloze executie. Prima werk.

En nu...? Voor het eerst vroeg ze zich af of ze nog lang de vuile klusjes van de Orden moest blijven opknappen. Haar leven was ongelooflijk opwindend met al dat gereis over de hele wereld, maar soms droomde ze ineens van een gezinsleven. Door haar voortdurende identiteitswisselingen kon ze geen duurzame relaties beginnen, en ook geen vriendschappen aangaan. Alles wat ze had aan relaties speelde zich af binnen de Orden en de mannen die ze daar ontmoette waren over het algemeen nogal beperkt. En dan was er ook die zoon van een Engelse lord geweest, die met zijn adellijke vriendjes gepeperde feesten organiseerde. Het was een prettige afwisseling geweest die begon met een groot bal dat als thema had: 'Inboorlingen en Kolonialen'. Daar was zij het geweest die sommige feestgangers het prikkelende idee had ingefluisterd om zich te verkleden als helden van het Derde Rijk. Onder anderen een sukkel als prins Harry had die verleiding niet kunnen weerstaan. Ze had in een deuk gelegen toen hij alle voorpagina's haalde en de hele publieke opinie tegen zich kreeg. De verhouding met de jonge Engelsman was van korte duur geweest... Soms, wanneer ze aan de andere kant van de wereld alleen op haar hotelkamer zat, met de tv als enig gezelschap, benijdde ze alle gewone mensen voor wie ze doorgaans zo'n verachting voelde.

Ze kreunde zachtjes onder de bedreven handen van de masseur.

21

Parijs

In tempel nummer 11 in de rue Cadet liep de bijeenkomst van de loge Orion ten einde. Gestaag druppelden de broeders het voorhof binnen, voordat ze naar de vochtige kamer op de eerste verdieping gingen voor het broedermaal. In de tempel ruimde de Ceremoniemeester geholpen door de Voorbereider op en ze doofden de kaarsen een voor een.

Aan de bar in de vochtige kamer staand, nam Patrick de Chefdebien de felicitaties van zijn nieuwe werkplaatsbroeders in ontvangst. Zijn bouwstuk over de maçonnieke studie van zijn oom kreeg grote bijval. De oude markies was altijd beschouwd als een mysticus, die beter was in het bedenken van theorieën dan in het onderbouwen ervan.

In de schets van zijn neef leek het erop dat de oude dromer erin geslaagd was om een aantal tot dan toe als zuiver mythisch beschouwde elementen te belichten, die wezen op een indirecte verwantschap tussen de Tempeliersorde en de vrijmetselarij.

Sinds het ontstaan van de symbolische speculatieve vrijmetselarij in de achttiende eeuw, hadden heel wat vrijmetselaars, onder wie niet de minsten, die verwantschap met de ridders van het achthoekige kruis geclaimd. Dat had aanleiding gegeven tot een ontelbaar aantal studies en geleerde boeken, maar er bestond geen enkel formeel bewijs, verkregen uit onweerlegbaar historisch onderzoek, dat daarover enige zekerheid verschafte. Niettemin waren er verbluffende coïncidenties.

De ambachtelijke vrijmetselaars, oorspronkelijk bouwvakkers, hadden nauwe banden met de tempelridders, die zelf bouwers waren van kastelen en kerken met een symbolische architectuur die veel verwijzingen naar occulte zaken leek te bevatten.

Beide van oorsprong christelijke genootschappen werden later zwaar vervolgd door de rooms-katholieke Kerk. De opvolgers van Petrus probeerden voorgoed korte metten te maken met esoterische stelsels waarop ze geen greep hadden.

In een leren leunstoel gezeten dacht Marc Jouhanneau na over het bouwstuk waarnaar hij zojuist had geluisterd. Patrick de Chefdebien kwam naast hem zitten.

'In gedachten verzonken, broeder?'

'Je bouwstuk geeft heel wat stof tot nadenken.'

'Ik heb eigenlijk alleen maar het laatste onderzoek van mijn oom samengevat. Mijn aandeel is gering. Ik zou er graag wat dieper op ingaan, maar je zult begrijpen dat me naast Revelant niet veel vrije tijd overblijft.'

'Jawel, en ik vind het al geweldig dat je naast profane verplichtingen toch de tijd vindt voor de vrijmetselarij.'

Chefdebien kon een glimlach niet onderdrukken.

'Misschien zijn er wel meer banden tussen Revelant en de vrijmetselarij dan jij denkt.'

Er werd met stoelen geschoven. De broeders gingen zitten voor de maaltijd. Jouhanneau stak zijn hand op. Hij bleef nooit bij de broedermaaltijden. Die waren hem te druk. Inderdaad brandden aan tafel de discussies los over het bouwstuk van de zitting en over de eeuwenoude band tussen de twee initiatiegenootschappen: de speculatieve vrijmetselarij, die bestond sinds de verlichting, en de orde van de tempelridders, die met geweld was ontbonden onder Filips de Schone.

In feite ging het bouwstuk van Chefdebien over het gebruik dat door vrijmetselaren, onder de Directoire en later in het keizerrijk, was gemaakt van middeleeuwse archieven die tevoorschijn waren gekomen tijdens plundering door de revolutionairen van de Franse kloosters. In die roerige periode waarin de loges verboden waren, legden broeders bij de uitverkoop van goederen van de kerk en de adel slinks de hand op tal van oude teksten.

Complete bibliotheken, vaak nog uit de middeleeuwen, waren bij openbare verkoop verstrooid, tot groot profijt van geleerden, die nadat rust en orde waren weergekeerd, nieuwe rituelen in de loges introduceerden.

Het onderzoek van Chefdebien toonde aan dat vrijmetselaren bij de uitwerking van hun ritualen hadden geput uit religieuze kronieken of verslagen van inquisitieprocessen. Er waren duidelijke sporen van tradities en van ridderrituelen die teruggingen op de middeleeuwse overlevering.

Aan tafel genoot Patrick met volle teugen van zijn succes. Om zo eervol te worden aanvaard in de loge Orion, bracht hem nader tot de oom wiens enige erfgenaam hij was. Voornamelijk de morele erfgenaam. De oude markies met zijn vervallen kasteel in de Dordogne en zijn verzameling oude papieren, had weinig gemeen met de jeugdige, swingende directeur van Revelant.

'Je bouwstuk was fantastisch,' zei een kalende broeder die net aanschoof, 'en je spreekt bijna net zo goed als je schrijft.'

Chefdebien boog zich over naar zijn nieuwe buurman, een in de botanica gespecialiseerde farmacoloog, die in de jaren tachtig op een haar na de Nobelprijs had gemist. Hij sprak nu gedempt.

'De Tempeliers hebben altijd op de fantasie gewerkt. Denk je dat we ooit te weten zullen komen wat ze werkelijk voorstelden?'

'Eerlijk gezegd heb ik geen idee, maar ik zou al verrukt zijn als mijn bescheiden bijdrage een tipje van de sluier kan oplichten.'

De onderzoeker keek hem aan met een vleugje spot.

'Laten we ophouden over de legendes rond die brave ridders van het achthoekige kruis. Vertel eens wat over je andere onderzoek, niet naar esoterisme, maar van je firma. Een collega van de faculteit vertelde me dat Revelant topbiologen zoekt.'

Chefdebien had al vermoed dat die belangstelling voor zijn bouwstuk over de Tempeliersorde maar een voorwendsel was. Tijdens broedermaaltijden werd er ook over zaken gesproken.

'Ik zou je er graag alles over vertellen, maar dat kan beter ergens anders, bij een lunch bijvoorbeeld.'

Chefdebien wist wel dat hij werd getest om te zien of hij iemand was die zakendoen en vrijmetselarij door elkaar haalde. De bioloog had er geen enkel belang bij om door hem te worden ingehuurd. Orion had een onbevlekt blazoen en tolereerde, in tegenstelling tot andere loges, geen belangenverstrengeling. Hij had het meest diplomatieke antwoord gegeven dat hij kon bedenken. Zijn buurman drong niet verder aan.

Patrick de Chefdebien zou zich niet laten pakken. Tijdens zijn voordracht had hij gemerkt dat Jouhanneau bezorgd keek en nauwelijks aandacht had voor zijn bouwstuk.

Béchir hield niet van ongeduld. Het maakte hem slap. Impotent zelfs. Naakt tussen de lakens wachtte hij wanhopig op de erectie die maar niet wilde komen. Sinds de vrouw zich in de badkamer was gaan uitkleden, was zijn lichaam één grote huivering. De begeerte verlamde hem. Nog nooit had hij zo naar een vrouw gehunkerd. Hij verlangde zo hevig dat zijn geslacht hem in de steek liet. Tot zijn schande voelde Béchir een gevoel van schaamte opkomen.

Hij had haar ontmoet in de bar van het hotel, waar hij voor het slapengaan nog een borrel dronk. Ze was mooi, getrouwd met de directeur van een Zuid-Afrikaanse diamantfirma en ze was in Amsterdam om een paar stenen te verkopen. De zelfverzekerde zakenvrouw zocht net als hij wat vertier voordat ze weer aan het werk ging.

En nu het moment daar was, niets... Hij was niet eens in staat om een westerlinge te bevredigen. Béchir schoot overeind. Er zat niets anders op. Hij had een pepmiddel nodig. En onmiddellijk. Hij wist er een. Een heel krachtig middel.

Hij pakte een doosje en haalde er een bruin bolletje uit dat hij gretig inslikte. Over een kwartiertje zou het spul gaan werken. Een Italiaanse vriend had dit mengsel gemaakt van hasj en een paddenstoelsoort die bekendstond als een krachtig afrodisiacum.

In Zuid-Italië plukten boeren uit afgelegen dorpen in de herfst paddenstoelen die hallucinogene eigenschappen zouden hebben. Er gingen geruchten over orgieën, over wanen en waanzin. Er werd zelfs verteld dat de allerarmste mensen de urine van de rijke paddogebruikers dronken om op hun beurt de extase van de goden te mogen voelen. Er gingen ook verhalen over de ongelukken, de rampen nadat de drug was uitgewerkt. Dan begon het overgeven, gevolgd door een verschrikkelijke diarree en uiteindelijk het ondraaglijk geestelijke lijden dat men voelt als men uit het Paradijs wordt verjaagd. Dan begint de val in de bodemloze wanhoop.

In een diep uitgesneden zwart negligé waarin haar weelderige vormen goed uitkwamen, betrad de vrouw de kamer en liep langzaam naar het bed. Traag genoeg om de Palestijn alle tijd te geven haar lichaam goed op te nemen, zich er alle gevaarlijke bekoringen van voor te stellen, alle geheime openingen, alle onzedige hoekjes. Alles waarvan een man buiten zichzelf raakt. De ogen van Béchir hadden trouwens een eigenaardige starende uitdrukking. Hij pakte een halfopen plastic doosje.

'Wil je ook wat?'

Ze kwam dichterbij.

'Wat is dat?'

'Een mengsel van penisvormige paddenstoelen. In India wordt geloofd dat ze vruchtbaar maken.'

'Dat is het laatste wat ik nodig heb,' verzuchtte de jonge vrouw en ging op de bedrand zitten. 'O die mannen toch, met hun fallusverering, jullie zijn zo schattig en zo belachelijk.'

'Je weet niet wat je mist!'

'Heb jij er al van genomen?'

'Pak hem maar beet en dan zul je het merken.'

Béchir zei niets meer. Hij had nog nooit zoiets schandaligs meegemaakt. Hij kon zich hoogstens het pianoconcert herinneren waar hij als jongetje naar had geluisterd. En de lange, fijne handen van de pianiste, die de toetsen tot kermen toe beroerden.

De paddomix begon sneller dan voorzien te werken.

22

Parijs

Een zacht windje streek door het gebladerte van de platanen, tenminste voor zover ze waren ontsnapt aan de snoeidrift van de dienst groenbeheer van de stad Parijs. Marcas herinnerde zich uit zijn kindertijd straten die zo ver als het oog reikte werden overschaduwd door precies zulke prille bomen. De buurt rond de markt van place Saint-Pierre was uitgestorven.

De eerste zonnestralen kleurden de enkele wolken boven de Franse hoofdstad mauve. De verlaten straten onder aan Montmartre lagen nog in een schemering die spoedig zou oplichten. Nog een beetje slaperig vertoonde de zon zich in het oosten, ver voorbij de ringweg, misschien wel in de buurt van Straatsburg of bij Metz. In het oosten.

Marcas keek naar de horizon. Hij was verrukt van het kleurenspel aan de hemel en hij herinnerde zich een Amerikaanse collega-politieman, een broeder die hij in Washington had ontmoet op een internationale conferentie over de nieuwe criminaliteit. Sprekend over de verschillen tussen de riten van hun respectievelijke obediënties had de Amerikaan, een politieman uit Arlington, hem verteld dat de Achtbare Meester bij de inwijding van een kandidaat een plechtige passage uitsprak uit de Schotse ritus: 'De zon ziet toe op de dag, de maan op de nacht en de Meester bestiert en leidt de loge.'

Omdat hij ontvankelijk was voor overeenkomsten tussen de maçonnieke symboliek en zijn dagelijkse omgeving, genoot Marcas van allegorieën en vergelijkingen die soms een juiste en diepere betekenis gaven aan zulke alledaagse dingen als een zonsopgang. In de loge bijvoorbeeld zit de Voorzittende Meester in het Oosten, aan de kant waar de zon opgaat. Elke dag verspreidt het zonlicht zich vanuit het oosten en het begin van het werk in de tempel begint altijd met het aansteken van een kaars aan de oostkant.

Hij was bij elke zonsopgang weer even ontroerd en soms vroeg hij zich af of de eerste voorwaarde van het geluk niet bestaat uit de beschouwing en het begrijpen van de gewone dingen. Dat had niets te maken met new age of een magische leer, hij geloofde eerder in een soort heilige geometrie, een wiskundig ballet met een poëtische symmetrie van beelden, geluiden en geuren.

Jammer genoeg harmonieerden de geuren dit keer niet met de schoonheid van de hemel en bedierven ze het plezier. Marcas ontweek op het nippertje drie hondendrollen op het trottoir. Het was zeven uur in de ochtend, het fatale uur waarop de beste vrienden van de mensen onder de goedkeurende blikken van hun baasjes hun darmen ledigen en een zware geur van verse uitwerpselen verspreiden. Hij kruiste een bejaarde man met een gemelijk gezicht die een piepklein hondje met een bijna even knorrige smoel voortsleurde.

Marcas versnelde zijn pas. Eigenlijk had hij helemaal geen heimwee naar vroeger toen er nog zoveel platanen stonden, want Parijs was toen ook veel smeriger en de gebouwen van Haussmann waren zwart beroet. Zandstralen was vroeger nog niet aan de orde. En de Parijzenaars zelf waren toen al even onbeschoft als nu.

Hij sloeg af op de hoek van de rue André-del-Sarte waar dranghekken langs het trottoir stonden. Een kerel met een oranje mutsje op en een sigaret in zijn mondhoek plakte affiches op alle voordeuren. Marcas stopte om te lezen wat erop stond. Het ging over filmopnamen, waarvoor de bewoners werd gevraagd om hun auto's verderop te parkeren om plaats te maken voor de vrachtwagens van de productiemaatschappij.

Aan het einde van de rue del-Sarte lag de meest gefilmde trap van Parijs, gebruikt door alle cineasten die de couleur locale wilden vastleggen. De treden liepen langs het park van de heuvel, gingen omhoog naar place Bonnard en vervolgens naar de kerk van de Sacré-Cœur. Het was net een ansichtkaart.

'Wij draaien momenteel een actiefilm met Jude Law en Sharon Stone. U wordt verzocht de straat vandaag vrij te laten. Hartelijk dank namens Universal Studio.'

Hoeveel films waren hier al niet opgenomen? Honderden. De buurtbewoners waren er al aan gewend dat de straat om de twee maanden werd versperd door grote vrachtwagens. Ze hadden zelfs een actiegroep opgericht die er bij het gemeentebestuur van het 18e arrondissement op aandrong de overlast te stoppen. Het had niets geholpen.

Marcas besteeg kwiek de traptreden en snoof de frisse ochtendlucht op. Het plein was nog leeg, alleen bij café Botak stonden de twee ligstoelen al klaar waar vanaf elf uur toeristen en stamgasten om zouden knokken. Hij wenkte de serveerster en bestelde zijn ochtenddrug, een kop warme chocolade, lekker sterk met veel cacaopoeder in magere melk. Hij kon het vertrouwde geklop al horen.

Een straatveger in een gele kiel, het uniform van de Parijse stadsreiniging, verzamelde zijn dagelijkse portie afval dat de vorige nacht werd achtergelaten door de hordes toeristen die de wijk overspoelden. Limonadeblikjes, felgekleurde plastic flessen, lege verpakkingen, kapotte flessen van goedkope drank; de gewone oogst.

Marcas woonde al tien jaar in deze buurt en kon niet genoeg krijgen van alle bijzonderheden ervan, zoals het park van de 'butte' dat is aangelegd op oude steengroeven waar, zo gaat het verhaal, de naturalist Cuvier het fossiele gebeente van een dinosaurus had gevonden.

De commissaris nam alle tijd om van zijn chocolademelk te genieten. Het zou een zware ochtend worden met die vergadering op het ministerie. Jade – hij kon maar niet wennen aan die naam – had dus gelijk gehad. Hij had inderdaad een telefoontje gekregen van zijn directe chef die hem meedeelde dat zijn vakantie was opgeschort zodat hij de moord op de ambassade onofficieel kon onderzoeken. Hij wist niet of hij daar blij mee moest zijn; de enige reden waarom hij aan dit onderzoek zou meedoen had te maken met de vreemde omstandigheden van de moord.

Vreemd genoeg verheugde hij zich op het weerzien met Jade, terwijl hij zeker wist dat ze ruzie zouden krijgen.

Kroatië,
het kasteel van Kvar

Waarom was schoonheid toch zo beslissend in de beschrijving van een vrouw door mannen? Zuchtend legde Marie-Anne de steekkaart neer met persoonsgegevens van Jade Zewinski. Het was een biografie waarin de levensloop van de jonge vrouw uitvoerig werd beschreven. De grondigheid van de Orden liet weer eens niets te wensen over.

De samensteller van de kaart, een man natuurlijk, had zich niet kunnen inhouden om commentaar te geven op het uiterlijk van het doelwit.

'Sportief en aantrekkelijk, een aardig, maar gedecideerd gezicht...'

De macho. Nooit las ze dergelijke commentaren over mannen. Over haar voorlaatste prooi, een walgelijk dikke Deense wapenhandelaar, had de steekkaart niets bijzonders gemeld. Alsof voor mannen het uiterlijk maar een bijzaak is.

De Orden had sympathisanten in overheidsdiensten in de hele wereld en gezien de voortreffelijke organisatie was ze er zeker van dat de gegevens van Jade alleen maar uit Franse bronnen afkomstig konden zijn. De verstrekte informatie omvatte ook het privéadres, de dienst waaraan de jonge vrouw verbonden was en haar mobiele nummer.

Marie-Anne moest de papieren waar ze in Rome naast had gegrepen bemachtigen zonder Jade een haar te krenken. Ze mocht zich niet de Franse regering op de nek halen door een overheidsdienaar te doden, maar indien dat voor het verkrijgen van de documenten onvermijdelijk zou zijn, dan... Sol hoogstpersoonlijk had die consignes gegeven.

Marie-Anne stak een sigaret op en keek uit over de verlichte baai. Haar ontzag voor Sol was gemengd met een vleugje wantrouwen. Hij hoorde bij het handjevol mannen dat het genootschap Thule nieuw leven had ingeblazen en hij was een van de laatste overlevenden van een voorbij tijdperk. Er hing een waas van geheimzinnigheid rond hem, zelfs voor de ingewijden van de Orden.

Een van die raadsels betrof het pseudoniem van de oude man, Sol, wat in het Latijn en in het Spaans 'zon' betekende. Tien jaar tevoren had ze met eigen ogen gezien hoe hij tijdens de vuile oorlog koudweg tien Bosnische gevangenen ombracht en hun lijken bekeek of ze bedorven vlees waren.

Sol wisselde om de twee maanden van onderkomen en sloeg zijn tenten op in huizen van de Orden. De laatste jaren had hij een duidelijke voorkeur voor vestigingen in landen met een gematigd klimaat zoals Kroatië.

Het kasteel van Kvar was bovendien, naast dat van Asunción, een van de twee spirituele centra van de Orden. De jaarlijkse grote eredienst ter gelegenheid van de zonnewende rond 21 juni, werd beurtelings in

Kvar en in Asunción gehouden. Dan konden de getrouwen samenkomen in de enorme onderaardse gewelven die voor dit doel waren gebouwd.

Dit jaar zou, over anderhalve maand, de zonnewende in Kvar worden gevierd en Sol had beloofd dat het feest in alle opzichten onvergetelijk zou worden.

Hij was niet officieel de leider van de Orden, eerder een speciale raadgever van het directiecomité dat om de zoveel tijd werd vernieuwd. Het comité vergaderde al twee dagen in het kasteel. Het gerucht ging dat een van de leden had kennisgemaakt met de charmes van de maagd in de kapel, een uitvinding van haar vader die zich duidelijk had laten inspireren door de wreedheid van Sol. Zijn gezag stond nooit ter discussie. Marie-Anne, die dol was op Keltische legendes, vergeleek Sol graag met Merlijn vanwege zijn onuitputtelijke kennis van de esoterie, waarover hij colleges gaf aan een select gezelschap van Ordenleden.

Als beloning voor een geslaagde missie in de Verenigde Staten had ze eens een van zijn voordrachten over de invloed van het heidendom op de christelijke mystiek mogen bijwonen. Het was een briljant verhaal geweest dat zijn toehoorders in vervoering bracht.

Maar Sol was ook een man van actie en ondanks zijn gevorderde leeftijd vond hij het heerlijk om samen met zijn mannen op het terrein bezig te zijn, zoals tijdens de oorlog in Kroatië.

Voordat hij met onbekende bestemming het kasteel van Kvar verliet had Sol haar nog op het hart gedrukt om voorzichtig te zijn. Hij had haar verteld dat ze, indien ze deze missie tot een goed einde bracht, de sleutel in handen zou hebben van een geheim dat de toekomst van de Orden en waarschijnlijk ook die van heel het uitverkoren ras ingrijpend zou veranderen. Haar eigen uitverkoren ras natuurlijk, niet dat van de Joodse samenzwering. Hij had er trouwens bij verteld dat een van de leden van dat vervloekte ras in Jeruzalem was vermoord op hetzelfde moment en op dezelfde manier als Sophie Dawes in Rome. Later zou hij haar wel eens de reden uitleggen van dat doodsritueel.

Ze had hem geen vragen gesteld.

Marie-Anne viel bijna in slaap. Ze knipte het leeslampje uit. Ze werd de volgende ochtend om zes uur afgehaald door de helikopter van de Orden, die haar zou afzetten op het vliegveld van Zagreb, vanwaar ze doorvloog naar Parijs. Haar hotelkamer was al gereserveerd en haar identiteit stond geregistreerd. Ze dacht aan Zewinski en de opwindende uitdaging van een tweegevecht met haar. Vechten met een vrouw was haar grootste liefhebberij en ze hield haar conditie op peil met judoën, een sport waarin ze uitblonk, met leden van het nationale judoteam van Kroatië. Jade leek haar een waardige tegenstandster. De dood van Sophie was maar een peulenschil geweest, haar vriendin leek heel wat taaier. Als de omstandigheden het nu maar nodig maakten haar te elimineren. Ze viel in een diepe slaap, haar geest en haar lichaam waren uitgeput. Er wachtte haar een nieuwe prooi.

Hékkàl

'Waarom werd u vrijmetselaar?'
'Vanwege de letter G.'
'Wat betekent hij?'
'Geometrie.'
'Waarom Geometrie?'
'Omdat zij de wortel en de grondslag van alle kunsten en wetenschappen is.'

Maçonnieke catechismus uit 1740

23

Nederland

De Thalys reed traag door de akkers van de lage landen, die er troosteloos en grijs bij lagen in het miezerige regentje. Spoedig zou Béchir dezelfde landschappen te zien krijgen in België en Noord-Frankrijk. Vanuit zijn comfortabele eersteklasstoel zag hij de uitgestrekte velden naast de trainrails. Wat een verschil met de dorre bodem van Palestina, waar zijn broeders zich krom werkten om er nog iets op te kweken. Geen vergelijking met de grond die de Joden hadden ingepikt en met Amerikaanse hulp van miljoenen dollars hadden omgetoverd tot vruchtbare akkers. Als de Arabische landen net zo solidair waren, zou Palestina de nieuwe Hof van Eden kunnen worden.

De Nederlanders vochten tegen het water om nieuw land te winnen. De Palestijnen vochten tegen hun eeuwige tegenslagen. Allah had het zwarte goud doen opwellen, maar niet in Palestina.

Béchir wendde zijn blik af van het landschap om zich te concentreren op zijn buren, drie orthodoxe Joden in zwarte jassen, met zwarte hoeden en pijpenkrullen. Het waren diamantairs met hun voor Noord-Europese Joden zo typisch bleke gelaatskleur en dunne haar. De Emir verkneukelde zich om het pikante van de situatie: als ze wisten wie hij was zouden ze er halsoverkop vandoor gaan. Het toppunt. Het lot had soms vreemde verrassingen in petto. Hij glimlachte ironisch naar ze en knoopte zelfs een praatje aan over de regen en over de kwaliteit van het eten in de Thalys. Met zijn licht Italiaanse accent vonden ze hem beminnelijk en sympathiek. Tijdens het eten in de restauratiewagon grapten ze zelfs dat hij met een keppeltje op best voor een van hen kon doorgaan. De Emir antwoordde dat hij dat als een grote eer beschouwde en beloofde de eerstvolgende keer dat hij in de buurt was langs te zullen komen in hun juwelierszaak.

Het duurde nog twee uur voordat ze zouden aankomen in de Gare du Nord. Béchir stond op om zijn benen te strekken en koffie te gaan drinken in de bar. Hij pakte de leren tas met de steen van Thebbah en laveerde door de eersteklascoupé, tussen stoelen die voornamelijk werden bezet door zakenlieden die pendelden tussen Amsterdam, Brussel en Parijs. Bevoorrechte mannen die herkenbaar waren aan hun goedgeknipte haar, hun stemmige kostuums, aan hun ingeschakelde laptops en aan de financiële kranten op hun klaptafeltjes. Ze vertegenwoordigden een door strikte codes beheerst genormaliseerd universum, dat onverdraaglijk was voor Béchir die leefde bij de gratie van zijn adrenalinestromen.

De Palestijn was in de tweede wagon aangeland toen hij zijn nekharen overeind voelde komen. Er klopte iets niet. Er ging een miniem noodsignaal af in zijn hoofd. Het was een alarmsysteem dat automatisch in werking trad als er in zijn directe omgeving gevaar dreigde.

Hij ging een wc binnen om zich ongestoord te kunnen concentreren op de vluchtige indrukken die het alarm hadden kunnen doen afgaan. Hij liet een straaltje koud water over zijn handen lopen en verfriste zijn gezicht. Hoofd leegmaken, het onderbewuste naar boven laten komen, elke redenering onderdrukken, was een techniek die hij tijdens een van zijn trainingen had geleerd van een bejaarde Syrische soefi.

Er verstreek een minuut en toen werd ergens in het ingewikkelde neuronenstelsel het verband gelegd. De man met de lichte ogen en het lichtgrijze overhemd op de voorlaatste rij aan de rechterkant. Hij had die man eerder gezien toen hij in het café vlak naast zijn hotel een biertje dronk. Hij had hem wel niet aangekeken, maar zijn geheugen had het beeld van de man onwillekeurig opgeslagen en de beide keren zat hij een tijdschrift te lezen. Hoe waarschijnlijk was het dat die man nu weer in dezelfde trein zat als hij? Béchir hield niet van toevalligheden en die afkeer had hem verschillende keren het leven gered.

Hij was er niet helemaal zeker van, maar vermoedde sterk dat die vent hem volgde. Hij besloot om niet terug te gaan – dan kon zijn achtervolger argwaan krijgen – en liep door naar de bar. Voor wie werkte de man? Waarschijnlijk de Mossad, of anders de Shin Beth, die hem allebei dolgraag in handen kregen. Ze hadden hem misschien in de gaten gekregen bij de Jordaanse grenscontrole en waren hem toen gaan volgen. De blonde man in de trein was niet bepaald een Joods type, maar Béchir kende de recruteringsmethoden van de Israëlische geheime diensten, die graag blonde, blauwogige agenten gebruikten om oude, naar Zuid-Amerika gevluchte nazi's uit te schakelen.

Béchir kon even geen achtervolger gebruiken, hij moest zich zo snel mogelijk van de man ontdoen; in de trein – maar gezien de beperkte ruimte was dat nogal moeilijk – of in Frankrijk en nog voordat hij bij de Plaza Athénée kwam. Als zijn klant erachter kwam dat hij was geschaduwd, gaf hij geen cent meer voor zijn leven. Hij wachtte een kwartier in het buffetrijtuig en liep weer naar zijn plaats terug.

In het voorbijgaan wierp hij een terloopse blik op de blonde man, die met de oortelefoontjes van zijn discman in zat te slapen. Hij sliep een op het oog vredige slaap. Op een kleinigheid na. Toen Béchir langsliep bewoog hij heel even zijn voet. Het was een bijna onmerkbare beweging, maar het bevestigde het eerste vermoeden van de Palestijn, die nonchalant op zijn horloge keek. Nog krap twee uur tot Parijs. De trein zou zo aankomen in Brussel. Hij zocht zijn compartiment met de drie joden weer op en nestelde zich op zijn plaats nadat hij de deur had dichtgeschoven.

Zijn medereizigers begroetten hem uitbundig en gingen toen weer door in hun met Jiddisch doorspekt Nederlands.

Achtervolgers werken doorgaans niet alleen en waarschijnlijk werd hij in het Gare du Nord opgewacht door andere schaduwen. Zo zou hij het zelf aanpakken, tenminste. Dan zou het bijna onmogelijk zijn om nog ongezien weg te komen. Het enige alternatief was om in Brussel uit te stappen en zijn achtervolger af te schudden. Hij zou dan nog de tijd hebben om ander vervoer naar Parijs te zoeken. Maar het betekende wel minstens een halve dag vertraging.

De trein bereikte de buitenwijken van de Belgische hoofdstad en zou binnen enkele minuten het station binnenrijden. Zijn besluit stond vast. Onwillekeurig klemde Béchir zijn tas vast en kwam overeind. Ineens zag hij dat de Jood die rechts van hem zat een papiertje op zijn klaptafeltje schoof, waarop met zwarte hoofdletters stond geschreven: SOL.

24

Parijs

Opgevrolijkt verliet Jade het kantoor van rechter Darsan. Eindelijk eens een hoge ambtenaar die geen draaikont was en die de volle verantwoordelijkheid nam. Hij had alle begrip voor haar verdriet en had haar de leiding van het onderzoek gegeven, wat betekende dat Marcas haar ondergeschikte werd. Zijn inbreng zou beperkt blijven tot opheldering van maçonnieke zaken – gesteld dat de moord iets met die kringen te maken had – en indien nodig kon hij het contact met de politie vergemakkelijken.

'U kunt gerust zijn, mevrouw, ik ben geen vrijmetselaar en er zal geen enkele druk worden uitgeoefend op uw onderzoek,' had hij gezegd, haar daarbij recht in de ogen kijkend.

De Afghaanse kreeg een maand lang de vrije hand, een kantoor in het 17e arrondissement en een van de interventie-eenheid van de rijkspolitie gedetacheerde assistent, een specialist in speciale opdrachten. Het was een oudgediende van de afdeling die telefoongesprekken afluisterde voor het Elysée en een betrouwbare man, die gewend was aan 'schaduwoperaties'.

Ze zag Marcas en gebaarde hem dat het zijn beurt was om bij de rechter naar binnen te gaan. 'Bij de bovenmeester komen, commissaris.' Marcas vatte haar stralende glimlach op als een stiekeme bedreiging. Hij deed de deur achter zich dicht en ging zitten op uitnodiging van de rechter, die met een ijzeren liniaaltje speelde.

'Commissaris, ik wind er geen doekjes om, deze zaak moet snel en discreet worden opgehelderd. Een moord in een van onze ambassades stelt ons voor twee grote problemen. Het eerste en in onze ogen voornaamste probleem is de kwetsbaarheid van onze diplomatieke vertegenwoordigingen. Voor de Quai en voor het Elysée betekent het dat iedereen een ambassade kan binnenlopen en er op zijn gemak kan rondsnuffelen, zoals dat in Rome gebeurde. Zoiets mag nooit meer voorkomen. Daarom krijgt officier Jade Zewinski de leiding over dit onderzoek. U begrijpt net zo goed als ik dat zij de aangewezen persoon is, omdat het gaat om een diplomatieke aangelegenheid.'

'En het tweede probleem?'

'Het is gebleken dat het slachtoffer werkte voor de Grand Orient de France en we houden rekening met de mogelijkheid dat de moord verband houdt met haar lidmaatschap van uw obediëntie.'

Darsan deed zijn best om alle lettergrepen van dat moeilijke woord zorgvuldig uit te spreken en ging door: 'Daar begint uw opdracht. U draagt, als ik het zo mag uitdrukken, twee petten, die van politieman en van vrijmetselaar, wat trouwens tegenwoordig doodnormaal is. Op het kabinet van de minister hierboven zijn er al vijf broeders en op elke afdeling zitten er minstens evenveel. Ik heb daar geen moeite mee, zolang het de lopende zaken niet beïnvloedt. Kunt u me volgen, commissaris?'

Marcas begreep precies waar de rechter heen wilde.

'Nee, meneer. Trouwens, relatief gezien zijn wij op dit ministerie veel minder sterk vertegenwoordigd dan de Grande Loge nationale de France...'

Darsan kneep zijn lippen tot een dunne streep.

'Geen subtiliteiten, alstublieft, Marcas. Ik verwacht dat u eerlijk onderzoek levert en dat uw rapportageplicht aan mij boven uw maçonniek engagement gaat. Uw obediëntie zal wel een eigen onderzoek doen, maar ik wil dat de zaken strikt gescheiden blijven.'

Marcas begreep het nauwelijks verholen dreigement. De rechter zweeg een tijdje en zei toen een stuk vriendelijker: 'U staat onder bevel van officier Zewinski, hoewel dat maar formeel is. In de praktijk werkt u met haar samen als adviseur.'

Darsan glimlachte zoetsappig. Marcas merkte hoe snel het gezicht van de rechter kon veranderen en hoe hij in een oogwenk dreiging over liet gaan in vriendschap.

'Even tussen ons nu, commissaris, laten we die vrijmetselaarstoestanden even vergeten. We zijn allebei van de nationale politie en mevrouw Zewinski komt van de gendarmerie. Dat is wel een elitekorps, maar ze blijft een militair die niet bepaald uitblinkt in raffinement en fijnzinnigheid. U hebt aanvullende kwaliteiten die uitstekend passen bij zo'n dolle hond, want dolle teef klinkt niet zo fraai.'

'En het betekent ook niet hetzelfde.'

Darsan grijnsde. Marcas hield niet van flauwe grappen, maar hij deed mee.

'Mooi, ik zie dat we elkaar uitstekend begrijpen. U houdt me van alles op de hoogte. Ik geef u het nummer van mijn gsm en die van mijn assistent. Ik laat u even uit. Mevrouw Zewinski vertelt u wel welke middelen er tot uw beschikking staan. Tot zeer binnenkort, hoop ik.'

Een minuut later stond Marcas weer buiten. Jade zat in de wachtkamer kalm in het maandblad van de nationale politie te bladeren.

'Waarde collega, we worden in onze nieuwe burelen verwacht. Nemen we mijn auto?'

'Waarom niet, we zitten deze hele rotmaand toch met elkaar opgescheept. En het zal een goede les voor u zijn om chauffeur te spelen voor... een broeder.'

Jade trok een vies gezicht.

'Ik ben wel wat gewend, ik heb stinkende Talibangevangenen naar Kaboel gereden. Als u mijn bekleding maar niet vuilmaakt.'

'Dat belooft wat,' mompelde de politieman.

In looppas daalden ze de grote trap af en namen plaats in een kleine metallic groene MG, die met gierende banden optrok. De GPS meldde een file bij Saint-Augustin. De wagen maakte rechtsomkeert en bereikte de avenue des Champs-Elysées ter hoogte van Clemenceau.

'Laten we de strijdbijl begraven, Marcas. Ik wil echt de moordenaar van Sophie vinden. Praat tegen me terwijl we rijden. Over een paar minuten zitten we misschien helemaal vast.'

'Waarover moet ik het hebben?'

'Vertel me over de vrijmetselarij, niet om me over te halen erbij te gaan, maar om er de grote lijnen van te leren kennen. Wat doen jullie bijvoorbeeld tijdens de zittingen?'

Antoine moest lachen.

'Dat is niet uit te leggen! Alles zit in het ritueel!'

'Maak dat de kat wijs!...'

'Het is echt veel minder geheimzinnig dan wordt geloofd. In bepaalde loges wordt er gesproken over belangrijke maatschappelijke onderwerpen als onderwijs, immigratie, net als in andere denktanks. In andere loges bestuderen de broeders symbolen. Twee weken geleden heb ik bijvoorbeeld een bouwstuk, zo heet bij ons een voordracht, gehoord over de kleur blauw. Dat was ongelooflijk boeiend.'

De Afghaanse bekeek hem spottend.

'De kleur blauw... En waarom heten jullie niet de vrij-slagers of de vrij-bakkers?'

Ze schakelde zo ruw terug dat de motor ervan loeide. Marcas schrok zich lam en slikte. Waar moet ik in hemelsnaam beginnen, dacht hij, ik kan onmogelijk in een kwartiertje de geschiedenis van de vrijmetselarij samenvatten.

'Ik zal het simpel houden. We moeten terug naar het jaar 1717 en om precies te zijn naar de avond van de 24ste juni in een herberg in het hartje van Londen, The Goose and Gridiron. Daar besloot een select gezelschap van aristocraten, rechtskundigen en geleerden de Grote Loge van Londen op te richten. Hoewel al deze mannen uiteenlopende levensbeschouwingen koesterden, kozen ze voor het vocabulaire en de filosofie van de middeleeuwse bouwgilden. Deze ambachtslieden bouwden de kathedralen die op aarde de opperste uitdrukking van het goddelijke principe waren. Daar komt de vergelijking vandaan: aan de mens werken, zoals men een kathedraal bouwt, was een aanlokkelijke gedachte voor deze verlichte geesten, die gefrustreerd waren door het obscurantisme van de toen heersende godsdienst. En "metselaar" betekende ook "bouwmeester", een beoefenaar van de geometrie, dat al sinds de Egyptenaren een heilige kunst was.'

'Waren ze toen al zo dol op geheimen?'

'Ja. Sinds de middeleeuwen gebruikten de bouwgilden herkenningstekens en paswoorden die later zijn overgenomen door de vrijmetselaars. De geheimhouding was ook een bescherming tegen mensen die het slecht met ons voorhadden of tegen de heersende machthebbers en godsdiensten. Onder de stichters van de loge waren trouwens ook leden van de Royal Society, een merkwaardig genootschap dat zich bezighield met de bestudering van de esoterie, de alchemie en de Joodse kabbala. Allemaal praktijken die erg naar ketterij roken.'

Jade toeterde woest tegen een bus met Duitse toeristen die de afslag blokkeerde naar de avenue Franklin-Roosevelt, Amerikaans president en vrijmetselaar, zoals overigens de meeste grondleggers van de Amerikaanse onafhankelijkheid. Ze schold hartgrondig op de buschauffeur.

'Sorry dat ik je onderbrak, maar ze zouden die bussen moeten verbieden in het spitsuur.'

Marcas wist niet goed of ze met hem spotte. Hij vertelde verder: 'Vier jaar later, in 1721, schreef de predikant Anderson de grondtekst van de vrijmetselarij, de *Constituties* of *Oude Plichten*. Het was een knappe mengeling van geheime en historische feiten, gebaseerd op wat er sinds het ontstaan allemaal was overgeleverd. En dat voert ons terug naar onheuglijke tijden.'

'Ga door, nu wordt het spannend.'

'Volgens Anderson ontstond de vrijmetselarij in Bijbelse tijden in het Midden-Oosten, waar grote figuren zoals Kaïn, Enoch en Abraham een geheime leer doorgaven, die was gebaseerd op wat men doorgaans bestempelt als geometrie, maar dan begrepen als een verlichtingsfilosofie. Het zou een leer zijn die was overgeleverd vanuit het oude Egypte, toegepast en verdiept door de beroemde Euclides en vervolgens meegenomen door de Joden tijdens hun uittocht naar het Beloofde Land onder aanvoering van Mozes.'

'Wat een reisverhaal!'

'Koning Salomo gaf de opdracht om zijn tempel te bouwen aan ingewijden in deze leer en met name aan de bouwmeester Hiram of Adoniram, zoals hij vroeger wel eens genoemd werd, die wordt beschouwd als de centrale figuur van de legende waarop de vrijmetselarij berust. De Toren van Babel, de hangende tuinen van Babylon, de geniale ingevingen van grote denkers als Pythagoras, Thales, Archimedes, de durf van de grondlegger van de antieke architectuur, de Romein Vitruvius, alles zou terug te voeren zijn op die maçonnieke leer die geesten en geschiedenis bevruchtte.'

'Is dat historisch bewezen?'

'Nee, de *Constituties* van Anderson bevatten te veel mythisch materiaal om dat ontstaansverhaal te kunnen onderbouwen.'

'En waarom wordt er dan niet naar bewijzen gezocht? Dit is nogal gemakkelijk. Zo kan ik ook beweren dat ik afstam van Cleopatra of van de koningin van Seba.'

'Dat klopt en dit alles is ook onderwerp van ontelbare bouwstukken in alle loges van de wereld. Alweer volgens de *Constituties* van Anderson werd de keten van het weten twee keer bijna verbroken. De eerste keer tijdens de invasie van het Romeinse Rijk door Germaanse stammen als de Goten en de Vandalen. De tweede keer toen de volgelingen van Mohammed uitwaaierden over Europa. Volgens Anderson is het toen Karel Martel geweest, die de vrijmetselaarstraditie van de ondergang redde.

'Dezelfde Karel die de Arabieren heeft tegengehouden bij Poitiers?'

'Ja, treurig genoeg trouwens hebben onze extreem-rechtse tegenstanders diezelfde Karel ook uitgeroepen tot grondlegger van hun eigen nationalistische mythologie. Om bij ons onderwerp te blijven: nadat de traditie zich in de tijd van de kathedraalbouw in Frankrijk had geworteld, breidde ze zich uit naar Schotland en Engeland, maar onder een veel geheimere vorm die bleef bestaan tot het officiële oprichtingsjaar 1717. De cirkel werd gesloten.'

'Maak hiervan even een verslagje voor me.'

De kleine MG wrong zich tussen twee bestelwagens en reed nog vijftig meter door tot een rood licht ter hoogte van de rue Washington, de bekendste stad van de VS van onversneden maçonnieke architectuur. De lentezon wierp haar felle stralen westwaarts, nog even en ze zouden de as van de Arc de Triomphe bereiken.

Op de trottoirs aan weerszijden van de brede avenue flaneerde een ononderbroken stroom wandelaars, mensen staken over zonder te letten op de kleur van de verkeerslichten. Midden in die mensenzee strekte de slang auto's zich uit tot aan de Etoile. Het was een Parijse opstopping op zijn allermooist.

Jade stak een sigaret op, inhaleerde diep en vroeg haar buurman: 'En Frankrijk in dat verhaal? Hoe heeft dat clubje Engelsen ons land aangestoken? Sorry, hoe hebben zij Frankrijk het Licht geschonken?'

'In die tijd werd het Engelse koninkrijk verscheurd door een burger- en een godsdienstoorlog waarbij het geslacht van de katholieke Stuarts en de protestanten van het huis van Hannover elkaar bestreden. Na zijn nederlaag vluchtte ex-koning Jacobus II Stuart naar Frankrijk en vestigde zich met zijn getrouwe jacobieten in Saint-Germain-en-Laye. Ook de Engelse vrijmetselaars waren verdeeld in hannoverianen, de partij van de macht, en jacobieten die in Engeland in de oppositie waren gedrongen of in Frankrijk in ballingschap waren. Die laatsten stichtten in 1726 de eerste Franse loge in Saint-Germain-des-Prés in een achterzaaltje van een Engelse slager in de rue des Boucheries.'

'Ik zat er niet ver van af, jullie hadden ook vrij-slagers kunnen heten...'

'Heel geestig... De Grande Loge de France werd officieel gesticht, maar werd al snel lijdend voorwerp van een belangenstrijd tussen jacobieten en hannoverianen. Allemaal waren ze aristocraten, zeer gehecht aan hun voorrechten en hadden ze veel ontzag voor de godsdienst. De jacobieten zochten zelfs bescherming bij de paus, voordat ze voorgoed uiteenvielen toen terugkeer op de troon van de Stuarts voorgoed was verkeken.'

De MG schoof twee meter op, maar het verkeer bleef muurvast zitten.

'Maar hoe kunnen de vrijmetselaars die zelf van adel waren medeverantwoordelijk zijn voor de Franse Revolutie?'

'Dat is weer zo'n hardnekkige mythe. De vrijmetselarij raakte bij ons pas echt ingeburgerd in de eerste dertig jaar van de achttiende eeuw. De hertog van d'Antin werd in 1738 gekozen tot de eerste Franse Grootmeester en de Orde kreeg in heel Frankrijk vaste voet aan de grond door inwijding van de toenmalige elite: liberale aristocraten, musici, handelaren, militairen en verlichte geestelijken. De toename van loges in de provincie ging gelijk op met het uiteenvallen in verschillende stromingen, net als in elke politieke partij.'

'En waar komt de naam Grootoosten vandaan?'

Hoewel hij het nooit liet blijken, vond Marcas het heerlijk om vragen van profanen over zijn orde te beantwoorden. Hij verdiepte zich graag in dat rijke verleden, vooral dat van de achttiende eeuw, de vruchtbare eeuw van verlichting en rede, toen het absolutisme in Frankrijk begon te wankelen.

'Die dook voor het eerst op toen in 1773 in de strijd om de meeste invloed broeders zich afscheidden en een Grande Loge de France stichtten die bijna meteen weer ter ziele ging.'

'Nu begrijp ik beter waarom jullie vrijmetselaars uit al die verschillende obediënties elkaar altijd in de haren zitten, de GO, de GLNF, de GLF en al die andere G's die er nog zijn. Die interne ruzies dateren niet van gisteren.'

'Dat klopt, en ik ben de eerste om dat te betreuren. Maar om die reden alleen al houdt die mythe over de grote vrijmetselaarssamenzwering geen stand, behalve misschien in het brein van complotdenkers. Er heeft nooit een grote Bovenmeester bestaan of een maçonniek Vaticaan dat alle loges bestuurt.'

Achter de MG werd ongeduldig getoeterd. Jade werd zo in beslag genomen door het gesprek dat ze niet had gemerkt dat er beweging kwam in de file. Ze had het groene licht gemist.

'Maar jullie zitten toch wel achter de Revolutie?'

Marcas stak ook een sigaret op en grinnikte.

'Ja en nee. In die tijd werden de loges in Frankrijk en in de rest van Europa vooral bezocht door de meer gegoede klassen. Als er al leden van de derde stand bij waren dan kwamen ze uit de gelederen van het hofpersoneel, kunstenaars, schrijvers of uit de kleine burgerij. Vóór 1789 waren er in heel Frankrijk tussen vijfentwintig- en dertigduizend vrijmetselaren en die waren geen van allen bloeddorstige, koppensnellende revolutionairen.'

De MG bereikte place Charles-de-Gaulle precies op het moment dat de zon in de opening van de Arc de Triomphe stond. Marcas voelde dat zijn uitleg Jade interesseerde. Ze hadden nog nooit zo lang geen ruzie gehad. Hij hervatte zijn verhaal: 'Toen de afgevaardigden stemden over de terdoodveroordeling van Lodewijk XVI vond je evenveel vrijmetselaars in het ja- als in het nee-kamp. De harde kern van de revolutionairen stond per definitie vijandig tegenover vrijmetselaren omdat die zich nooit radicaal opstelden. Het is wel waar dat de revolutionaire gelijkheidsidealen in de loges sterk werden aangemoedigd. Om daarom vrijmetselaars betrokkenheid bij het regime van de Terreur aan te wrijven, is een fabeltje dat lang werd verspreid door de rooms-katholieke Kerk en nationalistisch rechts. Die hadden een zondebok nodig.'

'Laat me niet lachen, ik heb altijd geleerd dat Danton, Saint-Just en Robespierre ook vrijmetselaars waren. Jullie schuiven altijd sympathieke types als Montesquieu, Mozart of Voltaire naar voren, maar de grote roofdieren proberen jullie weg te moffelen.'

'Hoe die erbij kwamen blijft een vervelend raadsel, maar de geschiedenis wemelt van mensen die de weg kwijtraakten. Werd de rooms-katholieke kerk voor altijd afgerekend op de inquisitie en een beul als Torquemada?'

'Mwah...'

De jonge vrouw sorteerde voor om de avenue Hoche in te slaan. Marcas ging door: 'Weet u wel dat we nu rijden op een plein dat werd aangelegd ter meerdere glorie van Napoleon? Tegenwoordig heet het place Charles-de-Gaulle, maar er zijn overal maçonnieke verwijzingen in verwerkt.'

'Dan verbaast het me niets dat er hier totale anarchie heerst. De auto's komen van alle kanten, het is een ramp,' mopperde Jade, terwijl ze een terreinwagen ontweek die haar geen voorrang verleende.

'De Arc de Triomphe die de overwinningen van het keizerrijk herdenkt, werd gebouwd door een maçonnieke architect. Kijk maar naar het timpaan, daar zie je enkele symbolen van onze orde. De avenues die uitkomen op dit plein hebben allemaal de naam van een maarschalk van Napoleon, in totaal zesentwintig. Achttien van hen waren vrijmetselaar. De meeste bas-reliëfs zijn voor een ingewijde heel duidelijk: dat is het geval voor de "Marseillaise" of de "Apotheose van 1810".'

'Zijn er nog meer van zulke voorbeelden?'

'Nou en of. Als je door overdekte galerijen als Vivienne en Colbert loopt zie je gebeeldhouwde handdrukken of een bijenkorf, dat zijn ook symbolen die wij gebruiken.'

Jade trok driftig op, verleende een motorrijder geen voorrang op het gevaar af hem omver te rijden en racete de avenue Hoche over tot aan de ingang van het parc de Monceau.

Marcas deed er nog een schepje bovenop: 'Ach, het parc de Monceau! Als je door de zuidelijkste laan loopt, kom je bij een kleine piramide die werd gebouwd door een broeder en even verderop...'

'Stop maar, ik heb het begrepen, zo kan het wel weer. De les is afgelopen. Mijn hoofd loopt om van die educatieve rondleiding.'

De auto reed door de rue de Courcelles en sloeg af naar de rue Daru waar hij stopte voor de smalle grijze poort van een parkeergarage. Jade drukte op de knop en de wagen daalde af in een verlaten parking met vier lege plaatsen, die waren afgebakend met afgesleten gele strepen.

'Kom mee, er is werk aan de winkel.'

Marcas nam alle tijd om uit de kleine cabriolet te komen. Uit principe wilde hij niet meteen gehoor geven aan dat bevel.

'Ik heb iets om u op te peppen, commissaris.'

'O ja, wat dan?' vroeg hij sloom.

Jade laste een lange pauze in om het plezier nog wat te rekken. Ze had er lol in om hem een beetje te sarren en ze liet geen kans voorbijgaan. Tenslotte was zij degene die commandeerde, maar het moest er niet te dik bovenop liggen. Ze had genoeg mannen onder haar bevel gehad om te weten hoe die zich gekwetst konden voelen door een kleinigheid als een vrouw te autoritair tegen hen optrad. Jade liet hem slenteren en stapte in de lift. Net toen ze op het knopje voor de derde verdieping drukte en hij nog op vijf meter van de lift was, riep ze: 'Ik dacht dat u de archiefstukken van Sophie wel zou willen inkijken. Ik heb er boven kopieën van.'

Marcas onderdrukte een vloek en nam een spurt.

25

Brussel

De trein was tot stilstand gekomen langs het perron. De drie Joden keken Béchir minzaam aan, alsof hij een stout jongetje was. De coupédeur zat vast, het gordijntje was dicht en de Palestijn zat alleen tussen zijn potentiële vijanden. Hoe kwamen die drie chassidim aan de codenaam van zijn klant?

De Palestijn dacht bliksemsnel na. Als ze door Sol waren gestuurd, waarom waren het dan Joden? Als ze van de Israëlische geheime dienst waren, betekende het dat ze de naam van Sol ergens hadden onderschept. In dat geval zouden ze de steen van Thebbah grijpen en hem liquideren. Maar waarom zagen ze eruit als orthodoxe Joden, die net zo opvallend waren als een biddende imam?

Hij wist alleen zeker dat hij nog nooit zo kwetsbaar was geweest. Hij had direct al gevoeld dat die steen ongeluk bracht.

De oudste van de drie mannen verbrak de stilte: 'Béatrice?'

Béchir deed of hij het niet begreep.

'Ja toch, Arabier... Béatrice is toch je identificatiecode?'

'Ik weet niet wat u...'

'Kom, we zijn hier om je problemen op te lossen. Dus je doet netjes wat je wordt gezegd. Je blijft kalm zitten tot we in Parijs zijn. Wij zorgen voor je veiligheid.'

Béchir hield niet van de familiaire toon van de oudste Jood.

'Wie zijn jullie? Mossad? Shin Bet?'

De drie mannen keken elkaar aan en barstten in lachen uit. De oudste zei bijna vriendelijk: 'Zien wij er soms uit als Joden, makker?'

De Palestijn keek hem woedend aan. Die kerels waren stapelgek.

'Zit me niet uit te lachen, ik heb je iets gevraagd.'

De jongste hield op met lachen en blafte: 'Oké, het is uit met de pret, we hebben werk te doen. Hans, laat het hem zien.'

De man die het dichtst bij de deur zat, wierp snel een blik op de gang en wendde zich tot Béchir. Hij zette zijn hoed af, ging met zijn hand door zijn haar en trok er een haast onzichtbaar netje af waaraan valse pijpenkrullen zaten. Met zijn andere hand verwijderde hij voorzichtig de baard van zijn gezicht. Binnen een minuut had hij een gedaanteverwisseling ondergaan en was hij een kale man met een gladgeschoren gezicht geworden. Een onopvallende verschijning, afgezien van zijn harde, doordringende blik.

Nepjoden. Béchir slaakte een zucht van verlichting. Hij was tenminste niet omringd door vijanden.

Een van de mannen zei: 'Je ziet dat je niets te vrezen hebt, makker, Sol heeft ons gestuurd. Toen je hem liet weten dat je vertraging had, waarschuwde hij ons meteen dat je in Amsterdam zat. Wij zijn belast met je veiligheid, of liever gezegd met de veiligheid van wat je bij je hebt, al weten wij niet wat er in die tas zit.'

'Ik heb jullie hulp helemaal niet nodig, ik ben een beroeps.'

De jongste klopte hem op zijn hand, terwijl hij tegen de twee anderen zei: 'De ellende met die Arabieren is dat ze zo verwaand zijn dat ze zich uiteindelijk door iedereen te grazen laten nemen. Het verbaast me niets dat de Joden al zoveel jaren over ze heen walsen.'

Hij wendde zich weer tot Béchir en nam diens pols in een ijzeren greep.

'Luister even goed. Sinds je aankomst in Amsterdam heb je je door twee profs laten schaduwen. Een van hen zit in deze trein en hij is bepaald geen vriend van de Palestijnse zaak, als je begrijpt wat ik bedoel. Waarschijnlijk is hij een van de twee Israëlische agenten die je al volgen vanuit Jordanië. We hebben deze klotevermomming aangetrokken om met hem af te rekenen. Je hebt geen flauw idee hoe het ons tegenstaat op een Jood te lijken...'

De man tegenover Béchir voegde eraan toe: 'Precies een kwartier voor aankomst in het gare du Nord, ontfermen wij ons over de vent die jou op de hielen zit. Dan kun jij ongehinderd naar je afspraak. Overigens, dat was heel leuk bedacht met die hoer op de Wallen...'

'Zie ik jullie terug in Parijs?'

Hans deed zorgvuldig zijn valse baard en pijpenkrullen weer aan.

'Nee, onze taak is daar vervuld. Wij nemen de volgende Thalys terug, in een... beschaafdere gedaante.'

De twee anderen gierden van het lachen. Hans onderbrak hen: 'En nu gaan we een kaartje leggen om uit te maken wie van ons de echte Jood gaat liquideren om onze onderdrukte Arabische vriend, hier aanwezig, bij te staan. We hebben nog twee uur tot Parijs.'

De Palestijn klemde krampachtig zijn handen rond zijn knieën; die drie kerels waren fanatieke racisten. De manier waarop ze de woorden Jood en Arabier uitspraken, maakte hem sprakeloos van woede. Hij, die zijn vijanden liet sidderen van angst, die overal ter wereld mensen had vermoord, moest nu voor deze zwijnen buigen. Als zijn opdracht achter de rug was en hij zijn geld binnen had, zou hij die vernedering wreken.

Maar wat hem het meeste verontrustte was het feit dat hij zich als een klein kind door die drie kerels had laten beetnemen. Het was bijna ondenkbaar en een teken dat zijn zintuigen verslapten. Hij had weliswaar gelijk gehad met die man in de andere wagon, maar van het team dat hem sinds Amsterdam volgde had hij niets gemerkt. Dat was onvergeeflijk.

De drie kaartspelers waren hem compleet vergeten, ze gingen op in hun partijtje alsof er niets aan de hand was en vloekten onbekommerd in het Nederlands.

Anderhalf uur later reden ze door de graanvelden van de Oisestreek. De trein zou spoedig het gare du Nord binnenrijden. De drie mannen borgen hun kaarten op en kwamen overeind.

Een van hen, de man die het spelletje had gewonnen, haalde uit een zwart etui een grote ring, een zegelring van bewerkt zilver, bekroond met een fijngeslepen diamant. De man haalde ook een wit flesje met een druppelteller uit het etui. Hij liet een druppeltje vallen op de punt van de diamant en schoof de ring aan zijn ringvinger.

De deur van de coupé schoof open en ze liepen de gang in zonder Béchir nog een blik waardig te keuren, alsof hij niet bestond.

Net voor ze helemaal verdwenen, draaide de oudste zich nog even om.

'Haast je vooral niet als we aankomen, zorg dat je als laatste uitstapt. We zouden niet willen dat je het spektakel mist.'

Toen de deur weer was gesloten bleef de Palestijn achter, alleen met zijn gedachten, de een nog gruwelijker dan de ander.

De drie chassidim vorderden langzaam door het gangpad, onverschillig gadegeslagen door de vaste reizigers op het traject. Alleen een groepje Japanners giechelde toen ze heen en weer slingerend langsliepen. In de tweede wagon verloren de voorste twee ineens hun evenwicht en wankelden, waarna de dikste van de twee half over een reiziger viel die naar een discman zat te luisteren.

De chassied klampte zich vast aan de onderarm van de reiziger en putte zich uit in verontschuldigingen. De reiziger glimlachte en knikte begrijpend. Het trio liep verder en verdween naar de voorste wagons. De scène had nog geen minuut geduurd.

Om precies 16.53 uur reed de Thalys het gare du Nord binnen. Tien minuten laten stapte Béchir uit. Hij werd bijna omvergelopen door twee brandweermannen en een man in een witte jas met een brancard. Halverwege de trein gekomen zag hij duidelijk hoe in de trein de blonde man tekeerging als een bezetene. Hij zwaaide met zijn armen en schokte over zijn hele lijf, op zijn lippen stond wit schuim.

Hij riep onsamenhangende dingen die tot op het perron te horen waren. Andere reizigers sloten zich bij Béchir aan om zich aan het schouwspel te verlustigen. De brandweerlieden, de verpleger en een treinconducteur probeerden de tierende man in hun macht te krijgen, maar hij leek bovenmenselijke kracht te bezitten.

Zijn bloeddoorlopen ogen staarden naar Béchir die instinctief terugdeinsde, ondanks het raam dat hen scheidde. De man wierp zich met ongezien geweld tegen het glas alsof hij de Palestijn wilde aanvallen en gaf een schreeuw die door merg en been ging.

Toen hij tegen de metalen spijl in het raam sloeg, verkleurde zijn gezicht door het donkere bloed dat ervan afdroop. De toeschouwers slaakten kreten van afschuw. De conducteur trok het gordijntje dicht om de ongelukkige die voor het raam ineenzakte af te schermen.

Béchir was al weg voordat het gordijn het tafereel helemaal aan het oog had onttrokken. Hij vroeg zich af welk traagwerkend gif de moordenaars hadden gebruikt.

Hij huiverde bij het vooruitzicht dat er na voltooiing van zijn opdracht voor hem ook zo'n dodelijke injectie zou klaarliggen. Hij was opgemerkt en vormde dus een potentieel gevaar. In Palestina zou hij direct een schuilplaats vinden, maar in Parijs werkte hij in vijandelijk gebied waar niemand hem hulp kon bieden.

Hij liep snel het perron af en nam de eerste roltrap aan de rechterkant naar het bagagedepot. Een bewaker controleerde zijn koffer in het kader van de actie Vigipirate, het nationale veiligheidsplan dat om de veertien dagen werd geactiveerd. Béchir koos een kluis uit en zette er zijn koffer in, waar hij het foedraal met de steen van Thebbah had uitgehaald. De documenten liet hij in de koffier, bij wijze van levensverzekering als de klant na levering van de steen zich van hem zou willen ontdoen. Hij maakte een mentale aantekening van het kluisnummer, zijn geheugen had hem nog nooit in de steek gelaten, en ging richting metro. Hij hield niet van de buurt rond het gare du Nord; je moest er uren op een taxi wachten, die er toch eindeloos over zou doen om hem af te zetten in de avenue Montaigne waar hij zijn afspraak had. Hij checkte de omgeving uitgebreid om te zien of hij niet werd gevolgd; dat leek niet het geval te zijn.

Voor het eerst sinds lange tijd had Béchir de vreselijke gewaarwording die hij zijn slachtoffers zo graag bezorgde: het gevoel van doodsangst.

26

Parijs,
Jardin du Luxembourg

Met verbazende gulzigheid pikte de duif de broodkruimels op, alsof hij dagenlang niets had gegeten. Onverschrokken naderde hij de voet van Marc Jouhanneau in de hoop er nieuwe kruimels te vinden. Toen zijn snavel bijna de schoen van Jouhanneau raakte, klonk er achter het groene ijzeren stoeltje een luide knal. Verschrikt vloog de vogel op en vluchtte naar de tak van een eik.

Even verbaasd keek Jouhanneau om en zag een jongetje dat hem uitdagend aankeek, met in zijn hand nog de kapotte plastic zak waarmee hij die knal had veroorzaakt. Afkeurend fronste hij zijn wenkbrauwen, maar het joch wachtte de bui niet af en maakte zich uit de voeten.

Jouhanneau nam zijn aanvankelijke houding weer aan: achteroverleunend met zijn voeten op een ander stoeltje. Als het altijd zo eenvoudig was om met een dreigende houding gevaar af te wenden... Maar de vijanden die hem belaagden lieten zich niet zo gemakkelijk afschrikken als dat jongetje.

Uit zijn binnenzak haalde Jouhanneau een versleten zwartleren notitieboekje. Het was een van zijn vaders dagboeken, die hij altijd bij zich droeg, vooral nu het leven hem een nieuwe beproeving zond. Dit was het dagboek van het jaar 1940-1941. Het ging tot 30 oktober 1941, de dag voordat de Duitsers hem hadden opgepakt en gedeporteerd op de reis waarvan hij niet meer terugkwam.

Henri koesterde het als een talisman. Door dat boekje en de enkele deeltjes van voorgaande jaren, die zijn moeder hem had gegeven op zijn achttiende verjaardag, lang geleden, had hij besloten om vrijmetselaar te worden. Maar het deeltje van de jaren veertig was hem het dierbaarst. Hij las het met tederheid en respect, telkens als hij een belangrijke beslissing moest nemen of als hij zich moedeloos voelde. Het was of hij dan steun zocht bij de vader die al ruim zestig jaar dood was en die hij nooit had gekend.

Hij sloeg de eerste bladzijde op.

14 juni 1940

'De Duitsers marcheren over de Champs-Elysées. Wie had dat ooit kunnen denken?... Ze zijn precies als de Duitsers die ik in 1936 in Neurenberg heb ontmoet, arrogant, ongelikt en overtuigd van hun onoverwinnelijke superioriteit. Hoeveel mannen van Thule zouden er in die parade hebben meegelopen... Niet zoveel, denk ik, want die houden niet van daglicht. Ze zijn ongetwijfeld al actief in het verspreiden van duisternis.

Lunch met Bascan bij de Petit Richet. Er heerste een nare stemming en twee lichtelijk aangeschoten mannen riepen dat Frankrijk de nederlaag aan zichzelf te wijten had, dat Joden en vrijmetselaren voortaan een toontje lager zouden zingen. We hebben maar gezwegen, tegenspreken heeft toch geen zin!! Had geen puf meer om in het ziekenhuis patiënten te bezoeken. Radiotoespraak.

Maarschalk Pétain is nu nog onze enige hoop. Moge hij Frankrijk beschermen tegen Hitlers hordes en degenen die ze manipuleren.'

15 juni 1940

'Vanochtend vroeg, tegen zevenen, kwam de Achtbare Bertier. Hij was in alle staten: de Duitsers zijn gisteren binnengevallen in de rue Cadet en de ingang van de GO is nu verzegeld. Niemand mag er meer in. Bertier vertelde me dat bijna al onze archiefstukken er nog liggen. We hebben niet de tijd gehad om ze te evacueren. De nederlaag had ons verpletterd. Voor de Orde is het een onbeschrijflijke ramp. De Grande Loge de France is al leeggeroofd.'

30 juni 1940

'De Duitsers beginnen onze archieven leeg te halen; een van onze broeders bij de politie, die nog in functie is, kon meer te weten komen. Het transport is in handen van een speciale eenheid, de Geheime Feldpolizei, die onder bevel van de Gestapo staat... De politieprefect van Parijs, Br:. Langeron, het hoofd van de recherchedienst, Br:. Nicolle en Br:. Roche van de opsporingsbrigade konden niet meer doen dan de broeders waarschuwen. Ze zien de toekomst steeds somberder in.'

20 augustus 1940

'Vandaag, vijf dagen na afkondiging van de wet over de opheffing van geheime genootschappen, heeft maarschalk Pétain officieel alle grote obediënties ontbonden. Daarmee is de vrees van onze broeders van de loge Compagnons ardents uitgekomen. Ik wilde het eerst niet geloven. De maarschalk heeft ons een gevaarlijke organisatie genoemd. Aan zo'n hatelijke, seniele grijsaard is Frankrijk uitgehuwelijkt... Voor de grote Lichten is dit ongetwijfeld het begin van een lange nacht. In het kader van de nieuwe wet krijgen alle ambtenaren formulieren uitgereikt waarop ze moeten aangeven of ze al dan niet vrijmetselaar zijn.'

30 oktober 1940

'Ik ben al een maand niet meer "aangemerkt" als ziekenhuisarts. Ik werd gedwongen om onbeperkt verlof te nemen. Diepe depressie. Ik voel me verloren. Ik heb geen woord kunnen schrijven. Er wordt gefluisterd dat sommige loges clandestien samenkomen. Ik heb er niet eens de moed meer voor...

De Duitsers hebben alle Joden verplicht om zich te laten registreren in de commissariaten van politie. Wie dat niet doet wacht rechtsvervolging. Br:. bij de politie schamen zich vreselijk voor dat verachtelijke werk en ze proberen de inschrijving zoveel mogelijk te verprutsen, maar helaas! betonen veel van hun collega's zich overijverig. Wat een diepe schande voor ons allemaal. Mijn arme Frankrijk!'

2 november 1940

'Ben vanmorgen naar het Petit-Palais gegaan om er met eigen ogen de nu al beroemde "vrijmetselarijtentoonstelling" te bekijken. Ik moest twintig minuten in de rij staan om binnen te komen, zo groot was de belangstelling voor onze "praktijken". Gepensioneerden, jeugd, goedgeklede dames, arbeiders op hun zondags; heel het "ware Frankrijk" dat de heer Maurras zo na aan het hart ligt, kwam aapjes kijken. Maçonnieke aapjes. En al die brave luiden vonden het prachtig. Al die opgewektheid maakte me misselijk. De samenstellers hebben bij de ingang twee enorme plakkaten opgehangen die ons ervan beschuldigen de natie te hebben "te gronde gericht en leeggeroofd". We spelen een "potsierlijke, leugenachtige, oneerlijke komedie". Ik werd er beroerd van. Van de tentoonstelling klopt er niets; er is een loge nagebouwd waarin een geraamte op de grond ligt. Het is weerzinwekkende flauwekul. In een hoek staat, helemaal alleen, een buste van Marianne, het symbool van de Franse revolutie, die vast is geroofd uit een van de loges. Om haar nek hangt een bordje met de lasterlijke tekst DE BEKENTENIS.

Dat mijn landgenoten zich lenen voor dit spektakel, grijpt me meer aan dan Duitse soldaten in onze straten. En juist toen ik me het allerellendigste voelde, zag ik een winkelhaak en een passer liggen, die zeker ook uit een loge waren gestolen. Ons aller crucifix! Ineens werd mijn hart vervuld van trots en vatte ik weer moed. Ik kan het niet uitleggen, maar het Licht heeft weer eens gewerkt. Bij het naar buiten gaan had ik weer hoop. Ooit zullen de mensen die deze armzalige kermisattractie hebben bedacht, en zij die zulke onrechtvaardige wetten maken, moeten boeten voor hun belediging van het ware Licht.'

21 december 1940

'De wereld is in duisternis gehuld, maar het Licht is eeuwig. We hebben in Ile-de-France in plaats van onze loges al een tiental driehoeken gevormd. Wat een geluk, broeders! Gegeten met Dumesnil de Grammont die bij de maçonnieke verzetsgroep Patriam Recuperare zit; hij stelde me een broeder met een vastberaden blik voor, een zekere Jean Moulin. Bij het afscheid gaven we elkaar de accolade. De strijd zal lang en moeilijk zijn.

We kennen het systeem van onderdrukking door onze Franse en Duitse tegenstanders nu al een beetje beter. De pétainisten hebben maar liefst drie afdelingen opgericht om ons in kaart te brengen en om onze bezittingen te bestuderen. De afdeling die gaat over de Geheime genootschappen staat onder leiding van een zekere Bernard Fay, een staflid van de Bibliothèque nationale, overtuigd monarchist en een salongeleerde die bekendstaat om zijn grondige afkeer van ons. Hij had het lef om zijn kantoor te vestigen in onze hoofdzetel in de rue Cadet, en verdiept zich daar vlijtig in de restjes archief die de Duitsers hebben achtergelaten. De 'Afdeling voor opgeheven verenigingen' wordt geleid door een politiecommissaris uit Parijs; hij en zijn klerken mogen naar believen huiszoekingen doen bij onze broeders. Ten slotte is er nog een Researchafdeling met een directie in Vichy en een directe lijn naar de entourage van Pétain; zij hebben vooral interesse voor politieke activiteiten. Hoewel die diensten elkaar vliegen proberen af te vangen, staan volgens verschillende goedgeïnformeerde Br:. de twee eerste onder toezicht van de Duitsers. Die afdelingen zijn dus het gevaarlijkst, hoewel meer informatie erover ontbreekt. Een ding is zeker, ook hun hoofdkwartier van "antimaçonnieke operaties" zetelt in het hoofdkantoor van de Grand Oriënt, maar op een andere verdieping dan de Fransen.'

21 maart 1941

'Telkens als ik de radio afstem op de BBC, wordt het weer een beetje licht. De uitzendingen van Les Français parlent aux Français worden verzorgd door broeders die zich bij De Gaulle in Londen hebben gevoegd. Profanen beseffen niet dat de eerste maten van de herkenningstune, die komen uit de Vijfde Symfonie van Br:. Beethoven, ons recht naar het hart gaan. Weten ze wel dat onze broeders via radio Londen vaak de meest symbolische passages uitzenden van *Die Zauberflöte*, de maçonnieke opera van Br:. Mozart?

De broederketen sluit zich over de zeeën heen!'

28 juni 1941

'Pétain en zijn reactionaire regering houden een nieuwe telling van Joden, ditmaal in het zuiden. Naar het schijnt moeten ze al hun bezittingen opgeven.'

11 augustus 1941

'De Duitsers blijven terreinwinst boeken in Rusland, ze lijken onstuitbaar. Pétain heeft een nieuwe wet uitgevaardigd die oud-logedignitarissen en Meester-Vrijmetselaren, net als Joden, uitsluit van de ambtenarij. Broeder Desrocher, die bij de Staatscourant werkt, waarschuwde ons dat er sprake van is om al onze namen te publiceren. Zou dat echt waar zijn...? Zag vanochtend weer een spotprent waarop brave hardwerkende Fransen werden belaagd door als wolven afgebeelde Joden en vrijmetselaren. Ik vrees dat mijn landgenoten al deze gruwelijke leugens slikken. Het gezonde verstand is zoek. Hebben de nazi's dat vergif ingedruppeld? Of was het slapend nog aanwezig en werd het geactiveerd door het contact met hen? De Fransen, als volk het product van eindeloze vermenging in de loop van zijn geschiedenis, weigeren nu sommigen uit hun midden als hun gelijken te erkennen.

Ook wetenschappelijk gezien is het vreselijke onzin! We weten maar al te goed waar die theorie vandaan komt en ik ben blij dat ik haar al niet serieus nam toen ik tien jaar geleden in Duitsland haar verbreiders ontmoette. Thule zij voor eeuwig vervloekt voor wat ze heeft aangericht. Zelfs die gehelmde ezel van een Pétain riep op tot arisering van alle Franse bedrijven. Arisering? Hebben ze de kop van Hitler al eens goed bekeken?'

21 september 1941

'De eerste namenlijsten zijn gepubliceerd in de Staatscourant en vanzelfsprekend ook in alle soldatenblaadjes van de vijand. Ik verwacht dat mijn naam binnenkort ook bekend wordt gemaakt. Ik ben niet bang voor mezelf, maar wel voor mijn vrouw en mijn kind. Samenkomst met de broeders van de loge La Clémente amitié; er was afgesproken elkaar ten minste een keer in de maand te zien. De Duitsers hebben drie broeders gearresteerd, van wie niets meer werd vernomen. Een vriend uit ons netwerk kwam meer te weten over onze Duitse vervolgers. Officieel heeft een luitenant van de contraspionagedienst, die zetelt in de rue Cadet, de leiding over de antimaçonnieke operaties in Frankrijk en rapporteert hij rechtstreeks aan Berlijn. Blijkbaar is een andere naziafdeling, die we niet kunnen identificeren, nog druk doende met het plunderen van de archieven en het doen van invallen in loges in de vrije zone. Die sectie is vooral op zoek naar esoterisch getint materiaal.'

23 oktober 1941

'Het is gebeurd, mijn naam is samen met die van anderen gepubliceerd in een collaboratiekrant. Professor Henri Jouhanneau, Achtbare Meester van de Grand Orient. Ik heb het gevoel dat iedereen die lijst heeft gelezen en dat ik te kijk ben gezet als een misdadiger. Onze conciërge maakte, toen ze me hoorde langskomen, luidkeels een toespeling tegen een buurman door te roepen dat die 'broeders niet langer de dienst uitmaakten'. Ze ging op dezelfde manier tekeer tegen de bejaarde Zylbersteins van de vierde verdieping, die ze beledigde omdat zij een 'echte Ariër' was. Ik mag nog niet eens klagen, zij worden echt overal vervolgd.

Ik ben tamelijk zachtzinnig van aard, maar nu voel ik haat in me opkomen. Het vergif dat onze vijanden zo lekker vinden.'

25 oktober 1941

'De Achtbare Poulain is vermoord aangetroffen in zijn flat. Hij werd gedood met drie zware klappen, op de schouder, op de hals en op het voorhoofd. Een parodie van de dood van Hiram. Poulain was een van onze Br:. en een van onze grootste experts op het gebied van maçonnieke esoterie. Hij was tweeënzeventig jaar en was voor niemand een bedreiging. Br:. Briand werd door de Gestapo aangewezen om het onderzoek te leiden. Dat kan geen toeval zijn, de mensen van Thule zitten hier achter. Ze geven ons een teken door het onderzoek aan een van onze broeders te geven. Ze hebben ons altijd in de gaten gehouden en verafschuwd. Nu gaan ze ons uitmoorden.'

28 oktober 1941

'Vanochtend vroeg zijn drie Franse agenten me komen halen voor ondervraging. Mijn vrouw viel flauw toen ze me zag weggaan. Ik bid dat ze het volhoudt. Ze hebben me naar de rue Cadet gebracht. Hun cynisme kent geen grenzen! Ik verwachtte in een griezelkabinet terecht te komen, maar het leek eerder op een groot kantoor geleid door vlijtige bureaucraten. Het kwaad in een alledaags jasje. Zo zitten ze ons dus in ons eigen huis nauwgezet in kaart te brengen. Na drie uur wachten kwamen twee agenten in burger me halen om me uit te vragen over de archieven van onze orde. De eerste, een botterik, was kennelijk alleen maar geïnteresseerd in politieke kwesties. Hij wilde weten of ik had meegewerkt aan een overzicht van Franse sympathisanten van het vooroorlogse Duitsland. Het was een lachwekkend idee, maar ik hield me in. Hij vertrok en liet me alleen met nummer twee, een beleefde vent met de manieren van een officier die vloeiend Frans sprak. Hij wilde van alles weten over mijn graad en over mijn belangstelling voor esoterische zaken. Zijn eigen kennis op dat gebied was indrukwekkend en hoewel hij daarover met geen woord repte, begreep ik dat hij van Thule moest zijn.

Onze ergste vijanden! Hij vertelde dat hij werkte voor een Duits cultureel instituut, Ahnenerbe, dat de ongeschreven geschiedenis van de beschavingen bestudeerde. Hij zocht onderzoekers en geleerden, niet-Joden natuurlijk, om ze uit te nodigen in Duitsland te komen werken met tot dusver onbekende archiefstukken uit alle bezette landen van Europa. Ik zei hem dat ik hoopte binnenkort weer in het ziekenhuis aan de slag te gaan en dat ik dus niet weg kon. Hij vroeg me wat voor onderzoek ik deed en zei dat Ahnenerbe ook een medische afdeling had, waar men experimenten deed die voor de mensheid van het hoogste belang waren.

Het werd me koud om het hart toen hij me toevertrouwde dat hij Joden en vrijmetselaren niet op een hoop gooide. In het eerste geval ging het om een apart ras, in het tweede om de keuze voor een verdorven filosofie.

Tot mijn grote verrassing liet hij me toen gaan, maar ik mag Parijs niet verlaten. Die man staat me zo tegen, dat hij wel van Thule moet zijn.'

30 oktober 1941

'Ik weet nu zeker dat ze me de klok rond in de gaten houden. Ik ben al in twee dagen het huis niet meer uit geweest. Ik kan geen contact houden met de broeders van het verzetscomité. Ik stop met dit dagboek dat ik toevertrouw aan een toegewijde vriend. Hopelijk tot betere tijden. Wat wordt er van mijn vrouw en mijn kind als ze me weghalen of me vermoorden?'

Jouhanneau sloeg het boekje dicht bij die laatste aantekening van zijn vader. Zijn moeder had hem verteld dat de Duitsers hem op 1 november 1941 waren komen halen en dat ze hem nooit meer had teruggezien. Een tijdje na de oorlog kwamen ze te weten dat hij in Dachau was gestorven, twee dagen voor de bevrijding van het kamp. Veel later, Marc was al volwassen, was een kampgenoot, een Israëliër die ook vrijmetselaar was en die Marek heette, op doortocht in Parijs de familie op het spoor gekomen.

Hij had erg aangedrongen hem te ontmoeten om hem te kunnen vertellen over alle verschrikkingen en over het werk dat zijn vader van de nazi's had moeten doen. Net voor hij stierf had Henri Jouhanneau dat nog kunnen vertellen. Marek, die op leeftijd raakte, voelde zich niet meer sterk genoeg om de last van die bekentenis alleen te dragen.

Jouhanneau strekte zijn stramme benen op het stoeltje. Hij werd ook een dagje ouder. De geheimen die Marek hem had toevertrouwd had hij eerst proberen te vergeten. Het leven is al zo zwaar als je je vader niet hebt gekend... Maar toen zijn moeder was gestorven en hij naar dat kleine uitgeteerde lichaam in de kist keek, deed hij een gelofte...

Sindsdien was zijn leven totaal veranderd, niets was meer als voorheen. Hij had nu ook een missie: het werk van zijn vader afmaken. Marek had hem niets bespaard over het einde van zijn vader, die was vermoord op dezelfde manier als Hiram. En nu, aan het begin van het derde millennium, begonnen de oude vijanden opnieuw toe te slaan.

Jarenlang had hij getracht ze op het spoor te komen, tenminste in documenten en via de weinige getuigenissen die er waren over dat geheime genootschap dat officieel was verdwenen met de val van het nazisme.

Het Thule-Gesellschaft. De nietsontziende vijand.

Die nu de steen van Thebbah in handen had en daarmee gevaarlijk dicht bij het geheim kwam.

Thule had de val van nazi-Duitsland overleefd en breidde in de schaduw zijn tentakels uit. Met grote overtuigingskracht had Jouhanneau een handjevol broeders weten over te halen een broederkring van waakzaamheid te vormen. Allemaal waren ze hoge graden en sommigen hoorden bij andere obediënties dan de Grand Orient.

De hemel boven de Jardin du Luxembourg werd bedekt met sluierwolken, de zon daalde langzaam naar het westen. Het werd tijd om op te stappen en naar de rue Cadet te gaan voor zijn afspraak met die commissaris, Marcas. Hij stond op en schudde zijn armen die stijf waren geworden van het lange zitten. Om hem heen klonk het gejoel van spelende kinderen. Hij liep naar het RER-station aan de ingang van het park, zich afvragend hoe het zou voelen om je naam in de krant te zien, alleen omdat je vrijmetselaar bent.

Erg onplezierig moest dat zijn. Niet dat hij zich schaamde voor zijn vrijmetselaarschap, maar hij wist zeker dat het vijandige reacties zou oproepen.

Hij had ergens gelezen dat er weer stemmen opgingen die aandrongen op wettelijke openbaarheid van namen van vrijmetselaars. Natuurlijk vanuit nobelere motieven dan die van de collaborerende Vichy-regering, de vrijmetselarij had tenslotte niets te verbergen. Nee, het ging erom dat de vrijmetselaars niet moesten meedoen met de moderne poppenkast van de transparantie en dat ze geen zin hadden om zich uit te kleden voor de camera's en andere media... Jouhanneau, die misschien te erg getekend was door het verhaal van zijn vader, vond het hele debat onfatsoenlijk. Een vreselijke aantasting van de vrijheid van het individu.

Tien jaar geleden was een afgevaardigde van Labour in Engeland een parlementaire enquête begonnen over de invloed van de vrijmetselarij op de Engelse overheid. De eindconclusie was dat alle rechters en politiemensen zich moesten laten registreren en moesten opgeven of ze bij een loge behoorden. Ook hier waren de beweegredenen de vaststelling van onmiskenbare misstanden en belangenverstrengeling, die in sommige strafzaken het goede verloop van het onderzoek hadden belemmerd. De discussie was hoog opgelaaid en het aantal vrijmetselaars drastisch afgenomen, van de 700.000 broeders uit de jaren tachtig bleven er nog maar 260.000 over. Het was een ware leegloop. Er heerste angst. Het was pure demagogie.

Anderzijds begreep hij het onbehagen bij de profanen wel, na de onthulling van dubieuze zaken waarbij foute broeders betrokken waren. Er was wat dat betreft niets nieuws onder de zon. Voor de oorlog veroorzaakte het schandaal rond de zakenman Stavisky in Frankrijk een golf van woede tegen de vrijmetselarij, omdat er ook broeders in die onfrisse affaire verwikkeld waren.

Peinzend daalde Jouhanneau af in het metrostation en dacht aan het naderende onheil.

Was er een manier om de aanval van Thule niet passief te hoeven ondergaan? Wat kun je beginnen tegen mensen die, net als de duivel, doen of ze niet bestaan?

Hij geloofde geen seconde in het onderzoek van die Darsan van Binnenlandse Zaken, die hem gewoon voor de gek zat te houden. Hij had wel enkele broeders op het ministerie kunnen vragen om een beetje druk uit te oefenen, maar die tactiek was te grof en vooral te doorzichtig. Hij kon beter nog wat wachten en misschien die Marcas gebruiken, van wie hij nog niet veel wist, behalve dat zijn onderzoek naar de geschiedenis van de orde steeds meer lof oogstte. Misschien een toekomstig lid van Orion?

Intussen moest Jouhanneau hem aan zijn kant zien te krijgen om Darsan te omzeilen; eventueel door een beroep te doen op de broederschap, al hield hij daar helemaal niet van. Maar dit keer was het van levensbelang.

27

Parijs

Achter haar bureau zittend genoot de Afghaanse nog wat na. Tegenover haar speelde Marcas stommetje. Het moet gezegd dat de omgeving op zijn minst ontregelend was. Rechter Darsan was niet wars van ironie, als het al geen cynisme was.

Marcas had al opgemerkt hoe oud en versleten de lift was en dat de verf met plakken van de muren viel. Om nog maar niet te spreken van de gaten in de vloerbedekking op de overloop. Het leek of er een andere jaartelling gold in het gebouw. Er hing een schimmellucht die naar de hogere etages toe steeds sterker werd.

Zodra hij het lokaaltje naast het kantoor betrad, drong het tot Marcas door. Het was een onwaarschijnlijke uitdragerij. Er lagen pasfoto's, kapotte schedels, meetinstrumenten en aan de volgeplakte muur hing een spotprent van een duivel die zijn gekromde vingers uitstak naar de wereldbol. Het affiche was volgeklad met dat ene woord: *Juden.*

Het ergste wachtte hem op een doorgezakt stoeltje. Er lagen cordons behorende bij meestergraden, kapotte bewerkte stenen, beschimmelde bordpapieren zonnen en manen. Het leek het decor van een derderangsoperette in een Oost-Europese dictatuur. Hij had de deur meteen weer dichtgedaan, zoals je het deksel neerklapt van een stinkende, opgegraven doodskist.

Behaaglijk, als een kat die met zijn eigen schaduw speelt, strekte Jade haar lange benen uit.

'Indrukwekkend, toch? Er is nog niets veranderd.'

'Ik dacht echt dat alles...'

'Dat alles vernietigd zou zijn, nee hoor!'

'Het is weerzinwekkend!'

'Weet je, Defensieambtenaren zijn ontzettend gewetensvol. Na de bezetting hebben ze dit gebouw dat door de Gestapo was gebruikt weer teruggevorderd. Officieel bestaat deze plek niet en daarom is dit kantoor ideaal om er operaties in op te zetten die officieel niet plaatsvinden. Wat die rotzooi betreft, je weet maar nooit of er iets bruikbaars tussen zit.'

'Maar dat kan toch niet!'

'Toch wel, het zijn overblijfselen van de beroemde antivrijmetselarijtentoonstelling uit 1941. Ik heb het gecheckt.'

'Maar hoe hebben ze die...'

'Ik heb me laten vertellen dat generaal De Gaulle zich liet smeken om de vrijmetselaarsgenootschappen weer toe te laten. Er daarna wonnen de communisten, die nog steeds niet erg op jullie gesteld zijn, aan invloed. Dit gebouw staat bol van de slechte herinneringen. Later zal ik u eens rondleiden op de tweede verdieping; daar staat nog zo'n elektrisch marteltuig dat we later in de Algerijnse oorlog de *gégène* noemden, en een badkuip die de Franse Gestapo van de rue Lauriston in elkaar heeft geknutseld, met een heel ingenieuze wipstoel. Er zijn vast wel broeders van u in ondergedompeld geweest.'

Marcas zag er ineens uit als een zielig jongetje en dat bracht Zewinski even van haar stuk.

'Sorry, had ik niet moeten zeggen. Het was onbehoorlijk van me. Ik kan net zo min als jij tegen die...'

'Laat maar.'

Maar Jade was niet meer te stoppen. De spanning die ze onderging sinds de dood van Sophie, ontlaadde zich.

'Nee, je moet naar me luisteren! Ik ben die idiote ruzie tussen ons meer dan beu. Ik moet een vriendin wreken...'

'En ik een zuster,' onderbrak Marcas.

'Ik weet het. Ik ben doodop. Ik doe geen oog meer dicht. Sophie hoorde bij...'

'De onbezoedelde kindertijd...?'

Onder de make-up verbleekte de Afghaanse.

'Praat nooit over vroeger tegen me...'

'Vroeger?'

Jade kwam met een ruk overeind.

'We dwalen af. Wil je die documenten? Neem ze dan. En kijk in godsnaam niet zo naar mijn benen. Alle mannen flikken me dat!'

Antoine zweeg en ging aan het bureau zitten. Hij begreep niet waarom zijn hart zo tekeerging.

Zewinski spreidde fotokopieën uit over het met leer beklede tafelblad. Er waren een stuk of vijftig vellen papier met een wirwar van handtekeningen, zegels, diagrammen... Voor de profaan waren het doodgewone papieren, maar voor hem waren ze van onschatbare waarde. Ook voor anderen, die niet hadden geaarzeld om Sophie ervoor te vermoorden.

De Afghaanse bespeurde de vonk van opwinding in de ogen van de politieman en zei: 'Dit is nog niet alles. Sophie heeft een lijst van de documenten gemaakt. Die... heb ik niet aan mijn meerderen gegeven. Hier. Je mag hem hebben.'

De commissaris keek kennelijk verbijsterd, want zijn gesprekspartner moest hem met een nerveus handgebaar aanmanen om die vellen op te pakken.

'Dit is het laatste wat Sophie ooit heeft geschreven. Ik laat je alleen om het te lezen. Ik ga een sigaretje roken op de gang.'

Antoine kon zijn ogen niet van haar afhouden toen ze wegliep, zoveel tegenstrijdigheden in een vrouw brachten hem in verwarring. Ze was iemand uit één stuk, met een zwaar beroep waar ze onverbiddelijk in was, en tegelijkertijd bleek ze gevoelig voor kleinigheden als mannen die naar haar benen keken. Hij realiseerde zich plotseling dat hij het weer deed.

'Neem me niet kwalijk, ik wilde echt niet...'

De Afghaanse glimlachte alsof ze even verlegen was als hij.

'Laat maar. Ik zal wel aan je wennen en je bent toch een stuk smakelijker dan de Taliban met wie ik in Kaboel omging.'

En ze ging naar buiten. Marcas leunde achterover in zijn stoel in een poging om de gruwelijke spoken uit de zijkamer af te schudden en verdiepte zich in de papieren voor zich.

Sophie Dawes was een prima archivaris geweest. Marcas zag het direct. Elk document was geïdentificeerd, genummerd en nauwkeurig omschreven: datering, handtekening, onderwerp...

Zuster Dawes had het heel grondig aangepakt. Ze had alles onderzocht, was alle sporen nagegaan, had elke veronderstelling uitgediept. Sprak daaruit haar eigen passie, of die van haar promotor, Marc Jouhanneau, die ook ging over de archivarissen van de Grand Orient? Maar vooral, waarom had hij haar naar Jeruzalem gestuurd?

Hoe dan ook, hun gedeelde belangstelling voor uitgerekend deze documenten was begrijpelijk. Deze archiefstukken waren alleen geïnventariseerd door de Russen en niet door de Duitsers. Alsof ze niet van de nazi's afkomstig waren of dat zij ze niet in hun officiële inventaris hadden willen opnemen… Deze tegenstrijdigheid had ongetwijfeld de nieuwsgierigheid van de archivaris gewekt en haar onderzoek gestuurd.

Toch ging het om te beginnen maar om onbelangrijke stukken. Het archief van een provinciale loge in de buurt van Châteauroux, over de jaren 1801-1802. Bouwstukken, rekeningen van architecten, interne correspondentie… Bijna alle stukken droegen dezelfde handtekening, die van Alphonse du Breuil, Achtbare Meester van de Zeer Achtbare Loge Les Amis retrouvés de la Parfaite Union.

Sophie Dawes had een vergelijkende studie gemaakt van die logenaam, maar dat leverde weinig opzienbarends op. Vanaf het begin van het eerste Franse keizerrijk werden loges voortdurend opgericht en heropgericht onder namen die verwezen naar de broederlijke vriendschap: het was een manier om de pijn van de Revolutie te vergeten en de nieuwe tijd en het nieuwe bewind te eren.

De Achtbare Alphonse du Breuil was het prototype van de vrijmetselaar van zijn tijd. Hij werd al ingewijd voor de Revolutie en was Penningmeester van zijn loge. Vanaf 1793 vinden we hem terug in het Republikeinse leger aan de Rijn. Vervolgens deed hij in 1796 mee aan de veldtocht in Italië, waarbij hij na een beenblessure tot luitenant werd bevorderd. In 1799 vertrok hij op expeditie naar Egypte, als militair gedetacheerd bij de groep wetenschappers die Bonaparte meenam. Begin 1800 dook hij weer op in Frankrijk, verliet het leger met de rang van kapitein en kocht staatsdomeinen in de streek van de Brenne, vlak bij de stad Le Blanc. In 1801 steunde hij het consulaat voor het leven van Bonaparte.

Direct na het uitroepen van het eerste keizerrijk ontstak hij het Licht in een nieuwe loge, waarvoor hij een Constitutiebrief aanvroeg bij de Grand Orient de France, die sinds mei 1799 het enige officiële gezag was.

Op dat punt aangekomen, wordt het verhaal ineens ingewikkelder. Sophie had de hele correspondentie uitgewerkt van Alphonse du

Breuil met de verantwoordelijken van de Grand Orient, die waren belast met de oprichting van en het toezicht op de regulariteit van de loges. De gedachtewisseling liep op zijn zachtst gezegd al snel uit op een spraakverwarring.

Vanaf zijn allereerste brieven probeerde Du Breuil al om zijn eigen rituelen op te dringen en zijn eigen tempel op te richten in zijn huis in Plaincourault. Dat laatste was bespreekbaar, maar het ontwerp van de tempel in aanbouw moet bij de Grand Orient bevreemding hebben gewekt. Volgens de bijgevoegde tekeningen wilde Du Breuil een tempel in de vorm van een schroef, dat was tenminste het eerste beeld dat bij Marcas opkwam. Een langwerpige rechthoek, met een Oosten, waarvan de halve cirkel aan beide zijden van de rechthoek naar beneden doorliep. Het leek ook wel op een paraplu, dacht Marcas.

In een volgende brief, nadat de GO ongetwijfeld terughoudend had gereageerd, schreef Du Breuil dat dit ontwerp hem was ingegeven door de godsdiensttempels uit de oudheid die hij in Egypte had gezien. In de kantlijn had Sophie Dawes gezet: 'warhoofdig'.

In de volgende brieven brengt Du Breuil zijn tempel niet meer ter sprake, behalve die ene keer dat hij uitlegt wat er in het centrum van de loge, de plaats van de mozaïekvloer, moet komen: 'een kuil met daarin een struik met blootliggende wortels. Een wezenlijk symbool, want het leven waardoor men de zeven hemelen kan bereiken, begint onder de aarde.' Daarna komen er alleen nog maar rituelen ter sprake.

Volgens de inventaris van Dawes was er niettemin geen spoor van enig compleet rituaal dat door Du Breuil zou zijn bedacht. Toch moet zo'n rituaal hebben bestaan, want verschillende brieven van de Grand Orient gaan erover. Met name als een dignitaris van de obediëntie zich verbaast over het belang dat Du Breuil hecht aan de bittere beker. De enige bedoeling van de bittere beker die neofieten moeten leegdrinken, is om hen ervan te doordringen dat de maçonnieke weg een moeilijke weg is. Het is een symbolische handeling zonder meer.

Maar niet voor Du Breuil, die van de bittere beker de kern van het maçonnieke mysterie maakt, zoals bleek uit de onvoltooide aantekeningen voor een van zijn bouwstukken:

'... de kelk die wij de kandidaat aanbieden is de poort naar het ware leven. Hij is de ware Weg. Onze huidige rituelen zijn ontaard, wij spelen de inwijding na, maar beleven haar niet werkelijk. De reizen die wij de neofiet laten ondernemen zijn maar een flauwe afspiegeling van echte inwijdingen die de poorten van hoorn en van ivoor openen...'

'De poorten van hoorn en van ivoor!' Als Antoine het zich goed herinnerde was het een citaat van Homerus dat later was gebruikt door Vergilius: elk van deze beide poorten zou toegang geven tot een hiernamaals. Maar we weten niet welke poort naar het paradijs leidt en welke naar de hel. Marcas legde de papieren terug op de tafel. Hij probeerde zich de reactie voor te stellen van de Sovjet-Russische profaan die deze documenten had vertaald. Reactionaire, mystieke, decadente bourgeoisgekte. Wie zou zijn tijd verspillen aan die bigotte onzin?

Hij schrok op door de terugkeer van Jade.

'En?'

'Uw vriendin heeft een prachtige analyse gemaakt. Maar volgens mij was het voor niets.'

'Hoezo?' Zewinski leek teleurgesteld.

Antoine keek sip naar de stapel fotokopieën.

'Het zijn waardeloze esoterische fantasieën! Van een broeder die ervan droomt om de vrijmetselarij te renoveren, er nieuw, fris bloed in te pompen... Hij is de enige niet... Dat is onze messiaanse kant.'

'Dat begrijp ik niet.'

'Dit zijn de papieren van een legerofficier van het Franse keizerrijk. Een oudgediende van Napoleons Egyptische veldtocht. Toen hij terugkwam probeerde hij een nieuwe loge op te zetten, met nieuwe ritualen waarvan hij beweert dat ze ontleend zijn aan de ware Egyptische overlevering.'

'Wat heeft dat nog met vrijmetselarij te maken?'

'Weinig, vrees ik. Tientallen van die veteranen probeerden Egyptische ritualen te bedenken. Je had de Sophistiens, Le Rite oriental, les Amis du désert... Ik bespaar u de rest. In die periode ging er een golf van Egyptomania door de culturele instellingen van Frankrijk en vanzelfsprekend ook door de vrijmetselarij.'

'En dat is nu allemaal weer verdwenen?'

'Nee, er bestaat nog een Egyptische ritus, de Memphis-Misraïm, die nog steeds inwijdingen verricht. Maar aan het begin van het keizerrijk was Egypte een ware rage. Daar is niets bijzonders aan. Ik kan niet geloven dat deze papieren de reden zijn voor de moord op uw vriendin. Ze zijn waardeloos.'

Jade aarzelde.

'Dat is niet wat ze me in Rome vertelde. En waarom dan die reis naar Jeruzalem op kosten van jouw obediëntie?'

'Ik zie haar promotor, Jouhanneau, binnenkort. Ik zal het hem vragen. Weet u zeker dat u niets vergat toen u de papieren meenam? Heeft Sophie niets speciaals gezegd toen ze erover vertelde?'

Verstrooid rommelde de Afghaanse met de verspreid liggende papieren.

'Nee, dit is alles. Ik dacht echt dat ze je op een geniaal idee zouden brengen, het soort van geheime formule die alleen maar door een vrijmetselaar ontcijferd kan worden, en die ik niet zou begrijpen. En die oude freak, is die niet wat? Du Breuil. Een mooie inheemse naam, even wat anders dan Zewinski. Was hij van adel?'

'Nee, hij was een burger die zich tijdens de Revolutie had verrijkt. Hij had grond gekocht in...'

Marcas begon ook in de papieren te rommelen. Zijn handen raakten die van Zewinski.

'... in Plaincourault, vlakbij Châteauroux.

Bruusk trok Jade haar hand terug.

'Je meent het niet!'

'Jawel, waarom?'

'Die naam!'

De Afghaanse haalde gejaagd adem.

'Ik heb de papieren opgeborgen in mijn kluis waar een elektronisch codeslot op zit. Sophie vroeg me of ik de code niet voor een nachtje kon veranderen. Ik heb haar nog uitgelachen over haar paranoia, maar ze was zo ongerust bij het idee dat iemand anders hem zou openmaken dat ik toegaf. Zij koos het woord...'

'Vertel me niet dat...'

'Ja, het was de naam van dat dorp. Ik zei nog dat de toegangscode vijftien letters moest hebben. Dat vond Sophie interessant om te horen!'

Marcas fronste zijn wenkbrauwen, er klopte iets niet. Hij nam het papier van vrijmetselaar Du Breuil en telde de letters. Mismoedig schudde hij zijn hoofd.

'Er is ergens een fout. Plaincourault heeft maar dertien letters!'

Zewinski keek hem nadenkend aan, nam een pen en schreef de naam van het dorp op een stukje papier.

'Toen Sophie haar code samenstelde, schreef ze de naam als *PlainT-courRault*. Ze voegde er een T en een R tussen. Volgens haar was dat de oorspronkelijke schrijfwijze.'

'Welke schrijfwijze dan?'

Jade stotterde: 'Die van de orde van de tempelridders. De Tempeliers.'

Antoine lachte even.

'Hallo! Ik dacht al, waar blijven ze!'

Vervolgens verzonk hij in gedachten.

Jade keek hem belangstellend aan. 'Is er wat?'

'Iets in dit manuscript zit me dwars.'

'Wat?'

'Bekijk deze zin eens: "Slechts het schaduwritueel leidt de neofiet naar het licht."'

De commissaris kreeg een starende blik.

'*Schaduwritueel*. Die uitdrukking bevalt me niet. Er gaat iets verderfelijks van uit.'

28

Parijs,
Avenue Montaigne

De hal van het hotel gonsde van de stemmen, een horde fotografen stond er al een uur te wachten op de aankomst van Monica Bellucci voor de lancering van haar nieuwste film. Bij uitzondering werd bij de ingang van de Plaza Athénée gecontroleerd door drie bewakers die de grootste moeite hadden met het bedwingen van de massa fans, die de vorige dag hadden gehoord dat de vedette zou komen. Béchir vloekte toen hij de meute zag die de ingang versperde en baande zich met moeite een weg.

Aan de bewaker vertelde hij dat hij een zakenafspraak had in de bar en aangezien hij er niet uitzag als een filmfan werd hij doorgelaten.

'Ga naar de Plaza Athénée en vraag Tuzet de sleutels van zijn Daimler.' Het mailtje van Sol was nogal raadselachtig. Béchir wrong zich tussen de fotografen door naar de receptie om navraag te doen naar zijn contactpersoon, maar nog voordat hij de balie bereikte had hij die al gevonden. Een bord bij de ingang van de bar kondigde het optreden aan van JB Tuzet, een Franse crooner die samen met zangeres Manuela, 'onze gastvedette', klassiekers van Sinatra, Dean Martin en andere legendarische entertainers zou brengen. Een crooner als contactpersoon, waarom ook niet...

Het optreden zou over een halfuur beginnen. Hij vroeg een hostess waar hij de zanger kon vinden. De bevallige blondine wees glimlachend op een donkerharige man die in de bar stond, in gezelschap van een beeldschone kleurlinge met strak weggetrokken haar. Béchir bedankte haar en liep recht op de man af, gehaast als hij was om die vervloekte steen kwijt te raken en uit beeld te verdwijnen. Hij zag nog het verwrongen gezicht van de man in de trein op het moment dat hij ineenzakte en hij wilde niet ook zo eindigen.

De twee artiesten stonden samen in de bar te repeteren. Het meisje deed of haar champagneglas de microfoon was en zong gedempt.

Gone my lover's dream
Lovely summer's dream
Gone and left me here
To weep my tears into the stream...

De crooner keek met glanzende ogen naar de vrouw in de zwarte satijnen avondjurk. Met mistige blik viel hij vervolgens *a capella* in met 'Willow Weep For Me', een hit uit de jaren vijftig: '*Sad as I can be, Hear me willow and weep for me...*'

JB Tuzet vocaliseerde vloeiend, met een glas bourbon in de linker- en de vingers van het meisje in de rechterhand. Hij zette het net genoeg aan, hoewel een tikje gekunsteld. Béchir was niet van plan te blijven luisteren tot hij was uitgezongen.

'Sorry dat ik uw gekweel verstoor, meneer Tuzet, maar ik moet u iets zeggen...'

De zanger keek kribbig om en monsterde hem hooghartig van top tot teen.

'Jongen, ik ben nog niet zover, bel me over honderd jaar nog eens.'

Hij wendde zich weer tot het meisje.

'Het spijt me, Manuela, de mensen zijn tegenwoordig zo onwellevend, ik...'

Béchir onderbrak hem, met iets meer dreiging in zijn stem:

'De sleutels van je Daimler, Tuzet.'

Op slag veranderde de afkeuring op het gezicht van de crooner in een stralende glimlach.

'Had dat meteen gezegd. Wacht even. Manuela, geef me twee seconden, liefje, ik ben zo weer terug.'

Nog altijd breed lachend trok de crooner hem mee de bar uit en naar de lift naast de receptie. Hij liet een wachtend Duits echtpaar voorgaan en bleef, Béchirs arm omklemmend, stokstijf staan. Zijn glimlach was verdwenen.

'Verdomme! Je had gisteren moeten komen. Ik heb na de voorstelling uren op je staan wachten.'

Béchir rukte zijn arm los en zei kortaf: 'Ik ben jou geen verantwoording schuldig. Hier is het pakje en daarmee is mijn werk gedaan.'

De Palestijn wilde het pakje tevoorschijn halen, maar de zanger hield hem zenuwachtig tegen.

'Nee, niet nu. Hier zijn de sleutels van mijn Daimler, hij staat in de parkeergarage, naast de goederenlift. Leg het pakje in de kofferbak en geef de sleutels af bij de receptie. Wij zorgen voor de rest.'

Er ging een alarm af in Béchirs hoofd. Die regeling beviel hem helemaal niet, hij hield niet van parkeergarages, zelfs niet die van luxehotels. Hij wilde ze tenminste van tevoren kunnen checken. Hijzelf had al twee mensen omgelegd in een parkeergarage, het was een ideale plek om iemand ongezien uit te schakelen. Misschien werd hij een beetje paranoia, maar een inschattingsfout zoals die in de trein kon hij zich niet meer veroorloven. Sinds zijn aankomst in Parijs leefde hij met het spookbeeld een dodelijke vergissing te maken.

'Het spijt me, JB, ik ga niet naar de garage. Neem je pakje aan en zeur niet. Over een kwartier moet je op, je mag je publiek niet laten wachten.'

'Maar, ik mag niet... Het is een uitdrukkelijk bevel.'

'Mijn rug op met je bevelen, ik heb mijn werk gedaan.'

Zonder het antwoord af te wachten duwde Béchir hem, alsof het vuilnis was, de plastic zak met de steen van Thebbah in zijn handen. Hij lichtte zijn hielen en liet de woedende crooner staan met het tasje bungelend aan zijn afhangende arm. Béchir had nog maar één wens: het hotel verlaten en opgaan in het niets.

Zeker weten dat de zanger niet Sols enige werknemer was. Als hij in Amsterdam drie moordenaars had kunnen oppiepen, kon hij dat vast ook in Parijs en misschien zelfs in dit hotel. Hij maakte zich geen enkele illusie, het feit dat hij zich had laten schaduwen door een onbekende betekende voor Sol een onaanvaardbaar veiligheidsrisico. Zo zou Béchir in zijn plaats hebben geredeneerd.

Hij wierp een blik op de lift, waar een man met het postuur van een verhuizer bij Tuzet was komen staan en dreigend in zijn richting keek. Hij droeg net zo'n ring als de nep-Jood in de trein.

Béchir kwam in actie, hij moest wegwezen uit die slangenkuil, en gauw ook! Eén prikje met die ring en hij zou in dit hotel creperen zonder dat iemand ooit te weten kwam wat er met hem aan de hand was. Schuimbekkend sterven in het Plaza Athénée, wat een chic einde...

Hij liep naar de draaideur. De man in een grijs pak die naast de uitgang had gestaan, kwam op hem af terwijl hij blikken wisselde met de twee anderen.

Béchir zat klem.

Ineens liet de menigte buiten het hotel van zich horen; bij de ingang barstte een hysterisch gegil los. De fotografen die tot dan toe kalm hadden staan wachten, stortten zich met een verbijsterende snelheid naar de deur en liepen alles en iedereen omver.

Monica, Monica, Monica.

De menigte was uitzinnig. De flamboyante Italiaanse verscheen omringd door twee lijfwachten en drie druk telefonerende assistentes. De handlanger in het grijze pak liet zich overrompelen en werd opzij gedrukt door een van de lijfwachten van de ster. Béchir profiteerde ervan door een meisje uit het gevolg van de actrice omver te duwen en naar buiten te sprinten. Alles ging razendsnel en in gedachten bedankte hij de mooie Italiaanse.

De bewakers hadden hem doorgelaten, maar nu stond hij tegenover een horde gillende fans, die allemaal hun fototoestellen omhooghielden. Het was een muur van mensen. Hij keek om, de twee waakhonden waren nog in het hotel, maar probeerden hem in te halen. Hij had maar een minuut voorsprong. Hoogstens.

Hij haalde diep adem en stortte zich als een getergde stier in de massa. Een jongen die op de eerste rij stond te joelen, kreeg een stomp in de maag en klapte dubbel als een natte dweil. Béchir deelde links en rechts elleboogstoten uit en trapte op tenen van fans wier pijnkreten opgingen in het hysterische gejuich. Binnen twintig seconden was hij door de kudde heen. Maar hij was nog niet veilig, de anderen volgden hem op de voet.

Hij holde naar de overkant van de avenue Montaigne en drukte zich plat tegen een koetspoort tussen twee lantaarns, in een nis die net diep genoeg was om hem te verbergen voor zijn achtervolgers. Die hadden zich ook door de menigte heen gebokst en stonden rond te kijken of ze Béchir nog zagen. De man in het grijze pak keek in zijn richting, maar ontdekte hem niet.

Béchir haalde opgelucht adem. Tien seconden later en ze hadden hem gezien. Nu kon hij zich een tijdje gedeisd houden en dan stilletjes verdwijnen.

Plotseling werd de poort hel verlicht. Zijn hart sloeg over, hij stond levensgroot in de schijnwerpers. Uit de luidspreker, op tien centimeter van zijn hoofd, klonk een blikken stem.

'Meneer, bent u bewoner of bezoeker?'

Béchir begreep het toen hij boven de deur van het huis een infraroodcamera zag hangen. Die had zijn aanwezigheid opgepikt en doorgegeven aan de beheerder. Ter voorkoming van inbraak werd het systeem meer en meer aangebracht in luxueuze appartementsgebouwen.

De stem werd dreigender.

'Als u geen reden hebt om hier te staan, wordt u verzocht door te lopen. Anders waarschuw ik de politie.'

'Ik doe niets, ik sta gewoon op vrienden te wachten.'

'Dan moet u op het trottoir wachten, u staat hier op privéterrein. Dit is de laatste waarschuwing.'

Voordat hij nog iets kon zeggen, zag hij aan de overkant van de avenue een van zijn belagers naar hem wijzen. Te laat.

Hij holde langs de modewinkels in de richting van de Champs-Elysées, omdat daar meer mensen liepen. De andere kant uit, naar de pont d'Alma toe, was het om deze tijd minder druk en hij zou bovendien kostbare tijd verliezen als hij door de stroom auto's moest oversteken.

Hij kreeg ademnood. Dit tempo konden zijn benen niet veel langer volhouden en de mannen van Sol zouden hem te pakken krijgen. Zijn keel kneep zich dicht, zijn speeksel smaakte wrang, de aderen in zijn hals bonkten alsof ze de druk van zijn opgejaagde bloed niet meer aankonden. Zijn jarenlange training had geen effect meer, zijn lichaam kon deze te grote inspanning niet meer aan.

Hij holde voorbij grote namen: Cerruti, Chanel, Prada, en liep bijna een groep meisjes omver, waarschijnlijk leerling-mannequins. Hij had nog driehonderd meter te gaan tot aan de Champs-Elysées bij het Rond-Point Marcel Dassault.

Zijn beter getrainde achtervolgers waren overgestoken. Ze liepen nog maar vijftig meter achter Béchir en waren hem duidelijk aan het inhalen.

De Palestijn besloot van trottoir te veranderen en stak bij een groen licht de avenue Montaigne over in tegenovergestelde richting. Hij vergrootte er zijn voorsprong een beetje mee, want de twee mannen konden niet direct oversteken en moesten een seconde of vijftien wachten.

Béchir kwam uit net voor de ingang van restaurant l'Avenue, waar het bomvol zat met topmodellen, actrices en bekende televisiefiguren. Op de hoek van het restaurant veranderde hij van richting, liep terug de rue François-Ier in en sloeg meteen rechtsaf naar de rue Marignan, die weer uitkwam op de Champs-Elysées. Zijn enige hoop was nog dat hij daar een taxi zou kunnen aanklampen, maar dat kon hij snel vergeten. Het verkeer zat muurvast.

De mannen begonnen hun achterstand weer in te lopen tot ze op een meter of twintig achter hem waren. Na een minuut die hem een eeuwigheid leek, bereikte hij eindelijk de grote avenue weer.

De trottoirs zagen zwart van de toeristen, maar er liepen ook veel rijke gezinnen uit het Midden-Oosten. Mensen uit de Golfstaten hadden in deze wijk honderden appartementen en zelfs hele appartementsgebouwen opgekocht. Béchir liep drie zakenmannen omver die stonden te kijken naar het schaars geklede meisje op een affiche voor de Ponk, een stripteasetent in de buurt. In volle vaart passeerde Béchir het aanplakbiljet. Hij las er een teken van Allah in dat hij gered zou worden en dat hij de belagers kon kwijtraken, die nu vlak achter hem liepen.

Béchir kende de Ponk goed en wist hoe het er vanbinnen uitzag. Toen de club net geopend was in 1999, had hij enkele weken in Parijs doorgebracht en ging hij om met een Russin, Irina, die er als bijverdienste stripte.

Het was striptease op niveau voor een chique clientèle, geen vergelijking met wat je te zien kreeg bij Pigalle. Hij zocht haar soms op als hij in de stad was en dan neukten ze de sterren van de hemel in de privékamers van de club. Een liefhebberij die niet erg op prijs gesteld werd door de directie. Béchir herinnerde zich dat er vanuit een van de kamers een nooduitgang was.

In principe ideaal om de mannen van Sol af te schudden.

Het was ook de enige redding.

Monica Bellucci had hem in het hotel respijt gegeven, een stripper kon hem verlossen.

Voor de stoplichten op de Champs-Elysées gromden de automotoren, de bestuurders hadden het groene mannetje voor de voetgangers rood zien worden, de avenue werd weer vijandelijk gebied voor weggebruikers zonder wielen.

De rij auto's op weg van de Etoile naar de Concorde kwam in beweging. Béchir spurtte naar de middenberm, halverwege het trottoir aan de overkant. Het was net zo'n manoeuvre als in de rue Montaigne, maar gevaarlijker. De Champs-Elysées was drie keer breder, in elke richting reden er drie rijen auto's en de kans om aangereden te worden was drie keer groter, te meer daar de Parijse automobilisten geen enkel geduld hadden met voetgangers en helemaal niet op de grote verkeersaders.

Een motorrijder remde krijsend op dertig centimeter voor hem, een bus die net optrok stopte abrupt en een claxonconcert vervloekte Béchir die heelhuids kon vluchten op de smalle veiligheidsstrook voor voetgangers die bekneld raakten tussen de rijen auto's.

Het was ook een prima plek voor toeristen om er te poseren voor een foto met de Arc de Triomphe op de achtergrond. Met zijn handen tegen zijn zijden gedrukt bleef Béchir er even uithijgen. Beschermd door het voorbijrazende verkeer zag hij zijn achtervolgers op het trottoir dat hij dertig seconden tevoren had verlaten.

De grootste van de mannen keek lachend naar hem en wuifde alsof hij een verloren gewaande vriend terugvond. De ander zette wrevelig een voet op het asfalt maar deinsde geschrokken weer terug voor het verkeer.

Béchir keerde hun de rug toe en schatte hoeveel tijd hij nodig had om aan de overkant en naar de Ponk te komen, die aan het eind van de rue de Ponthieu lag, op hoogstens vier minuten. Maar hij kon het rode licht niet afwachten, want de twee mannen zouden precies hetzelfde doen als hij. Béchir wachtte tot het oranje werd, het moment waarop de meeste automobilisten vaart minderen en anderen juist optrekken om nog door te kunnen. Béchir bad dat hij die laatsten niet zou tegenkomen, want dan zou hij worden geschept en kwam er een bruusk einde aan zijn loopbaan.

Maar hij had geen keuze.

Aan de overkant fonkelden de lichtreclames van de winkels, bioscoopaffiches prezen spectaculaire avonturen aan, terwijl hij elk moment vermoord kon worden.

Hij had altijd gedacht dat zijn lot beklonken zou worden in Palestina of in elk geval in het Midden-Oosten en nooit dat hij op de Champs-Elysées zou moeten rennen voor zijn leven.

Het licht sprong op oranje. Dit was het moment.

Béchir wierp zich tussen de auto's die nog een paar meter probeerden op te schuiven. Hij stootte zijn knie tegen het portier van een grijze metallic cabriolet, maar bleef ondanks de stekende pijn doorhollen.

Een scooter die voor hem moest uitwijken, slipte en klapte op een dubbelgeparkeerde bestelwagen. Claxons begonnen te loeien, maar hij had het trottoir al bereikt. De mannen achter hem hadden de dolle wedloop ook hervat, maar met een lichte achterstand.

Béchir zigzagde tussen de mensenstroom door en sloeg in volle vaart de rue du Colisée in. Hij rende over de straat, het trottoir was te smal en de menigte te dicht. Na tweehonderd meter kwam hij op de kruising met de rue de Ponthieu, met de mannen van Sol die begonnen in te lopen op vijftig meter achter zich.

Zijn polsslag liep op, zijn beenspieren brandden alsof zijn bloed een bijtend zuur in zijn aderen loosde. De ingang van de club was nog maar een meter of tien. Hij hield op met rennen.

Hij kon moeilijk bij de uitsmijters komen alsof hij door de finish van een marathon brak. Daar waren de toegangseisen te strikt voor. Klanten van stripteasetenten hadden weliswaar haast om binnen te komen, maar niemand deed dat hollend.

In zijn zak vond hij nog een papieren zakdoekje waarmee hij zijn bezwete gezicht afveegde en resoluut liep hij naar de ingang van de club. Zijn achtervolgers kwamen net de rue de Ponthieu in hollen en minderden vaart toen ze hem bij de club zagen. Een zwarte met een kaalgeschoren hoofd, in een double-breasted pak met een das, liet hem glimlachend doorgaan en wenste hem een prettige avond.

Opnieuw dankte Béchir Allah voor de ingeving om voor zijn afspraak in de Plaza zijn Cerruti-pak aan te trekken. In zijn Amsterdamse outfit zou hij zeker niet zijn binnengekomen.

Zijn hart bonkte nog van de race en hij had moeite om normaal adem te halen. Zijn longen probeerden zich aan de verandering aan te passen en zijn hoofd barstte bijna door de druk van het bloed.

Hij liep de trappen af die uitkwamen op een lange gang met rode gordijnen. Een rij witte spotjes in de vloer wees de klant de weg naar de middenruimte van de club. Hij haastte zich om niet te worden ingehaald, biddend dat de privécabine van zijn keuze nog vrij was. Om acht uur 's avonds moest het lukken; het was nog vroeg en het zou nog niet druk zijn.

Zijn hoop vervloog toen hij in de grote zaal kwam. Het was er stampvol keurig geklede mannen en enkele vrouwen in mantelpak, die aan tafeltjes zaten rond een glazen podium met twee tot aan het plafond reikende metalen palen. Afgeladen vol op een gewone donderdag... Hij begreep waarom toen hij op een tafel bij de deur de stapel flyers zag. ELKE DONDERDAG, AFTER WORK-AVOND, VOOR VIJFTIEN EURO. Op andere dagen was de toegang tien euro duurder.

Hij liep naar de bar. Muziek die was gesampled door dj Dave, tevens een van de eigenaren van de tent, stroomde uit ontelbare in de muren verborgen luidsprekers.

Lichtjes heupwiegend op de muziek daalden twee blondjes in paarszwarte avondjurken de trap af naar het podium. Andere animeermeisjes in diverse uitvoeringen, zwart, bruin, rood, bewogen zich zo bevallig mogelijk tussen de tafels van de klanten.

Béchir herinnerde zich dat Irina hem ooit had verteld dat de *Table Dance* een uit Miami geïmporteerde specialiteit is. Fransen kennen dat niet en het onder handbereik hebben van borsten en billen die ze niet mogen aanraken frustreert ze ontzettend.

Béchir zag drie kleerkasten in donkere pakken tegen de muur leunen, alle drie met een onopvallend oortje in, klaar om in te grijpen als een klant handtastelijk zou worden bij het vrouwelijke personeel. Een van hen had hem en Irina betrapt toen hij haar in een privékamertje aan het liefkozen was.

De richtlijnen waren nog strikter geworden sinds agenten voor al te ondernemende klanten hadden gespeeld om te controleren of de club niet een chic bordeel verborg. Vriendinnen van Irina klusten buiten werkuren soms wat bij met stamgasten, maar de meeste meisjes hielden zich aan de regels. Ze werden betaald volgens het aantal uren dat ze op tafel of in een van de salons stripten.

Van de veertig euro die de klant betaalde voor een privéshow van vijf minuten, kregen zij de helft. De meest gevraagde meisjes verdienden tussen de twee- en driehonderd euro per avond. Dat is ongeveer een derde minder dan wat een escortgirl verdient, maar omgerekend is het een bovenmodaal maandsalaris van een leidinggevende bij een grote onderneming.

De strippers werden niet betaald in euro's, maar in biljetten van het huis die de klanten konden kopen bij een hostess.

Een lange elegante brunette in een nauwsluitende zwarte japon kwam stralend glimlachend op hem af. Waarschijnlijk een Italiaanse die vaag leek op een actrice wier naam hij vergeten was.

'Hallo, ik ben Alexandra, zoekt u een tafel of blijft u liever aan de bar?'

Fout. Béchir had gedacht dat ze een stripper was, het had ook best gekund, maar het meisje bleek maar een hostess te zijn. Een begrijpelijke vergissing. Als het niet hun beurt was om op het podium te staan liepen de animeermeisjes glamorous gekleed tussen de tafels door om hun diensten aan te bieden.

'Ik wil een privésalon. Eigenlijk die rechts van de bar.'

'Het spijt me, die is bezet en ik geloof dat er nog twee andere klanten voor u zijn.'

Béchir zag ineens de twee handlangers van Sol die waren binnengekomen. Ze hadden hem nog niet ontdekt, maar dat zou niet lang meer uitblijven. Hij duwde de hostess een briefje van honderd euro in de hand en wees haar een meisje aan.

'Regel die salon voor me en dat meisje dat op Angelina Jolie lijkt. Die twee knapen die net binnenkomen werken trouwens voor de concurrentie. Als ik jou was, ging ik gauw de directie waarschuwen.'

De jonge vrouw keek hem verrast aan, maar nam het biljet aan.

'U moet wachten tot de salon vrijkomt, ik mag een nummer niet onderbreken, maar ik zal u laten voorgaan. Haal vast uw kaartjes, ik kom zo weer bij u.'

Het is nu of nooit, dacht Béchir. De kerels hadden hem gezien en kwamen langzaam dichterbij, een van hen speelde met zijn zegelring. Het was duidelijk dat Sol zijn doodvonnis had getekend, een beetje gedrang nu en het was met hem gedaan. Instinctief drukte hij zich tegen de muur. De mannen liepen recht op hem af over het rozepantertapijt; ze waren nog maar vijf meter bij hem vandaan. Ze moesten alleen nog rond een tafel met vrolijke klanten en ze waren bij hem. De dikste van de twee had een snee onder zijn oog en zweette als een os, de andere hinkte achter hem aan.

Béchir keek naar de naar buiten gedraaide ring rond de worstvinger van de dikke, wiens blauwe oogjes hem niet meer loslieten.

Wanhopig keek hij naar de nog altijd bezette salon achter het kralengordijn. Hij haalde hortend adem, hij stond met zijn rug tegen de muur.

De kerels stonden op twee meter bij hem vandaan, hij zat in de val.

Zijn vechtlust had hem verlaten. Doodgaan in een stripteasetent... Béchir vond het verbazend ironisch. De oelama's beloofden de ware strijders voor het geloof een hemel vol met maagden. En hij zou de geest geven omringd door prachtige, halfblote vrouwen en na zijn dood wakker worden in het rijk van hoeri's die alles zouden doen wat hij ze vroeg... als Mohammed niet had gelogen.

De dikke was bijna bij hem, toen er een krachtpatser tussenbeiden kwam. Béchir kon niet eens meer de zaal zien, de rug van de gorilla benam hem het uitzicht, hij zag alleen de uitgeschoren nek vlak voor zijn ogen.

De hostess had toch haar directie gewaarschuwd en drie bewakers omringden de mannen van Sol met het beleefde doch dringende verzoek om op te hoepelen.

De moordenaars zagen in dat een confrontatie zinloos was en dropen af. De dikke gaf Béchir een teken door op zijn horloge te tikken en naar de uitgang te wijzen. De boodschap was duidelijk, ze zouden buiten wachten.

De hostess kwam bij Béchir staan.

'Het is geregeld, uw salon is vrij en Marjorie verwacht u. Hebt u genoeg tickets? Bedankt dat u ons waarschuwde. De indringers zijn verwijderd en de directie biedt u een glas champagne aan.'

'Bedankt. Nog één vraagje: ben je Italiaanse?'

Het meisje glimlachte.

'Nee, ik kom uit Tel Aviv. Prettige avond verder.'

De Palestijn onderdrukte een lachje, hij was gered door een Jodin. De voorzienigheid had gevoel voor humor.

'Dan kom je uit een prachtig land, shalom.'

Béchir kocht tickets en betrad de kleine salon, waaraan hij dankzij Irina zulke goede herinneringen bewaarde. Hij zag direct het lampje boven de nooduitgang. De kloon van Angelina zat braaf op hem te wachten, gereed om haar nummer te beginnen. Hij gaf haar zijn tickets. Ze liet een van de bandjes van haar laméjurk zakken. Hij nam nog even de tijd om de zware, gulle borst die ze onthulde te bewonderen en stapte opzij.

'Schatje, ga zo door en stoor je vooral niet aan mij. Ik ben op doortocht. Ik heb wel zin, maar geen tijd.'

Nagekeken door het stomverbaasde meisje, duwde hij de zware deur open die vanzelf weer achter hem dichtviel. Hij stond in een donkere gang die was volgestapeld met kratten met lege flessen. Naarmate hij verder weg liep, werd de muziek zwakker. Hij wist niet waar de gang heen voerde, maar hij zou vast wel ergens buitenkomen. Aan de richting te zien leidde de donkere schacht naar een galerij op de Champs-Elysées, evenwijdig aan de rue de Ponthieu. Hij duwde nog een deur open en bleef verblind door het licht staan.

Hij had gelijk gehad, hij stond onder de bogen van een galerij die uitkwam op de Champs-Elysées. Hij genoot van dat eerste ogenblik van vrijheid. Hij was weer eens aan de dood ontsnapt, de hoeri's moesten nog wat wachten. En die twee zultkoppen zouden blijven wachten tot sluitingstijd of in het ergste geval een hulpje naar binnen sturen om poolshoogte te nemen. Maar dan was hij al ver hier vandaan.

Hij overwoog even om een taxi te nemen naar het gare du Nord, om er zijn bagage op te halen, maar die optie was te gevaarlijk. Iemand had hem na zijn aankomst misschien naar de bagagekluizen zien gaan. Hij zou ook in een hotel in Parijs kunnen overnachten, maar hij voelde zich er niet meer veilig.

Hij besloot iets anders. Jammer van zijn koffer, maar die haalde hij later wel eens op. Hij kon nog net naar een ander station gaan en daar een nachttrein nemen naar om het even welke grote provinciestad.

Allah was groot en genadig voor zijn dienaren.

Opgelucht liep Béchir door de verlaten galerij, waar de rolluiken van de winkels al waren neergelaten. Het was nog maar vijftig meter naar de Champs. Kwiek doorkruiste hij het winkelcentrum.

Juist toen hij in het voorbijgaan een blik wierp op een Hugo Boss-pak in een etalage, explodeerde zijn hoofd.

Béchir zakte in elkaar, heel vaagjes zag hij een gezicht boven zich. Hij hoorde een mannenstem.

'Je dacht toch niet echt dat je ons kon ontlopen?'

Alles werd donker. Kwam dat door de klap? In zijn wanen zag hij de donkere steen van Thebbah. Die hing boven hem alsof hij hem ging verpletteren.

29

Grand Orient de France,
rue Cadet

Terwijl de Ceremoniemeester in de tempel de kaarsen uitblies, vouwde Marcas zijn Secretaris-cordon keurig op. Op het Voorhof stonden broeders in groepjes gedempt te praten. Beneden, in de vochtige kamer, vermengde het gerinkel van glazen zich met de blauwe rook van de eerste sigaretten.

'Zeg, Antoine, jij bent toch belast met het onderzoek naar de moord op die jonge zuster in Rome?'

Marcas keek verbaasd naar zijn buurman, die de Hamer des Gezags in een koffertje van donker leer borg. Het was de eerste keer dat zijn Achtbare Voorzittende hem iets vroeg over zijn politiewerk. En nog wel over een informeel onderzoek.

'Er ontgaat jou ook niets.'

'Werk je alleen aan die zaak?'

Antoine onderdrukte een grijns. De profanen hadden het goed als ze dachten dat vrijmetselaars altijd alles het eerste te weten kwamen.

'Ze hebben me een galeigenoot toegewezen. Een genote, liever gezegd. Wist jij dat?'

De Achtbare grinnikte. Al tien jaar was hij de leider van de broederkring bij het gerecht.

'Ik heb iets opgevangen over een kenau die stapelgek op je is, maar meer weet ik niet over haar. Ik kan je wel vertellen dat rechter Darsan door Binnenlandse Zaken is gestuurd om de zaak te volgen. Hij is niet bepaald een vriend van ons.'

'Wat bedoel je?'

'Hij staat bekend als reactionair. Maar volgens mij is hij eerder een anarchist.'

De schaterlach van de commissaris galmde door de zaal.

'Reactionair en anarchist! Leuke combinatie!'

'Laat maar. Luister, Antoine, maar daarom begin ik niet over die zaak. Straks zal ik je in de vochtige kamer voorstellen aan een van onze broeders. Hij komt speciaal om jou te ontmoeten. En omdat hij belangrijk is...'

'Als hij van het hoofdbestuur is...' begon Marcas.

'Erger, hij is de archivaris van onze obediëntie, Marc Jouhanneau.'

'Ben je gek? Die ontmoet ik morgen officieel! Wat doet hij hier?'

'Waarschijnlijk verkiest hij de vertrouwelijke sfeer van de loge. Hoe dan ook, hij praat binnen de getande rand. Je weet wat dat betekent. Dus je zet je meest broederlijke glimlach op, je luistert goed naar hem, en morgen kom ik bij je langs.'

De trap afdalend naar de vochtige kamer, bereidde Marcas zich voor op de kennismaking met de Groot-Archivaris. Oorspronkelijk bestond die functie niet in de Grand Orient, maar de laatste jaren hadden veel broeders belangstelling gekregen voor alles wat te maken had met het verleden van de Orde.

Er werd enorm veel onderzoek gedaan, heel wat loges in de provincie wezen iemand aan om de geschiedenis van hun werkplaats uit te pluizen. De Groot-Archivaris was een onmisbare broeder en een onbereikbare man geworden. En die man wachtte op hem.

Na de gebruikelijke plichtplegingen en de rituele accolade, ging Marcas naast de Groot-Archivaris zitten. Het was een vriendelijke, tengere man van onbestemde leeftijd. Hij droeg een smoking met een zwarte strik.

'Hoe vond je het bouwstuk van deze avond, broeder, niet bepaald jouw onderwerp, hè?' begon Marcas.

De archivaris gaf hem een mager glimlachje.

'Dat klopt, ik bemoei me zelden met politiek. En nog minder met politieke verandering. Maar gezien de toestand – opkomend extremisme, corrupt bestuur, sociale misstanden – vind ik...'

'Dat er iets gedaan moeten worden?' opperde Marcas.

'Maar om meteen een VIe Republiek uit te roepen, wat de spreker van zojuist wilde...,' zei de archivaris zorgelijk.

'Wat moeten we anders?' zuchtte Marcas. 'De mensen stemmen niet meer, de maatschappij wordt steeds onverdraagzamer, het geld maakt de dienst uit!'

'Ongetwijfeld, maar daarvoor ben ik niet hier, broeder.'

De nadruk op dat laatste woord, bracht Marcas tot zwijgen.

'Ik wil je spreken over zuster Sophie Dawes.'

Marcas zweeg afwachtend.

'Vertel me,' vroeg Jouhanneau haast fluisterend, 'of je het autopsierapport hebt gelezen.'

'Ik heb zelfs het lijk gezien.'

'Weet je wat dat betekent?'

'Jawel, dat een smeerlap een zuster van ons op rituele wijze heeft vermoord. Op dezelfde manier als volgens de legende Hiram werd omgebracht door zijn drie onwaardige gezellen.'

'*Een van hen sloeg hem op de schouder*.'

'*De ander op de hals*.'

'*En de derde op het voorhoofd*. Maar dat is nog niet alles. Je weet ook dat, hoewel er officieel geen onderzoek komt naar de dood van Sophie Dawes, het dossier wel wordt gevolgd door een rechter, Darsan.'

'Die heb ik al ontmoet.'

'Ik ook. Die man is een vreselijke snuffelaar. Hij heeft die verwondingen ook opgemerkt. En hij heeft een identieke moord ontdekt. In Israël.'

'Wanneer?'

'Drie dagen geleden. Een archeoloog die gespecialiseerd was in epigrafie. Hij bestudeerde net enkele oude teksten die bij opgravingen waren gevonden. En hij was ook een broeder. Een echte broeder.'

'Kan het geen toeval zijn?'

Jouhanneau keek grimmig.

'Hij is vermoord in dezelfde nacht als Sophie Dawes. En bovendien... was het de man die ze in Jeruzalem ging opzoeken.'

Weer een broeder die was vermoord volgens de rite van Hiram.

'Luister, broeder,' zei Marcas ernstig. 'Als je wilt dat ik de moordenaar van onze zuster vind, moet je me precies vertellen wat voor werk ze bij jullie deed.'

'Ze classificeerde archiefstukken die teruggekomen waren uit Moskou. De Sovjets hebben hun eigen systeem gehanteerd, naast dat van de nazi's. Elk dossier is dus twee keer beschreven. Omdat onze zuster Duits en Russisch kon lezen, kon ze controleren of er tussen die twee behandelingen geen documenten verdwenen waren.'

'Een routineklus?'

'Ja, behalve dat ze ontdekte dat er verschil was tussen de twee inventarissen. Het leek erop dat bepaalde documenten verdwenen waren nog voor de Sovjets de archieven in handen kregen.'

De commissaris fronste.

'Nou en?'

'We hebben een partij archiefstukken in handen gekregen die de Duitsers, gewild of ongewild, niet hebben geïnventariseerd. Nog nooit geopenbaarde documenten. Daar is ze voor vermoord.'

Marcas fluisterde: 'Weet je heel zeker dat dat verschil tussen de twee lijsten alles is wat onze zuster ontdekte? Dat het gewone archiefstukken waren? En als ze nog iets anders gevonden zou hebben, aan wie zou ze dat verteld kunnen hebben?'

Het gezicht van Jouhanneau stond gespannen.

'Ze had niet veel vrienden... Behalve die politievrouw...'

'Jade Zewinski?'

'Ja, die was... erg dik met Sophie. Ze had haar trouwens die documenten toevertrouwd. Zo hebben we ze weer teruggekregen.'

'Ik weet het, ik heb ze gezien. Zewinski heeft er een kopie van gehouden.'

Om hen heen begonnen de broeders aan het broedermaal, waarbij er druk werd gediscussieerd over het bouwstuk van de avond. Plotseling voelde Marcas een steek van wantrouwen.

'En jij, wat was jij voor Sophie?'

Jouhanneau glimlachte vermoeid.

'Heb je me al eens goed bekeken?'

Antoine beet op zijn lippen en hij herstelde zich.

'Maar wat heb je toch met die documenten? Er is niets bijzonders aan. Ik zie er alleen maar de overspannen fantasie in van een broeder die te veel met Egypte bezig was. Tussen de regels door heb ik zelfs een glimp van de Tempeliers opgevangen. Alsof het leven al niet ingewikkeld genoeg is.'

'Ze zijn wel bijzonder!'

Marcas verhief ineens zijn stem.

'... Je gelooft toch niet in die verhalen over de Tempeliers, hoop ik? Wat geen reden is voor moord, overigens.'

'Een geheim is wel een reden. Een geheim dat de tempel misschien ooit heeft bezeten.'

'Flauwekul!'

Nu schoot de stem van Jouhanneau uit: 'Wat weet jij daarvan?'

Een paar broeders keken op. De Groot-Archivaris ging zachtjes verder: 'Sophie had er een verslag over gemaakt. Helaas zat dat niet bij de papieren die Darsan me teruggaf.'

Onwillekeurig tastte Marcas in zijn binnenzak, maar om naar de loge te gaan had hij een ander pak aantrokken. Het handgeschreven memo dat Jade hem had gegeven, lag thuis.

'Leg het me uit...'

Jouhanneau zuchtte. Hij moest nu over de brug komen.

'Heb je die stukken gelezen?'

'Heel aandachtig. Geloof me maar.'

'Ik twijfel er niet aan. Dan heb je kunnen lezen dat broeder Du Breuil grond had gekocht in een gehucht in de Indrestreek, dat Plaincourault heet.'

'Die naam ben ik inderdaad tegengekomen.'

'Daar staat een kapel die werd gebouwd door de Tempeliers. Dat is het bewijs.'

De commissaris hing de onnozele uit.

'Ik snap er niets van. Het bewijs waarvan?'

Aan het hoofd van de tafel tikte de Achtbare met het mes tegen zijn glas. Het was tijd voor de toost. Jouhanneau keek gepijnigd.

'Du Breuil heeft het over een schaduwritueel en het bewijs heeft daarmee te maken. Ik moet weg. Mijn lever veroudert nog sneller dan de rest van me.'

Marcas legde een hand op zijn arm.

'Wat voor bewijs?'

'Ga naar Plaincourault, dan zul je het begrijpen.'

En hij stond op.

'Plaincourault,' herhaalde Marcas afwezig terwijl Jouhanneau een kaartje met het zegel van de Grand Orient voor hem neerlegde.

'Ik heb er mijn privénummer bij gezet.'

Zich overbuigend voor de rituele accolade, voegde hij er fluisterend aan toe: 'En denk erom, ze zijn overal.'

'Wie bedoel je?'

'Zij die Sophie en alle anderen hebben vermoord. Een organisatie die ons al heel lang achtervolgt en die uit is op een geheim dat alleen ons toebehoort.'

Marcas boog zich naar zijn buurman.

'Wie zijn zij?'

'Daar kom je snel achter. Voor de oorlog werden ze Thule genoemd, misschien hebben ze inmiddels een andere naam. Maar hun signatuur is dezelfde gebleven. Ze moorden altijd op dezelfde manier en ze willen dat het wordt geweten.'

Het gezicht van de commissaris verstarde. Hij aarzelde en gooide er toen uit: 'Luister, ik heb onderzoek gedaan in de moederloge van onze Italiaanse broeders. Daar zijn in 1934 en in 1944 net zulke moorden gepleegd. Maar in Frankrijk?'

Jouhanneau keek hem plechtig aan.

'Heel lang geleden heb ik hetzelfde onderzocht. Mijn vader is in Dachau op diezelfde gruwelijke manier vermoord. Hij had het Kwaad gekruist.'

De zesde moord, bedacht Marcas terwijl hij de Groot-Archivaris nakeek.

Toen hij buitenkwam voelde Jouhanneau zich vreselijk oud. Die Marcas zou het nooit redden. Hij had een krachtige steun nodig.

Er was maar één man die die kon geven.

Hij toetste het nummer van Chefdebien op zijn mobieltje in. Als de zakenman zich vrij kon maken zou hij een afspraak met hem maken voor morgen. Het was een pact met de duivel, want Chefdebien zou als tegenprestatie ongetwijfeld van hem vragen hem te steunen om Grootmeester te worden. Zijn gezicht vertrok bij de gedachte, maar het gevaar dat Thule vertegenwoordigde was te dodelijk.

30

Chevreuse

Béchirs mond voelde aan alsof hij een hap aarde had genomen, het proefde stoffig wrang. Zijn speekselklieren probeerden vergeefs de onaangename smaak te verdrijven.

Hij kwam met een ruk overeind.

Het was donker om hem heen en hij rook een schimmellucht vermengd met een andere, ranzige geur. Hij lag in een kelder, vol met kratten en omgevallen wijnrekken. Zijn hoofd deed pijn. Een handboei om een van zijn polsen zat vast aan een ijzeren staaf in de muur. Met zijn vrije hand tastte hij rond zijn oor en hij voelde een pijnlijke bult net achter zijn slaap.

Het was vochtig en koud in zijn cel.

Hij probeerde op te staan, maar zijn beenspieren weigerden dienst. Zijn vastgeklonken arm zou hem trouwens maar heel weinig bewegingsvrijheid hebben gelaten.

Hij viel terug op de smerige oude matras waarop zijn ontvoerders hem hadden achtergelaten. Stukje bij beetje kwamen de herinneringen terug. De klap op zijn hoofd in de winkelgalerij, de stripteasetent, de wedloop met de twee gorilla's, de crooner in het hotel...

Hij had zich als een beginneling laten pakken.

Het bloed begon weer te circuleren, in zijn voeten, kuiten en dijen, maar het voelde nog steeds alsof zijn benen bekneld zaten. De bittere smaak begon weg te trekken en het werd iets minder donker. Zijn pupillen begonnen aan de duisternis te wennen en hij ontwaarde op nauwelijks een meter voor zijn smerige bed een hekwerk dat het hok waarin hij gevangenzat, afsloot.

Hij probeerde nog eens op te staan en voelde een schrijnende pijn in zijn enkels. Hij merkte dat zijn benen tot kniehoogte waren omwikkeld met een staaldraad waarvan het uiteinde was vastgebonden aan een roestige ring in de vochtige muur. Ze hadden hem zijn schoenen en sokken uitgetrokken, hij was blootsvoets.

Béchir gaf het op. Het was slim gedaan, hoe meer hij trok, hoe strakker de draad kwam te zitten met het gevaar dat zijn bloedsomloop werd afgekneld. Toch raakte hij niet in paniek. Door zijn werk was hij gewend aan gevaar en hij was mentaal getraind om de angst die dergelijke situaties oproepen te bedwingen. Toen hij net begon, in de jaren 1980, was hij in Libanon ontvoerd door een dissidente Hezbollah-groepering, die hem onder vergelijkbare omstandigheden drie maanden had vastgehouden. Die ervaring had hem gehard.

Hij keek om zich heen in de hoop iets te vinden waarmee hij zich kon bevrijden, maar er lagen alleen enkele kapotte wijnflessen op de grond. Niets bruikbaars. Hij strekte zich weer uit op de matras.

Béchir begreep niet waarom Sol hem niet had laten vermoorden in de trein, maar hem eerst die steen naar het hotel had laten brengen. Die drie ncp-Joden hadden hem met hun gifring kunnen prikken, de steen meenemen en hem net als die stakker in de trein laten liggen schuimbekken. Waarom lieten ze hem naar de Plaza komen, als ze hem niet vertrouwden...

Waarschijnlijk zouden die vragen snel worden beantwoord; het had geen zin om nu zijn hersens te pijnigen.

Achter het hek naderden voetstappen. Béchir richtte zich op.

Hij zag twee mannen, maar hij kon hun gezichten niet onderscheiden. Een sleutel knarste in het slot en het hek ging langzaam open. Een van de mannen drukte op een door vocht aangevreten schakelaar en ontstak een aan het plafond bungelend lampje. Béchir knipperde met zijn ogen om aan het licht te wennen.

De andere man keek hem stralend en bijna hartelijk aan. Hij was een middelgrote zestiger, met een wat popperig gezicht en een dikke grijze hangsnor. De man droeg een linnen voorschoot. Hij zag eruit als een levensgenieter, de rode vlekken in zijn gezicht en het buikje duidden op een zwak voor lekker eten.

Béchir herkende de tweede man als een van zijn achtervolgers.

De man met de sympathieke snor kwam met een brede glimlach naast hem staan.

'Hallo, ik ben de tuinman. Wat is uw lievelingsbloem?'

Béchir keek hem niet-begrijpend aan. Hij dacht dat hij het verkeerd verstond en antwoordde: 'Wie zijn jullie? Maak me onmiddellijk los en zeg tegen Sol dat ik hem moet spreken.'

De vriendelijke man ging op het voeteneinde van de matras zitten en klopte op Béchirs vastgebonden kuiten.

'Rustig aan, jonge vriend. U hebt me nog niet geantwoord. Wat is uw lievelingsbloem?'

De vraag was zo misplaatst in die gore omgeving dat Béchir zich afvroeg of hij te doen had met een gek. Hij verhief zijn stem: 'Donder op met je bloemen, opa. Ga je baas halen.'

De snor bekeek hem mistroostig, alsof het antwoord hem teleurstelde.

Uit de zak van zijn voorschoot haalde hij een snoeischaar, hij maakte de sluitbeugel los waardoor een veertje de bek van het gereedschap wijd opensperde.

Nog altijd even stralend pakte hij Béchirs linkervoet en zette de schaar om een teen. De Palestijn schoot overeind.

'Hé, wat doe je daar...'

De levensgenieter schudde het hoofd.

'Ik heb je de waarheid verteld. Toch?'

Wat de man uitkraamde was zo absurd, dat Béchir zich in een gekkenhuis waande.

'De waarheid waarover? Ik begrijp er geen lor van...'

Zijn zin ging over in een gil van pijn. De snoeischaar deed onverwacht zijn werk en knipte de kleine teen af. Het stukje vlees viel op de grond en een straal bloed bevlekte het voorschoot van de folteraar.

'Ik vertelde je dat ik de tuinman ben. Een goede tuinman werkt alleen met goed gereedschap. Kom, laten we er geen nachtwerk van maken. Ik vraag het je nog een keer, mijn jongen. Wat is je lievelingsbloem?'

Béchir spartelde in zijn stalen boeien, maar daardoor spanden ze juist extra.

'Je bent stapelgek... Ik... Een roos...'

De tuinman krabde zijn schedel alsof hij het antwoord van de Palestijn wikte en schudde toen zijn hoofd.

'Verkeerd antwoord, vriend. Het is de tulp.'

Met chirurgische precisie scheidde hij weer een teen van de voet. Béchir krijste als een bezetene en verloor bijna het bewustzijn. De tweede man kwam bij het hoofdeinde staan en mepte hem keihard in het gezicht. Béchir slikte. De angst kreeg hem te pakken en verteerde hem als een bijtend zuur; het was erger nog dan de pijn.

'Alstublieft, stop, ik zeg alles wat u maar wilt.'

De tuinman kwam overeind en borg de snoeischaar in de zak van zijn voorschoot. Uit zijn andere zak haalde hij een pijp, die hij aandachtig begon te stoppen terwijl Béchirs bloed op de grond gutste.

'Alstublieft, ik bloed dood, doe wat om het te stelpen. Ik smeek u...'

De geur van karameltabak verjoeg de stank in het hok. De man nam een paar trekjes, zijn blik op oneindig.

'Ik ben de tuinman. Dat heb ik al gezegd, nietwaar?'

Béchir voelde hoe zijn bloed wegvloeide en hij met de seconde verzwakte. De zenuwen in zijn voet schreeuwden moord en brand, maar nog erger was dat hij besefte dat de pijn hem gek maakte en hij niet meer redelijk kon praten met zijn beul. Hij mocht hem niet kwetsen, hij moest hem gunstig stemmen.

'Ja... ik weet het nog... een mooi vak.'

Het gezicht van de folteraar klaarde op.

'Nou en of, maar dat zeg je toch niet om mij plezier te doen? Ik hoor het zo graag. Tegenwoordig heeft niemand meer waardering en respect voor ambachtelijkheid.'

Béchir voelde zich wegzakken, hij moest minstens een liter bloed verloren hebben. De hemoglobine verspreidde zich in fijne stroompjes steeds verder over de vloer.

De zwijgzame handlanger gaf hem opnieuw een paar kletsen in het gezicht. De tuinman ging weer op de matras zitten, haalde de snoeischaar tevoorschijn en legde die naast zich.

'Nee, nee!' huilde Béchir.

'Kom, kom. Kalm maar. We gaan je eens even goed verbinden om het bloeden te stoppen,' zei hij terwijl hij verbandgaas, watten, een flesje alcohol en verbandklemmetjes opdolf.

Met grote toewijding omzwachtelde de helper de gemartelde voet. Het bloeden hield op.

'Ik heb genoeg aarde voor mijn kleintjes. Vertel me alleen nog even of u niet toevallig drager bent van het aidsvirus of iets dergelijks? Dat is niet goed voor mijn planten.'

'Ik... begrijp u niet.'

De tuinman stond op en pakte de schop en de plastic zak die hij had meegebracht. Handig schepte hij de met bloed doordrenkte aarde in de zak.

'Kijk, een bevriende bioloog heeft me uitgelegd dat voor sommige planten bloed een uitstekende meststof is. Ik ben die theorie al enkele jaren aan het testen. En, onder ons gezegd, ik ben niet ontevreden over mezelf.'

Béchir verstijfde. Die griezel gebruikte menselijk bloed als kunstmest. Hoeveel stakkers had hij daarvoor al gemarteld?

'Eigenlijk was dat raadseltje over je bloem maar een plagerijtje. Ik zou die tenen toch wel hebben afgeknipt. Ik vraag dat altijd om het een beetje speelser te maken. En nu doen we het volgende: we laten je een beetje bijkomen, ondertussen ga ik mijn rozen verzorgen en dan kom ik weer terug.'

Béchir durfde niets te vragen uit angst hem te mishagen en nog een teen kwijt te raken. De tuinman gaf een vriendelijk tikje op zijn voet.

'Je hebt nog achttien vingers en tenen over, gebruik ze maar goed.'

De mannen gingen weg en sloten het hek achter zich. Béchir riep nog eens: 'Wat willen jullie toch van me?'

De tuinman nam hem op zoals je een dom kind bekijkt.

'Wat de anderen willen, weet ik niet. Ik moet honderd rozen verzorgen.'

Bedaard liep de man weg, maar keerde zich plotseling nog even om.

'Ik ben niet helemaal eerlijk geweest.'

De stem van de tuinman kwam tot Béchir als in een droom.

'Ik knip niet alleen tenen af. Maar het beste bewaar ik voor het laatste.'

Béchir gaf een schreeuw.

Op de hoger gelegen verdiepingen van het landhuis kon niemand de smeekbeden van de Palestijn horen. De geluidsisolatie en de landelijke rust van de omgeving zorgden er voor een gewatteerde stilte. Het kasteeltje van Plessis-Boussac in een mooie vallei ten zuiden van Parijs was het hoofdkantoor van de Franse vereniging voor de studie van minimalistische tuinen. De enkele belangstellenden en tuinliefhebbers die het telefoonnummer van de vereniging draaiden, kregen via een antwoordapparaat te horen dat ze tijdelijk niet bereikbaar was. Wie toch naar het kasteel kwam kon er achter de hekken de bewoners van het kasteel zien tuinieren of de gewassen verderop verzorgen. Het groepje vrijwilligers van de vereniging bestelden hun boodschappen bij de winkeliers van het naburige dorp en organiseerden elk jaar een open dag. De prachtige kassen van het kasteel, beroemd om hun uitheemse planten en de adembenemende collectie rozen, werden dan opengesteld voor het publiek.

De president van de vereniging was een befaamde rozenspecialist. Hij stond bekend als een levensgenieter en de dames van het plaatselijke Rode Kruis klopten nooit vergeefs bij hem aan. Iedereen in de buurt noemde hem 'de tuinman', wat hij enig vond. Hij was een Zuid-Afrikaan die in de jaren 1980 in de streek was komen wonen, nadat het kasteel was gekocht door natuurminnende investeerders uit verschillende Europese landen. Sommigen trokken zich af en toe een tijdje terug in dit liefelijke stukje natuur, waar de vervuiling nog niet had toegeslagen.

Het landgoed diende als pleisterplaats voor de leiders van de Orden en leden die op doorreis waren naar andere landen. Het was een van de minder belangrijke huizen van de Orden.

Op de eerste verdieping van een geheel gerestaureerde toren bevond zich de logeerkamer voor de genodigden. Het was een ruim vertrek, helemaal in empirestijl, gemeubileerd met een hemelbed en een prachtig gebeeldhouwd bureau.

Op het vloeiblad van het bureau lag op een roodfluwelen kussentje de donkere steen van Thebbah. Het zwart van de steen kwam extra goed uit tegen het rood.

Met ontzag bestudeerde Sol de steen. Eindelijk bezat hij hem en dat was het begin van een nieuw leven. Liefkozend betastte hij de steen, ging met zijn vinger over de eeuwenoude Hebreeuwse lettertekens en woog hem in zijn hand. Ondanks de hardheid ervan, leek hij te zijn bezield door een onbekend leven. Sol stond als gehypnotiseerd.

Hij verbrak de betovering en bekeek zichzelf in een spiegeltje op de rand van het bureau. Op zijn vijfentachtigste waren zijn fysieke krachten misschien wel afgenomen, maar zijn geest bleef ongebroken. Hoelang had hij nog te leven? Vijf, hooguit tien jaar, en misschien ook niet... Maar de toekomst zag er ineens heel anders uit; de tekst op de steen en de documenten die hij al zo lang had bewaard zouden hem bij de deur brengen waarachter een heel nieuw universum lag.

Hij streek zijn haar glad en trok de punten van zijn overhemd recht. Ergens in het kasteel klonk een dof gebrul, de motor van een tractor die naar buiten werd gereden. Het riep vage herinneringen bij hem op aan een ander land en een ander leven.

Sol keek in de spiegel en sloot zijn ogen; hij zag niet meer de oude man met wit haar, maar de zwierige SS Obersturmbannführer François Le Guermand. De jonge idealist die na zijn laatste nacht in de bunker van Hitler uitrukte voor een opdracht die zijn leven zou veranderen. Het waren de prachtige jaren 1940, toen het bloed nog in zijn aderen bruiste, toen hij een toonbeeld was van jeugd en kracht en hij hunkerde naar het ongewisse van de toekomst en de smaak van het gevaar. Een golf van nostalgie overspoelde hem.

In al die jaren van ballingschap in Zuid-Afrika en andere gastvrije landen, had hij de ontwikkelingen van de moderne samenleving gevolgd, maar hij had nooit meer de vervoering gevoeld van de jaren waarin zijn tweede vaderland Duitsland te vuur en te zwaard trachtte het machtigste rijk ooit te worden.

Het woord 'zwaard' bracht hem weer bij de werkelijkheid. De Palestijnse moordenaar die hij had ingehuurd had vast al kennisgemaakt met de snoeischaar van de tuinman. Zelf hield hij niet van martelen, al erkende hij dat het doeltreffend was. Het nummertje van de tuinman miste zijn uitwerking nooit, zelfs niet bij de meest taaie klanten. De absurditeit van zijn optreden, die combinatie van bruut geweld en onzinnige kletspraat, bracht zijn slachtoffers zo uit het lood dat ze in een onwaarschijnlijke onderdanigheid vervielen.

De tuinman had hem ooit zijn verzameling vingers en andere aanhangsels getoond, die hij bewaarde in bokalen met formaline. Achter in een kast stonden twintig van die potten met resten van mensen die hij had gefolterd. En dat was nog afgezien van wat hij had verzameld in zijn tijd als militair adviseur in Zuid-Afrika; hij had toen zoveel zwarten de vingers afgeknipt dat hij niet meer wist waar hij ze moest laten.

Sol probeerde altijd zijn weerzin te verbergen als hij de tuinman tegenkwam, wiens kwaliteiten als folteraar in de Orden alom werden geroemd. Minder poëtisch aangelegde leden noemden hem de 'snoeischaar', vanwege zijn uitgesproken voorkeur voor dat instrument en zijn behendigheid in het snoeien van rozen en ledematen.

Sol nam de steen van Thebbah nog eens in zijn handen en ademde diep in, alsof hij met de eeuwenoude ziel in contact wilde treden. Voldaan legde hij hem daarna voorzichtig weer terug op het scharlaken kussentje en kwam moeizaam overeind.

Over twee dagen ging hij weer terug naar Kroatië, maar voordien moest hij nog praten met Joana, die elk moment kon arriveren. Er ontbrak nog een stukje van de legpuzzel en dat stukje was in handen van de vrijmetselaars.

Hij haatte ze. Zijn SS-wapenbroeders bij het Thule-Gesellschaft hadden hem laten zien hoe wijdvertakt de boze invloed van deze wereldomspannende sekte is. Na de oorlog had het Thule-netwerk hem nog eens gered en hem vervolgens met een nieuwe identiteit in veiligheid gebracht in Argentinië en daarna in Paraguay. Zoals veel voormalige nazi's begon François Le Guermand aan een heel nieuw leven.

Hij trouwde en werd directeur van een fabriek van elektronische onderdelen, die eigendom was van een Ordenlid. Hij hield zich slapende, tot hij aan het einde van de jaren 1950 in actie moest komen om de coördinatie op zich te nemen van de Ordencel die de vrijmetselarij in het oog hield. Geleidelijk werd zijn rol belangrijker en uiteindelijk werd hij een spil in de organisatie. De kleine Fransman was de raadgever geworden van een Germaanse orde.

In de loop van al die jaren had hij de ontwikkelingen in de samenleving gevolgd, de Koude Oorlog, de maanraketten, de verwarring na de val van het communisme, de onvoorstelbare uitvindingen...

Zijn tweede leven voltrok zich als een droom, alsof hij daarvoor niet had bestaan. En nu, aan het einde van de rit gekomen, zou hij eindelijk afmaken wat hem het meeste bezielde.

Hem, François Le Guermand, was opgedragen om de vrijmetselaars opnieuw van hun diepste geheim te beroven. Van het zaad van de wereld. Een queeste was bijna voltooid.

31

Parijs

Mis. Jade richtte nog eens haar Glock-pistool, spreidde haar voeten om haar gewicht te verdelen en hield haar adem in. Ze haalde de trekker over. Met een snelheid van bijna honderd kilometer per uur vloog de kogel uit de loop en doorboorde de bovenarm van het zwarte silhouet op het karton. Weer mis. Ze had op de elleboog gemikt.

De training was afgelopen. Het was belabberd gegaan. Slechts twaalf van de twintig schoten waren goed, Jade begon de kunst te verleren. Het gekwelde gezicht van Sophie bleef haar achtervolgen. Het ergste was nog dat ze geen moment geloofde dat ze de moordenares van haar vriendin zou kunnen achterhalen. Hoe kon ze die vrouw vinden nu ze in Parijs was, terwijl de moord was gepleegd in Rome... Ze legde haar wapen en de oorbeschermer op de smalle rand van de box en gebaarde tegen de beheerder van de schietbaan dat ze wegging.

In de club kwam ze een ex-minnaar tegen, die bij de COS speciale operaties uitvoerde.

'Hé, Jade. Hoe gaat-ie?'

'Prima, ik kom net uit Rome, en hoe vaar jij?'

'Sst, dat is staatsgeheim!'

'Aansteller! Ik kon op tv zien wat er vorig jaar in Ivoorkust gebeurde. Er werd gezegd dat jij daar toen zat. Heb jij misschien de twee piloten van die Sukhoi-jet in Abidjan laten ontsnappen?'

'Geen idee wat je bedoelt, schat.'

'Toe nou! Net nadat de Ivoriaanse luchtmacht een basis van ons bombardeerden, waarbij negen Franse soldaten van de Force Licorne omkwamen.'

'Eerlijk niet...'

'Jammer dan! Ik had je kunnen vertellen door wie die twee Wit-Russische huurlingen werden vermoord in een bordeel in Boedapest.'

'Al zweer je geheimhouding, dan nog zeg ik niks.'

'Loop dan maar door! Maar bel me wel als je nog even in Parijs blijft.'

'Zal ik zeker doen. Ciao!'

Jade keek hem na toen hij naar de schietbaan liep. Ze benijdde hem. Ze miste de speciale opdrachten vreselijk en hoe meer ze erover nadacht, hoe meer ze eraan twijfelde of ze die politiebaan wel had moeten aanvaarden. Op het moment zelf leek het een goed idee, maar ze wist ook dat wraakgevoelens geen goede drijfveer waren. Sinds haar terugkeer in Parijs voelde ze zich ontheemd; toch woonde ze weer in haar eigen prettige flat die ze voor de duur van haar verblijf in Rome had uitgeleend aan een vriendin die historica was. Christine was even ingetrokken bij haar vriendje, zolang Jade in Parijs bleef.

De Afghaanse kon niet meer aarden in Parijs, ze had te lang gezworven... Na drie dagen kwamen de muren al op haar af in dat naargeestige kantoor in de rue Daru en in haar flat, die ze veel te krap vond. In Rome had ze honderdvijftig vierkante meter met uitzicht op het Colosseum.

Jade verliet de schietclub en stapte in haar auto. Het was gaan regenen en ze kon niet met open kap rijden. De dag begon al goed en ze besefte dat haar pesthumeur ook te maken had met Marcas. Als hij in haar buurt was, kreeg ze zin om hem te slaan. Zijn pedanterie en zijn gezeur over de geschiedenis van de vrijmetselarij hingen haar gruwelijk de keel uit. Maar als hij niet in de buurt was merkte ze tot haar eigen verbazing dat ze aan hem moest denken. Ze had zijn dossier ingekeken, wat hij waarschijnlijk met het hare had gedaan, en had gezien dat hij gescheiden was, dat hij alleen woonde en dat, behalve zijn werk, de geschiedenis van zijn Orde zijn enige passie was.

Niet echt opwindend. Hij zag er goed uit, maar ook weer niet zo goed dat vrouwen zich op straat voor hem omdraaiden; ze was benieuwd hoe hij er zonder kleren uitzag. Was zijn lijf echt zo slank of had hij een gespierde bouw? Het was bijna mannenpraat... Waarschijnlijk omdat ze voor haar werk de hele dag met mannen omging, taxeerde ze hen openlijk en ongegeneerd.

Ze had meteen de benen moeten nemen toen ze hoorde dat hij vrijmetselaar was; het was trouwens haar eerste reactie geweest.

Ze dacht terug aan die vreselijke dag in het jaar dat ze zeventien werd.

Ze had gespijbeld van school en ging naar huis om naar de nieuwste lp van The Cure te luisteren, die ze stiekem had gekocht. Haar moeder was arts en had die week een congres en haar vader was aan het werk in zijn groothandel in chemische producten.

Het belooft een prachtige dag te worden, een stralende zon beschijnt het bos. Zachtjes doet ze de voordeur van het stille huis open en gaat naar haar kamer, ze denkt dat er niemand thuis is. Plotseling hoort ze iets in de slaapkamer van haar ouders, aan het einde van de gang. Ze bevriest. Als haar vader haar ziet, zwaait er wat. Ze is stom geweest dat ze niet even heeft gekeken of zijn auto in de garage stond. Ze weet even niet wat ze moet doen. Als hij haar betrapt, kan ze het weekendtripje met haar vrienden naar Normandië wel vergeten.
En als het niet haar vader is, maar een inbreker? Ze raakt in paniek, sluipt naar haar kamer en verbergt zich in haar bed. Jade is nooit erg heldhaftig geweest. Er klinken voetstappen op de gang, vervolgens op de trap naar haar vaders werkkamer. Er loopt maar één persoon. Ze maakt zich klein onder haar lakens en bidt dat hij het is. Boven haar hoofd klinken weer stappen. Het is haar vader, ze herkent zijn manier van lopen omdat ze die 's avonds zo vaak hoort. Toch is ze nog niet helemaal overtuigd. Ze hoopt in elk geval dat hij gauw weer weggaat. Het gaat de laatste tijd niet zo best met zijn zaak, er zijn al twee deurwaarders komen aanbellen en ze heeft een gesprek tussen haar ouders afgeluisterd, die het hadden over een eventuele sluiting.
Jade wacht twintig minuten. Ineens wordt er geschoten boven haar hoofd. Ze springt het bed uit, stormt met vier treden tegelijk de trap op, gooit de deur open en ziet de gruwel.
Paul Zewinski hangt onderuit in zijn oude versleten clubfauteuil, zijn hoofd bungelt opzij, zijn ogen staan wijd open; op de vloer breidt een grote plas bloed zich uit. Ze schreeuwt het uit en vlucht naar buiten, het huis uit. Ze blijft door het bos hollen tot ze erbij neervalt. Als ze eerder uit haar bed was gekomen, had ze hem kunnen tegenhouden. Maar ze is te laf.

Een jaar later hoorde ze van de notaris dat een concurrent van haar vader met een rechter van de handelsrechtbank zou hebben samengespannen om de firma te liquideren om hem daarna voor een schijntje te kunnen opkopen. De notaris had erbij gezegd dat de twee schuldigen aan de dood van haar vader vanzelfsprekend vrijmetselaren waren. Ze wist niet wat dat wilde zeggen, maar dat nieuwe woord had voor haar een vreselijke klank. Ze kon zich niet losmaken van de gedachte dat haar eigen lafheid en die vrijmetselaren de oorzaken waren geweest van de zelfmoord van haar vader. Haar angst had ze overwonnen door een uiterst gevaarlijk beroep te kiezen, maar met die vrijmetselaren had ze nog een rekening te vereffenen.

Het hield op met regenen toen ze bij porte de Bagnolet de ringweg opreed. Ze had nog net tijd om met haar vriendin Christine te lunchen en dan naar kantoor te gaan, hoewel de gedachte aan die naargeestige plek haar somber maakte.

Toen ze Marcas alleen liet met de kopieën van Sophies documenten, had ze zich voorgenomen om wat meer te weten te komen over die Tempeliers over wie haar vriendin haar had verteld. Ze wilde vooral niets vragen aan de politieman die zo graag uitpakte met zijn kennis. De zoekterm 'Tempeliers' leverde op internet vierhonderdduizend treffers op, genoeg om de meest vasthoudende speurder te ontmoedigen. De enkele pagina's die ze wel had bekeken konden haar niet bekoren. Ze vond verhalen over verborgen schatten, geheimen die sinds Jezus Christus verloren waren gegaan, eeuwenoude samenzweringen, geheime genootschappen die de eeuwen hadden getrotseerd, onder wie... de vrijmetselaars. Jade gaf het op omdat het voor haar niet mogelijk was om waar van onwaar te onderscheiden. Alleen een specialiste als Christine, die werkte als consultant voor geschiedenisprogramma's op radio en televisie, kon haar helpen. De vrolijke, blonde en telegenieke Christine de Nief kwam uit een familie die lang in Egypte had gewoond en waarin verschillende culturen zich hadden vermengd.

Ze was wel erg beïnvloed door haar gecultiveerde en verfijnde moeder, maar door haar studie had ze een wetenschappelijke rigueur ontwikkeld. Ze was een ideale academica om Jade te vertellen over de Tempeliers, zonder de gebruikelijke onzin erbij te halen.

Jade arriveerde bij het trendy restaurant aan de porte d'Auteuil, dat populair was bij de rijkeluisjeugd uit de buurt en dat daarvan profiteerde door de prijzen te verhogen. Christine had het uitgekozen. Een van haar lichtelijk irritante tics was haar voorkeur voor adresjes waar je heen ging om gezien te worden.

De Afghaanse gaf de sleutels van haar MG aan de *voiturier* en stormde het afgeladen restaurant binnen. Ze liep de rij wachtenden voorbij en zag Christine die druk in gesprek gewikkeld was met een donkere man aan het belendende tafeltje, wiens gezicht haar niet onbekend voorkwam. Haar vriendin liet haar buurman in de steek en wenkte Jade met brede gebaren.

'Dag, lieverd, wat fijn je te zien. Waar zat je?'

'Op de schietbaan, de hele ochtend. Heerlijk.'

Ze keken elkaar even aan en gierden het uit.

'Ik merk dat je gevoel voor humor er niet op vooruit is gegaan. Maar ja, daarom houden we zo van je.'

Jade boog zich voorover en siste: 'Wie is dat stuk naast ons? Ik moet hem ergens van kennen, hè?'

Christine keek weer serieus.

'Herken je Olivier Leandri dan niet, de nieuwe presentator? Hij is trouwens nog een ex van me. Ik kan hem wel even aan je voorstellen. Het is een schatje.'

Jade glimlachte.

'Nee, ik wil iets anders. Dat je me vertelt over de Tempeliers.'

Haar vriendin keek verbouwereerd.

'Sinds wanneer interesseert geschiedenis jou?'

'Dat vertel ik nog wel. Laten we eerst iets te eten kiezen.'

De ober nam de bestelling op terwijl de twee jonge vrouwen aan een glas champagne begonnen.

'Wat wil je precies weten?'

'De grote lijnen en een paar details.'

Jade vertelde in het kort wat er in Rome was gebeurd en wat de vrijmetselaarsarchieven daarmee te maken hadden. Christine schetste haar het portret van de Tempeliers. Jade stak ervan op dat de orde in het begin van de twaalfde eeuw door negen kruisridders werd gesticht in Jeruzalem, op de ruïnes van de oude tempel van Salomo. Vandaar de naam 'Tempeliers'. In de volgende eeuwen verwierf de orde via een Europees netwerk van honderden commanderijen een enorme macht en fungeerde als bankier voor vorsten en vorstinnen. Tweehonderd jaar later, in 1312, kwam de orde ruw ten val. Onder druk van de Franse koning Filips de Schone werd de orde door paus Clemens opgeheven, waarmee hij de deur openzette voor een bloedige vervolging van de ridders. Commanderijen werden gevorderd, bezittingen in beslag genomen, ridders gevangengezet en gemarteld, en de naam werd uitgewist. Natuurlijk inspireerde dat dramatische einde tot de meest dwaze veronderstellingen, die een onuitputtelijke bron van inspiratie vormden voor de legioenen liefhebbers van geheimzinnigheid en goedkope esoterie.

'Heb ik daarmee je vragen voldoende beantwoord?' vroeg Christine terwijl ze een plakje magret de canard doorslikte.

'Ja. En welk verband is er tussen de Tempeliers en de vrijmetselaars?'

'Historisch gezien geen enkel. Er is geen enkele specialist, daarmee bedoel ik iemand met gezag bij zijn vakgenoten, die ooit enig verband tussen die twee heeft aangetoond. Sommige vrijmetselaars geloven wel heilig in het tegendeel. Dan kom je terecht in een heel andere logica, waarin de studie van symbolen en rituelen het wint van het klassieke geschiedkundige onderzoek.'

'Dus al die verhalen over een schat en het grote geheim... Dat is allemaal onzin...'

'Dat beweer ik niet. Ik zeg alleen dat niemand ooit met bewijzen gekomen is.'

Jade keek ontgoocheld.

'Luister, voor mijn onderzoek moet ik naar een oude kapel ergens midden in Frankrijk. Als ik daar iets vind, kun jij me dan helpen? Het is vreselijk belangrijk.'

'Natuurlijk, maar over drie dagen vertrek ik naar Jeruzalem, waar we een documentaire gaan draaien over Saulus van Tarsus.'

'Saulus wie?'

'De apostel Paulus, natuurlijk.'

De vriendinnen kusten elkaar ten afscheid. Net voordat ze wegliep, bedacht Christine nog iets: 'Weet je, dat geheim van de Tempeliers... Er zijn nog veel facetten van onbelicht gebleven. Wie weet duikt er nog wel ergens een sleutel op.'

Toen Jade voor de deur van het restaurant op haar auto stond te wachten, trilde in haar jaszak haar mobieltje. Ze meldde zich.

'Met Antoine.'

'Het spijt me, ik ken geen Antoine.'

'Antoine Marcas. Hangt u nu op?'

Jade moest lachen, ze vond niet dat hij eruitzag als een Antoine.

'Sorry, Marcas, ik ben nog niet gewend aan je voornaam. Dat komt nog wel. Wat is er?'

'Ik heb Jouhanneau gesproken, we hebben misschien een interessant spoor van uw moordenares, maar daarvoor moeten we de verdachtenlijsten van Interpol en antiterreur raadplegen. Ik stel voor dat u naar kantoor komt, Darsan heeft het gedaan gekregen dat we even kunnen inloggen. Kunt u rond vijf uur?'

'Geen probleem. Ik wil... Je wordt...'

'Wat? Schiet op, ik moet weg.'

'Niets, ik was bijna aardig tegen je.'

Het bleef een paar seconden stil.

'Niet zo hard van stapel lopen, straks wilt u nog worden ingewijd...'

Jade voelde de speldenprik. Ze veranderde van toon en zei bits: 'Ga weg, ik sterf nog liever.'

Ze verbrak de verbinding en besloot aan iets anders te denken. Ze kreeg zin om te gaan winkelen. Haar hele voorjaarsgarderobe hing nog in Rome. Ze had alleen het hoogst noodzakelijke meegenomen naar Parijs. Een beetje oppervlakkig vertier zou haar geen kwaad doen.

Ze gaf gas en reed richting Saint-Germain.

Chevreuse

Zijn voet deed hem vreselijk afzien. Hij had geen pijnstiller gekregen en de pijn had zich uitgebreid naar elke vezel van zijn lichaam. Voor het eerst in zijn loopbaan huilde hij als een angstig kind. Hij was doodsbang dat die gek met zijn snoeischaar zou terugkomen. Ze konden hem toch niet zomaar blijven martelen zonder iets van hem te willen. Hij had toch zijn opdracht keurig vervuld.

Er liep iemand op de trap. Béchir trok wit weg toen hij zijn beul zag aankomen. De man met de snor deed het hek open en ging zitten, net als die eerste keer.

'Ik ben de tuinman.'

Béchir produceerde een glimlach om hem gunstig te stemmen, want die vent was misschien een sadist die kickte op angst.

'Dat weet ik, mijn grootvader ook, die was dol op bloemen.'

De man keek hem belangstellend aan.

'Echt waar? Ik hoop dat u die liefde van hem hebt geërfd.'

'Ja... Wat gaat u met me doen?'

'Dat weet ik niet. Ik moet u dank en excuses overbrengen.'

Béchir vatte weer moed. Dat zou wel van Sol zijn. Ze hadden zich gewoon vergist. Hij haalde diep adem. Er gloorde hoop.

'Van Sol?'

De man trok weer een stralend gezicht. Wat kon hij er aardig uitzien.

'Nee, van mijn bloemen. Ze hebben uw bijdrage aan hun groei erg op prijs gesteld. Ik moest u vreselijk van ze bedanken. En de excuses zijn voor wat er nu gaat gebeuren.'

Béchir kokhalsde. Hij voelde dat hij ging overgeven. Zijn pupillen verwijdden zich en zijn ademhaling versnelde.

'U gaat toch niet...'

'Ik heb nooit tegen je gelogen over mijn werk, jonge vriend. Ik ben tuinman en tuinmannen moeten snoeien.'

Hij haalde het martelwerktuig uit zijn zak en zette de schaar op de grote teen.

'Wat was je lievelingsbloem ook alweer?'

Béchir brulde van angst.

Vijftig meter verderop, in de tuin van het landhuis, wandelden Sol en Joana/Marie-Anne in een kas vol schitterende planten. Het was een tropisch paradijs met weelderige palmsoorten, massa's bloemen in alle kleuren en overal prachtige rozen. Sol nam een snoeischaar en knipte er een af voor de moordenares.

'Dank, ik zie liever u snoeien dan de tuinman. Hij is zeker aan het werk?'

Sol snoof aan een tros van vijf dieprode rozen.

'Ja, het is een noodzakelijk kwaad.'

'Waarom moet die man zo gemarteld worden?'

De oude man nam haar bij de hand en leidde haar naar de hoek met zeldzame plantensoorten. Het was broeierig vochtig in de kas.

'Ik moet weten of hij behalve de steen van Thebbah soms ook aantekeningen van die oude Jood van het Hebreeuws Instituut heeft meegenomen. En vooral of hij iemand iets heeft verteld. Die zogenaamde professional heeft zich vanaf de Jordaanse grens als een groentje laten volgen door de Israëlische geheime dienst. Goddank hielden we hem sinds zijn aankomst op de luchthaven van Amsterdam in de gaten.'

'Waarom werd hij gevolgd? Wisten de Joden dan dat u die steen van Thebbah wilde hebben?'

'Nee, hij werd bij de grens stomtoevallig herkend door iemand met een goed geheugen voor gezichten en is toen gevolgd door een agent. De man is een Palestijnse activist die overal gezocht wordt. De Joden wilden zijn hele netwerk oprollen tot in Europa.'

Marie-Anne speelde met de roos, waarvan ze de blaadjes een voor een aftrok en op de grond liet vallen.

'Hoe weet u dat allemaal?'

'Mijn lieve kind, in het gare du Nord hebben we de agent die hem volgde uit de Thalys ontvoerd. Twee valse verplegers hebben hem afgevoerd, want de man kreeg een hevige epileptische aanval.'

'Ik veronderstel dat onze aardige tuinman hem aan de praat heeft gekregen?'

Sol streek de jonge vrouw liefkozend langs de wang.

'Jij raadt alles. Onze plantenkenner heeft iets tegen Joden en ik vrees dat hij... hoe zal ik het zeggen... hem wat meer heeft besneden dan echt nodig was. Gelukkig wordt een en ander goedgemaakt als die Palestijn aan de beurt is. Ons kan niet verweten worden dat we in het Israëlisch-Palestijnse conflict partijdig zijn.'

Hij lachte hinnikend. Marie-Anne hoopte dat ze nooit in zijn handen zou vallen.

Ze verlieten de kas en liepen onder de grote poort door. Het briesje dat aan het begin van de ochtend was opgestoken, was aangenaam verfrissend na de drukkende warmte van de kas. Het grind op het laantje dat naar de hoofdingang leidde, knarste onder hun voeten. Aan hun linkerhand, op een meter of dertig van de kas en net naast de akkers van het domein, was een graafmachine bezig. De bestuurder liet de bedieningshandels even los om naar ze te wuiven. Sol wuifde slapjes terug en snoof de frisse lucht op.

'Weet je wat die machine doet, kindje?'

'Nee.'

'Hij graaft een mooi gat voor als onze Palestijn niet meer van deze wereld is. Ik heb gevraagd of ze hem met het hoofd naar Mekka willen leggen. Uit respect.'

'Dat siert u. In de tijd dat ik Bosniërs executeerde legde ik varkenskoppen in de massagraven.'

'Dat was niet netjes van je. Bij de Waffen-SS had ik een paar geweldige Bosnische strijdmakkers.'

Hij bleef stilstaan.

'Laten we het even over je missie hebben. Haal dat meisje uit de ambassade in Rome hierheen. We hebben genoeg tijd verloren. Toen ze weg was heeft iemand van ons haar flat doorzocht, maar dat leverde niets op. Haar kantoor op het ministerie kunnen we niet binnen. De tijd dringt. Ik heb die papieren nodig om af te maken wat ik ben begonnen.'

'En dan?'

'Dan krijgt ze de tuinman aan haar bed.'

'Even een professioneel vraagje. Ze hebben me zijn methode beschreven. Waarom stelt hij geen vragen voordat hij voor snoeischaar speelt. Is hij een sadist?'

Sol keek haar peinzend aan.

'Sadist... misschien, maar dat is niet de voornaamste reden. Hij bedient zich gewoon van een martelmethode die is uitgevonden door de Chinezen, werd overgenomen door de Gestapo en die nu enorme navolging heeft in de Latijns-Amerikaanse dictaturen. Experts in deze branche hebben ontdekt dat onverwachte irrationaliteit het gedrag van het slachtoffer ontregelt. Lijden zonder daarvoor een redelijke verklaring te hebben is veel angstaanjagender dan een vraag-en-antwoordspelletje. Heb je de film *Marathon Man* gezien?'

'Waarin Laurence Olivier een oude nazitandarts speelt die Dustin Hoffman foltert?'

'Precies. Olivier haalt zijn tandartsspullen, controleert het gebit van Hoffman die zit vastgebonden in de stoel, alsmaar mompelend 'dat kan geen kwaad' en boort volkomen overbodig een tand uit. Wel, onze vriend doet ongeveer hetzelfde, maar dan met een snoeischaar. Doorgaans knipt hij eerst een stuk of zes tenen af, voordat hij vragen stelt. Dat hangt van zijn humeur af.'

De oude man liep weg, nagekeken door Marie-Anne. Net voor hij uit het zicht verdween, riep ze hem na: 'Waarom moest ik dat meisje uit Rome met een wandelstok slaan?'

Hij wierp haar een kus toe en liet haar zonder antwoord staan.

32

Parijs

Marcas had zich weer door Jade laten afbekken. Het wilde kennelijk niet boteren tussen hen, en toch zat die laatste aanvaring hem minder dwars dan anders. Ze had even iets aandoenlijks gehad, toen ze bij het laatste telefoongesprek aardig probeerde te zijn. Maar haar goede wil was afgeketst op Marcas' ironie. Antoine zuchtte. Hij zou de volgende keer proberen het goed te maken, vooral omdat ze waarschijnlijk samen naar de kapel van Plaincourault in de Indrestreek zouden moeten. Dat was minstens vier uur rijden. Er moesten trouwens nog twee hotelkamers worden gereserveerd. Twee kamers... Even ging er een stoute gedachte door zijn hoofd, Jade was aantrekkelijk...

Er werd gebeld, Marcas legde zijn mobieltje weg, verbande Jade uit zijn gedachten en liet zijn gast binnen.

Telkens als Marcas zijn achtbare vriend ontving, moest hij even diep nadenken voordat hij zijn voornaam weer wist. Anselme was geen gewone naam, vooral niet voor een Voorzittende Meester van de Grand Orient. Het klonk eerder als de voornaam van een eerwaarde abt en dat was een grappige gedachte voor een agnostische obediëntie.

Anselme, die journalist was bij de publieke omroep, sprak bovendien op de zalvende toon van een bisschop.

Als hij sprak in de loge, was het of je een priester hoorde die vanaf de kansel de kudde oproept tot verdraagzaamheid en respect. Sommige broeders moesten erom grinniken, vooral omdat Anselme bekendstond als antiklerikaal, andere maakten zegenende gebaren, maar iedereen respecteerde hem. Ook Antoine, die ondanks zijn rebelse houding altijd aandachtig luisterde naar de woorden die uit het Oosten kwamen.

De hal van Marcas' flat kwam uit op een kleine woonkamer waarin een zware boekenkast stond, een erfstuk. Het was het enige antieke accent in een verder strak eigentijds ingericht appartement, dat overheerst werd door de felle kleuren van twee grote doeken van Erró.

'Vriendelijk? Dat is niet nou bepaald een woord dat ik verwachtte, gezien het beeld dat je me tot nu toe schetste,' zei Anselme, een slok zoete witte wijn nemend. 'Een vrouw die de bijnaam 'de Afghaanse' heeft en die de baas probeert te spelen in ambassades... Vreemd meisje. Curieus. Bijzonder curieus.'

Anselme gebruikte graag het woord curieus, waarbij hij zijn lippen tuitte. Het was de enige hebbelijkheid waarop Marcas hem kon betrappen. Des te beter, want je had bijzondere kwaliteiten nodig voor de functie van Voorzittende Meester, een erg begeerde positie waarop veel mensen zich verkeken. Anselme verrichtte twee keer per maand een wonder: hij slaagde erin om mensen die in het profane leven niets met elkaar gemeen hadden, broederlijk te laten samenzijn en samenwerken... Ook dat was een soort roeping.

'Ik weet het niet. Op het eind zei ze gewoon iets vriendelijks. Alsof ze iets had afgelegd.'

'Wat dan?' vroeg Anselme, zelf een onverbeterlijke verleider, ondanks drie alimentaties.

'Ik weet het niet,' verzuchtte Antoine.

'Je bent al te lang vrijgezel, jongen,' luidde de diagnose van de Achtbare. 'Je bent nog steeds niet over die scheiding heen. Geloof mij...'

'Ze leek ineens kwetsbaar, voor de verandering.'

Anselme bekeek hem meewarig.

'Het is niet best met je! Kom, vergeet dat mens, vertel me liever over je gesprek met broeder Jouhanneau.'

Marcas deed tot het laatste woord aan toe getrouw verslag van het gesprek.

'Hij heeft het dus over de Tempeliers gehad.'

'Ja, hij gelooft dat er echt een geheim bestaat. En hij meent het ook.'

Even werd de stilte alleen verbroken door het getinkel van de ijsblokjes in de glazen. De commissaris ging verder: 'Wat weet jij over die Jouhanneau? Ken je hem?'

'Alleen van reputatie. Hij is een academicus die alles weet van de geschiedenis van de godsdiensten. Hij is ook de zoon van Henri Jouhanneau, een in de jaren 1930 beroemde neuroloog.'

'Dat weet ik. Hij werd naar Dachau gestuurd, geloof ik.'

'Ja, hij is in 1941 opgepakt door de Duitsers.'

'Waarom?'

'De nazi's hadden dringend neurologen nodig. Ze hebben hem gedwongen om onderzoek te doen voor de Luftwaffe, de Duitse luchtmacht.'

'Wat was het verband met het specialisme van Jouhanneau?' vroeg Marcas.

'De Duitsers waren op zoek naar nieuwe technieken voor reanimatie van hun piloten die werden afgeschoten boven Het Kanaal. Volgens mensen die de experimenten overleefden, zat eigenlijk de SS achter die operatie. De proefpersonen werden uit naburige concentratiekampen gehaald. Ze werden gewoon in ijskoud water gegooid om ze daarna te kunnen reanimeren. Jouhanneau heeft geweigerd daaraan mee te werken en stierf in Dachau, net voordat het kamp werd bevrijd.'

'Moge hij rust vinden in het eeuwige Oosten,' zei Marcas plechtig.

'Ja, dat hij rust vindt... Zijn tragische dood houdt zijn zoon nog altijd bezig. Zo erg dat hij is gaan uitzoeken wat er precies met zijn vader gebeurd is.'

'En?'

'Jouhanneau werd rond 1943 overgebracht naar een onderzoekskamp waar Ahnenerbe de dienst uitmaakte. Dat was in het kasteel van Wevelsburg, het "culturele centrum" van die gestoorde geesten. Het schijnt dat er werd gestudeerd op de menselijke psyche, en vooral op de verschillende lagen van het bewustzijn.'

'Je bent nogal op de hoogte!'

'Jouhanneau heeft eens een bouwstuk gewijd aan het leven van zijn vader tijdens een logebijeenkomst ter herdenking van onze gedeporteerde broeders. Ik was erbij.'

'En dat kasteel?'

'Klaarblijkelijk bestudeerden de SS-artsen er de hersenfuncties. En ze hadden een verdomd grote voorsprong op de kennis van die tijd. Dat kwam vooral omdat ze een multidisciplinair onderzoeksteam hadden samengesteld. Volgens de gegevens van Jouhanneau zaten er zelfs psychoanalytici bij. En dat als je weet hoe Hitler over Freud dacht!'

De Achtbare Voorzitter zweeg. Marcas herinnerde zich dat hij in Rome eens een boek van Freud had gezien, met een hartelijke opdracht aan Mussolini. De aartsvader van de psychoanalyse onderhield nogal tweeslachtige betrekkingen met de Europese dictaturen. Anselme ging verder met zijn verhaal: 'Mijn persoonlijke opvatting is eenduidiger: de nazi's waren een stel gekken en hun krankzinnige onderzoeken leidden nergens toe.'

Bij uitzondering begon Anselme zich op te winden en verloor hij enigszins zijn herderlijke terughoudendheid.

'In de dodenkampen spoot dokter Mengele chemische producten in de ogen van zijn proefpersonen om ze blauw te maken. Waanzin. Op een ander gebied had je een zekere doctor Horbigger die een leerstoel bekleedde aan de universiteit van München en daar verkondigde dat de aarde hol was, met een zon en continenten in het centrum. Niet alleen werd die theorie officieel aanvaard, maar de SS stuurde in 1937 zelfs een expeditie naar de Noordpool om de ingang van de holte te vinden en de idiote stelling te onderbouwen. En ik bespaar je nog alle studies van de astrologie, de Graal, Tibetaanse meditatietechnieken... Ik zou de hele nacht kunnen doorgaan!'

Marcas liet zijn vriend even afkoelen. Hij wist dat Anselme een uitgesproken rationalist was met een afkeer van alles wat naar esoterie zweemde. Voor hem hadden de maçonnieke rituelen te maken met innerlijke discipline en sociale opvattingen. Zijn visie op de vrijmetselarij werd trouwens door veel broeders gedeeld, in de Grand Orient nog meer dan in andere obediënties. Die broeders geloofden in geen enkele god en oriënteerden zich volledig op de seculiere, republikeinse maçonnieke broederschap. Anselme was ingewijd in de loge de Auguste Amitié de Condom in de Gers, een streek die een bolwerk was van radicaal socialistisch antiklerikalisme. Op 21 januari, de dag waarop Lodewijk XVI was onthoofd, serveerde men bij de broedermaaltijd kalfskop, wat volgens Lodewijks tijdgenoten zijn evenbeeld was. Op Goede Vrijdag stond er uitdagend biefstuk *à volonté* op het menu.

Een van de grote paradoxen van de vrijmetselarij is dat het woord broeder staat voor het samengaan van agnostische papenvreters, voorstanders van de secularisatie, maar ook overtuigde christenen en praktiserende Joden.

Marcas kende een broeder, ook journalist, maar bij een commerciële televisiezender, die lid was van de GLNF, de Grande Loge nationale française. In zijn vrije tijd verdiepte hij zich in alchemistische symbolieken, hij stemde rechts en woonde regelmatig de mis bij. Hij was in alles Anselmes tegenpool. Marcas zou ze aan tafel nooit naast elkaar zetten; ze zouden elkaar binnen tien minuten naar de keel vliegen. En toch waren ze allebei vrijmetselaar... Ze waren in alles verschillend, maar toch waren ze broeders.

Binnen de Grand Orient bestonden er nog veel meer tegenstellingen, minder uitgesproken misschien, maar de botsingen waren er niet minder om. De laatste verkiezing van de Grootmeester van het Grootoosten in een zaal in het Stade de France, was het toneel geweest van verhitte debatten tussen al die verschillende stromingen. Profanen die nog altijd geloven dat alles van bovenaf wordt opgelegd door een Grootmeester die alle loges de wet voorschrijft, vergissen zich schromelijk. De loges leiden hun eigen leven en beslissen over hun eigen activiteiten. De verwarring ontstaat misschien door het wat pompeuze begrip 'Grootmeester', want een 'meester' veronderstelt ook een 'slaaf'.

Als Marcas op het internet naar de Blog Maçonnique surfte, een uitstekende en voortdurend geactualiseerde site over alles wat met vrijmetselarij te maken heeft, keek hij altijd even bij 'antimaçonnerie' naar de meest recente vondsten op sites die het 'wereldwijde vrijmetselaarscomplot' bestreden. Dat idee is onuitroeibaar en biedt een onuitputtelijke bron aan materiaal. De nieuwste site was Canadees en er werd in onthuld wie de echte stichter van de vrijmetselarij was; de Romeinse legionair die de zijde van Christus had doorboord stichtte ook een geheim genootschap om het christendom uit te roeien... Het probleem met die sites is, dat ze correcte informatie vermengen met de meest baarlijke nonsens. Anselme veegde al die commentaren op een hoop. Marcas was minder streng en besefte dat veel algemeen aanvaarde waarheden ook hun schaduwkanten hebben. Het grote probleem is hoe je zin van onzin kunt onderscheiden.

Anselme dronk zijn glas leeg, stond op en besloot: 'Dat is ongeveer alles wat Jouhanneau betreft. Je ziet dat ik meer weet van de vader, dan over de zoon. We zouden toch lunchen? Met jouw auto dan, als het op de linkeroever is.'

De commissaris had een vast adresje in de rue de l'Ancienne-Comédie. Een Catalaans restaurant waarvan de buitenkant zo was behangen met affiches dat toeristen het voor een boekhandel hielden en er voorbij liepen. Voor Marcas was dat een pluspunt.

'Goed idee van je om te gaan lunchen,' verkondigde Anselme terwijl hij ging zitten. 'En deze plek kende ik niet, hoewel ik toch vaak in de buurt ben.'

Ze zaten aan een piepklein tafeltje van blank hout, dat gedekt was met een papieren tafelkleed waarop de geschiedenis en de zegeningen van een onafhankelijk Catalonië werden uitgemeten.

'Wat zou Jouhanneau ontdekt kunnen hebben over de Tempeliers?' vroeg Marcas.

Anselme maakte geen haast met het antwoord.

'Kom je hier vaak?'

'Soms. Ze hebben uitstekende tapas. Je moet vooral hun bloedworst proeven.'

'La Maison de la Catalogne,' ontcijferde Anselme de naam op de etalageruit. 'Ik heb het je nooit eerder gevraagd, maar was je vader niet Catalaans?'

Marcas antwoordde met een gefronst voorhoofd.

'Nee, maar hij heeft heel lang in Barcelona gewoond. Laten we bij de Tempeliers blijven.'

Anselme bestudeerde nu uitgebreid het wijnrek, dat een hele muur in beslag nam. Er lagen rijen donker glanzende flessen in driehoekige vakken van kalk en schuine tegels.

'Welke wijnen hebben ze in Catalonië?'

Marcas werd ongeduldig.

'Vind jij het niet vreemd dat de Groot-Archivaris van de obediëntie hoogstpersoonlijk me aanspreekt over een raar geheim van zijn Tempeliers?'

Anselme had er plezier in hem nog even aan het lijntje te houden.

'Kijk eens uit het raam, naar rechts, zie je die houten façade van het restaurant aan de overkant?'

'Ik zie vooral een rij Japanse toeristen.'

'Precies,' zuchtte Anselme. 'Grandeur en verval van een roemrijke plek. Le Procope bestaat al vanaf de achttiende eeuw. Het was een van de eerste plaatsen waar mensen koffie konden proeven, tenzij ze natuurlijk liever chocolade dronken, maar daarvan mocht men in de tijd van Voltaire niet te veel hebben, want 'dat verhit'. In het beschaafde taalgebruik van die tijd duidde men daarmee "opwekking van lust" aan.'

'Gaan we het hebben over de verlichtingsideeën inzake koffie en chocolade?'

De dienster, een Catalaanse met een platte borst en een hoekig gezicht, bracht de bestellingen.

'Dat haar strak naar achteren staat haar niet,' vond Anselme. 'En die idiote naar onder uitlopende hoge hakken ook niet! Maar serieus nu. Wat ik wil zeggen is dat je met die verhalen niets opschiet. Jouhanneau is geobsedeerd door het verleden. Hij klutst alles door elkaar. Nog even en hij beweert dat het meisje werd vermoord door neonazi's.'

Marcas zweeg en ontleedde minutieus zijn kabeljauw in honing.

'Neem Le Procope. Voor de Revolutie kwam daar de intellectuele elite van de vrijmetselaars bij elkaar om te filosoferen. Tegenwoordig is het een toeristenfuik. Maar twee stappen verderop zitten wij, twee eeuwen later, te praten over dezelfde problemen. Daar gaat het om. Jij bent net als Jouhanneau te veel bezig met het verleden van de orde. Jullie zien alleen maar schaduwen.'

'Je moet niet overdrijven!'

'Individuen zijn maar tijdelijk. Waar het om gaat is de keten die *ons buiten tijd en ruimte* verbindt! Die keten vernieuwt zich met elke volgende generatie. Maar je moet wel de schakel kunnen doorgeven. We metselen aan de toekomst, niet aan de ruïnes van het verleden.'

'Je bent geweldig op dreef,' spotte Marcas. 'Maar ga je me nou helpen of niet?'

'Om meer te weten te komen over de Orde van de tempelridders?'

Anselme richtte zijn blik nu met een zekere berusting op zijn dessert, room met specerijen.

'Luister, ik ben bij de laatste bijeenkomst van de Orion geweest. Je vriend Jouhanneau was er, maar een andere broeder hield een bouwstuk, ene Chefdebien. Ken je die?'

Marcas maakte een gebaar van verbazing.

'De industrieel? Die van Revelant-cosmetica?'

'Himself. Hij hield een schitterende voordracht over de kwestie van de Tempeliers. Het was voor de verandering eens een redelijk verhaal, gebaseerd op feiten. Niet van die esoterische flauwekul.'

'Wat vertelde hij?'

'Dat de invloeden van de Tempeliers in onze rituelen in het begin van de negentiende eeuw gewoon gepikt zijn uit archieven die tijdens de Revolutie op straat kwamen te liggen! Kleinburgelijke parvenu's wilden een loge met riddergebruiken oprichten, om zichzelf een adellijke achtergrond te geven. Altijd maar weer die ijdelheid der ijdelheden!'

'Daar schiet ik ook niets mee op,' kreunde Marcas.

'Jaja, zo worden mythes om zeep geholpen!' zei Anselme met een scheef oog op de dienster.

Antoine stond op.

'Neem je geen koffie?'

'Nee, ik stap maar eens op.'

'Ik blijf nog even. Ik heb nog nooit wat met een Catalaanse gehad.'

Marcas liep traag naar de uitgang.

'Antoine?'

'Ja?'

'Afghaanse, een leuke naam is dat!'

33

Parijs

Door de etalage heen sloeg de ontwerper Prada haar uitdagend arrogant gade. Jade worstelde zichtbaar met zichzelf om niet de winkel binnen te stappen en het pakje te passen dat haar begeerte had opgewekt.

Ze had haar mobieltje uitgezet, de onuitstaanbare Marcas die ze straks weer zou moeten zien was even niet in de buurt, dus besloot ze zichzelf eens te verwennen.

Degenen die de bijnaam 'Afghaanse' voor haar bedachten, hadden geen flauw vermoeden dat ze tijdens haar ambassadejaren in Kaboel winkels zo erg mistte dat ze toen een onstuitbare shoppinghonger ontwikkelde. Eenmaal terug in Parijs besloot ze direct haar hele garderobe te vernieuwen.

Wat heerlijk om nu weer door de winkelstraten van de hoofdstad te dwalen. Wat deed haar dat goed. Ze ging naar Saint-Germain. De prijzen waren er hoger dan in de rest van Parijs, maar het plezier van een wandeling tussen Odéon en place Saint-Sulpice gaf de doorslag en het aanbod was er ongeëvenaard. Ze ging de luxueuze winkel binnen in de rue du Dragon en vroeg of ze het pakje uit de etalage mocht passen.

De rokken, jurkjes, jasjes en pantalons uit de voorjaarscollectie hingen op houten hangertjes in de etalage. De opstelling had de uitstraling van het strenge minimalisme dat dit seizoen erg in de mode was. Dergelijke soberheid ging doorgaans gepaard met uitzinnige prijzen. Aan de muren hingen, in beukenhouten lijsten, foto's die de winkel een sereen karakter moesten geven: een boeddhistische tempel in zwart-wit, het waardige gezicht van een oosterse vrouw. De binnenhuisarchitect was zover gegaan om achter elk uitgestald kledingstuk een houten paneel te hangen met zwarte gekalligrafeerde teksten. 'Dc wereld is een global village; ons leven is elke dag weer een geschenk; de werkelijkheid is opgebouwd uit eeuwigdurende illusies...' Het jaar daarvoor was de winkel gedompeld in Indiase kitsch met een Bollywoodsausje.

Een naalddunne verkoopster met een minachtend pruilmondje verwees Jade naar een hoek van de winkel. Het pashokje was piepklein, je kon je er nauwelijks in omkeren, het was niet bepaald in overeenstemming met de standing van het huis.

Ze kleedde zich uit en trok het pakje aan, terwijl ook de cabine naast haar werd bezet. Jade kwam haar hokje uit en bekeek zichzelf in de enige spiegel van de winkel. Ze zag een beschaafde vrouw in een wit afgebiesd zwart pakje. Het maakte haar vijf jaar ouder. Het was niet geslaagd. Teleurgesteld keek ze nog even rond naar iets anders, maar het zat er niet in, het was dit of niets anders. Er was niets dat haar nog kon bekoren en ze besloot zich weer om te kleden en haar strooptocht voort te zetten.

Toen ze haar pashokje wilde binnengaan botste ze tegen een vrouw met donker haar, die net uit het hare kwam. Om niet te vallen greep de vrouw zich aan Jade vast en haar nagels prikten in haar arm. Het waren spitse, volgens de laatste mode zwartgelakte nagels. Haar evenwicht hervindend verontschuldigde de vrouw zich. Een van de verkoopsters deed nog een zwakke poging om te helpen, maar ze keek alsof het hoogst ongepast was te vallen in deze tempel van raffinement. Jade moest erom lachen. Het werd gevaarlijker om te winkelen dan om de ambassade van Kaboel te beveiligen.

Jade trok haar eigen kleren weer aan en besloot om haar kooplust in Saint-Germain des Prés te gaan bevredigen. De verkoopster keurde haar geen blik meer waardig toen ze zonder aankoop de winkel verliet. Jade wist weer dat ze in Parijs was. De zon scheen uitbundig en ongehinderd door de twee wolken die lui boven de hoofdstad bleven hangen. Het was drie uur in de middag, de straten waren vol met schetterende toeristen en Parijzenaars.

Ze wist nog steeds niet wat ze van Marcas moest denken. Ze vond de man ergerlijk en boeiend tegelijk, een vreemde combinatie van arrogantie en geheimzinnigheid bracht haar in de war. Ze was wel helder genoeg om te beseffen dat haar analyse niet uitkwam boven het peil van de heldin uit een Harlequin-romannetje.

Die verhalen over duistere vrijmetselaarsmoorden waren verwarrend, maar het milieu was zo ondoorzichtig dat zulke dingen onvermijdelijk leken. Ze zag niet in hoe ze hun onderzoek konden instellen op een basis van gedeeld vertrouwen, Marcas was te betrokken bij die occulte kringen. Zelfs als zij een beroep deed op haar eigen contacten binnen de veiligheidsdiensten, kon ze nooit zeker zijn van de bruikbaarheid van die inlichtingen. Ze kon niet weten of die contacten misschien ook broeders waren.

Ze werd er een beetje paranoïde van, maar dat kon ook niet anders, al had de vrijmetselarij maar een tiende van de invloed die haar werd toegeschreven. Haar orders lieten haar geen keus, ze moest voor dit onderzoek hoe dan ook met Marcas samenwerken. Merkwaardig genoeg begon het gezicht van Sophie in haar herinnering te vervagen, alsof de moord maar een boze droom was geweest. Toch was de realiteit dat haar gemartelde lichaam rustte in een kil graf in een Parijse buitenwijk. Ze had nooit bij die vrijmetselarij moeten gaan. Voor Jade was het een bijkomende reden om die rotzakken te verfoeien.

Maar ze moesten nu eenmaal samenwerken... Ze moest Marcas trouwens nog terugbellen om hun afspraak te bevestigen.

Ze had nog maar een meter of tien gelopen toen ze draaierig werd. Ze stak de straat over, maar ze voelde haar zintuigen afstompen, het trottoir aan de overkant schoof net als de horizon steeds verder op. Als een slaapwandelaarster tolde ze over straat, ze had moeite met ademen, haar ogen draaiden weg.

Ze raakte in paniek. Lichaamsbeheersing was in haar vak een levensvoorwaarde en de minste afwijking in haar gevoel was een alarmsignaal. Ze probeerde de raad in praktijk te brengen die haar instructeurs er tijdens maandenlange intensieve training bij haar hadden ingehamerd. Ze moest haar ademhaling reguleren, haar hoofd leegmaken, angstaanvallen onderdrukken.

Slechts één keer was ze bijna bezweken onder de paniek. Dat gebeurde in de haven van Le Havre, bij de simulatie van een commandoaanval onder water op een Russisch vrachtschip. Net toen ze de magnetische oefenmijn op de romp wilden plakken, ging er iets mis met haar duikuitrusting en haar longen kregen geen zuurstof meer.

Het is een dodelijke nachtmerrie waarbij je tergend langzaam je bewustzijn verliest, pijnloos, maar met de gruwelijke zekerheid van een slechte afloop. Gelukkig had de instructeur haar op het nippertje van de verdrinkingsdood kunnen redden, maar midden in de mensenmassa van het Quartier latin stak niemand een hand naar haar uit.

Heel geleidelijk werden haar beenspieren stijf, haar armen begonnen te tintelen en net als in dat zwarte modderwater van de Normandische haven raakte ze in paniek. Ze had zichzelf niet meer in de hand. Ze zou tegen de vlakte gaan en niemand zou haar helpen.

Net op het moment dat ze begon te wankelen, voelde ze een hand onder haar arm glijden. De miraculeuze redding! Iemand had haar inzinking opgemerkt en was toegesneld om haar niet onderuit te laten gaan te midden van die massa egoïsten. Ze had in Afghanistan de vreselijkste dingen meegemaakt, omringd door het ergste uitschot, en nu was ze zo hulpeloos als een oud besje.

Haar mond werd zo gevoelloos als na een verdoving bij de tandarts en haar benen werden bij elke stap slapper.

'Geen paniek, mevrouw, ik heb u vast.'

De stem was van een vrouw en klonk hartelijk, bijna vriendschappelijk. Jade probeerde uit alle macht haar gedachten te verzamelen; ze zag een caféterras een meter of tien verderop.

'Laat me even gaan zitten, het gaat zo weer over.'

De greep rond haar oksel verstevigde toen ze weer bijna in elkaar zakte. Ze kon het gezicht van haar beschermengel niet goed zien, ze rook alleen haar zoetig parfum. Het was een aangenaam luchtje dat haar niet onbekend voorkwam. Jade kalmeerde, ze voelde zich weer veilig.

De stem werd nog liever.

'Wat een geluk dat ik net achter u liep toen u overstak.'

De automobilisten toeterden woedend tegen de twee vrouwen die het verkeer ophielden. Een taxichauffeur maakte woeste gebaren naar hen.

Met een arm rond de schouder van haar redster liet Jade zich ondersteunen. Goddank werd ze net als in de haven van Le Havre op het nippertje gered. Ze moest die vrouw haar adres vragen om haar te kunnen bedanken. Behulpzaamheid was zo zeldzaam. Haar vrienden zouden haar niet geloven als ze vertelde dat zij, de Afghaanse, midden in Parijs een flauwte had gekregen. Ze zouden denken dat het een geintje was.

Een jonge man met een ringbaardje had hen ook gezien en wilde hulp bieden.

'Kan ik iets doen? Uw vriendin ziet er niet goed uit...'

Jade wilde iets zeggen, maar de andere vrouw was sneller.

'Nee, het gaat wel, ze heeft diabetes. Ik moet haar insuline inspuiten en dan zal het beter gaan. Ik sta vlakbij geparkeerd. Bedankt voor uw aanbod.'

Tegen haar zei ze: 'Kom op, Jade, we zijn er bijna.'

Het hoofd van de Afghaanse tolde. Die onbekende was geen vriendin van haar en hoe kwam ze dan aan haar voornaam? Wat was dat voor een verhaal over diabetes? Ze wilde iets zeggen, maar ze kon geen geluid meer uitbrengen.

Een golf van ontzetting overviel haar. Ze was zo hulpeloos als een kind. Terwijl ze werd meegevoerd zag ze de jongeman weglopen. Ze werd weggetrokken van het caféterras; ze wilde nog een arm uitsteken om zich vast te klampen aan een stoel.

'De... Laat me los. Ik wil naar huis.'

Haar lichaam gehoorzaamde niet meer, ze begreep nu dat ze gedrogeerd was. Het overheersende parfum drong in haar als karton aanvoelende neusgaten.

Toen wist ze het. Dat was het parfum van de klant die haar bij het pashokje omver had gelopen. De prik in haar arm, de klassieke methode.

'Maak je geen zorgen, Jade. Alles komt goed, ik breng je ergens waar je kunt uitrusten. We hebben elkaar zoveel te vertellen.'

'Ik... Ik ken u niet... Laat me los.'

De voorbijgangers dachten dat ze beschonken was en keken haar afkeurend aan. Als in een droom werd het portier van een zwarte auto geopend en ze werd als een klein kind op de achterbank gezet. Ze was nu helemaal verlamd en kon zelfs geen vormen en kleuren meer onderscheiden. Alles zwom in een grijze mist.

De sensuele stem zong rond in haar hoofd: 'Kalm maar, Jade. De drug voert je naar dromenland. En tussen ons gezegd, je had gelijk dat je dat pakje niet hebt gekocht, het stond je absoluut niet.'

Ze voelde een kus op haar voorhoofd en een nieuwe paniekgolf sloeg door haar verlamde lijf. Het parfum was nu zo dichtbij dat het haar misselijk maakte.

'Slaap lekker, ik heb vergeten me voor te stellen. Ik heet Marie-Anne. Ik ben je nieuwe vriendin en ik hoop dat we goed met elkaar kunnen opschieten. Voor de korte tijd die je nog te leven hebt.'

De Afghaanse zonk weg in een inktzwarte slaap.

Debbhir

Ik zond mijn ziel voorbij het zichtbare
Om de geheimen van de eeuwigheid te leren kennen
Op een nacht kwam hij terug
En hij fluisterde dat hemel en hel
In mij zijn.

Omar Khayyám. *De Rubáiyát*

34

Chevreuse

Dood. Snel en direct, om voor altijd verlost te zijn van dat onbeschrijflijke lijden van lichaam en geest. De derde keer dat de tuinman langskwam was het allerergste geweest. De folteraar had zich toegelegd op zijn vingers en vertienvoudigde de pijn door te beginnen met de bovenste kootjes. Zijn linkerhand was één grote open wond, bedekt met een noodverband dat de tuinman in een gespeeld oprecht medelijden zelf had aangelegd.

Daarna was Sol gekomen. Hij had hem zich niet zo voorgesteld, die bejaarde man met sneeuwwit haar, groot van gestalte en ondanks zijn hoge leeftijd nog kaarsrecht. Hij wilde weten of Béchir samen met de steen van Thebbah ook papieren had meegenomen en zo ja waar die dan waren.

De Palestijn was zo uitgeput en kapot dat hij alles zou bekennen wat ze maar wilden horen, als die pijniging maar ophield. Hij gaf het nummer van de kluis in het gare du Nord waar zijn koffer stond en hoopte op een mild gebaar van zijn ontvoerder. Vergeefs. Sol beloofde dat de tuinman hem niet meer zou lastigvallen, maar zei ook dat hij de kelder niet levend zou verlaten.

Als hij nog een laatste wens had, zou Sol die met plezier trachten in te willigen. Béchir vroeg een kalmerend middel om de helse pijn te verdoven en om de paddococktail die hij in de dubbele bodem van zijn koffer had meegebracht uit Amsterdam. Hij kreeg een morfinederivaat dat veel te licht was om de pijn te verzachten.

Enkele uren of minuten later – hij had geen enkel besef van tijd – kwam Sol in zijn cel met een kop gloeiende vloeistof die Béchir tot de laatste druppel opdronk.

'Dood me over precies drie uur. Dan is de werking van de paddenstoelen op zijn hoogst.'

Buiten adem voegde hij eraan toe: 'Vuile rat, ik had je opdracht uitgevoerd.'

Sol streelde zijn doorgezwete haar.

'De Joden volgden u, het risico was te groot. Het is niets persoonlijks, ik heb veel bewondering voor de Palestijnen.'

'Hou op met je gezeik! Vuile nazi!'

Zwijgend stond Sol op. Béchirs hoofd viel terug op de matras. Een laatste vraag kwelde hem nog: 'Waarom moest ik die man in Jeruzalem met drie klappen doden?'

Sol draaide zich naar hem om en glimlachte: 'Dat is een heel verhaal. Het komt erop neer dat uw slachtoffer hoorde bij een organisatie die al heel lang de mijne bestrijdt. Het was een voor hen bedoeld visitekaartje. Nu moet ik u alleen laten. Troost u, op het moment van uw verlossing zal er een vrouw aan uw zijde zijn. Ze zit dan in de cel naast de uwe. Hopelijk geeft u dat kracht. Ik wens u een snelle overgang naar uw paradijs toe, om u te kunnen overgeven aan het plezier met de maagden die Mohammed u beloofd heeft. Helaas voorziet mijn godsdienst niet in zo'n ontvangstcomité.'

Béchir zag hem naar de deur lopen. Zijn hoofd werd al licht, de paddo's begonnen te werken. Nog even en zijn geest zou op een ander niveau van bewustzijn functioneren. Hij besefte dat hij zijn laatste momenten van helderheid in deze wereld beleefde en schreeuwde: 'Welke godsdienst dan?'

De stem van de oude man weerkaatste tegen de keldermuren: 'Die van de sterksten.'

Parijs

Marcas herlas aandachtig de kopieën van de archieven van de Grand Orient die Jade hem had gegeven. Of het manuscript van Du Breuil was volslagen onzin, of er zaten onthullende verwijzingen naar de Tempeliers in. In elk geval hadden mensen Sophie vanwege deze papieren in Rome vermoord.

Du Breuil was bezeten door het idee van een nieuwe tempel waar hij een oerritueel in wilde uitvoeren dat uit Egypte afkomstig zou zijn. Een struik met blootliggende wortels op de plaats van de mozaïekvloer... en die toespeling op de bittere beker die alle neofieten in de hele wereld moeten uitdrinken. Het schaduwritueel... Om rechtstreeks bij de Opperbouwmeester des Heelals te komen.

Een dergelijk streven was in lijnrechte tegenspraak met de maçonnieke beginselen, waarin de bouw van de innerlijke tempel – de kennis van de universele harmonie – stap voor stap gebeurt. Op het eerste gezicht had die afwijking hem niet zo getroffen, maar het was in zijn achterhoofd blijven zitten en nu kwam het weer bij hem boven.

Het fundamentele beginsel van de vrijmetselarij is de geleidelijke opbouw van de kennis van symbolen en rituelen. De nieuwe ingewijde wordt Leerling, vervolgens Gezel en uiteindelijk Meester. Die laatste graad is zelfs nog maar een begin, te oordelen naar nog hogere graden die in sommige loges worden gebruikt. Geduld en ootmoed zijn de essentiële voorwaarden om tot een hoger kennisniveau op te klimmen. Du Breuil beweerde dat zijn ritueel toegang gaf tot een alomvattend bewustzijn.

Een directe lijn met God.

Voor de vrijmetselarij was dat godslasterlijk, als dat woord in die kringen betekenis zou hebben.

Marcas legde de papieren neer en masseerde zijn nek. Jouhanneau had hem aangeraden te gaan kijken naar de Tempelierskapel in Plaincourault, alsof hun daar een boodschap wachtte. Hem en Zewinski.

Marcas keek op zijn horloge. Ze was een kwartier te laat. Dat was niet haar gewoonte... Er was ook nog die kwestie van de spelling van de naam Plaincourault. Met dertien of met vijftien letters? Hij keek weer hoe laat het was. Wat zou ze nu dragen: een broek of een rok?

Hij zuchtte. Hij had ernstiger dingen aan zijn hoofd. Hij ging beseffen dat zijn onderzoek naar de moord op Sophie de vorm begon te krijgen van een initiatiezoektocht. Meer nog dan de identiteit van de moordenaars, hield het raadsel van die archieven hem nu bezig.

En dan waren er nog die periodieke imitaties van de moord op Hiram. Hij moest absoluut bij de hoofdzetel van de obediëntie een dossier over dat onderwerp zoeken, zo een als hij in Rome had ingekeken. Als er in Frankrijk ook 'drieslagmoorden' waren gemeld, mocht hij helemaal niet meer twijfelen. Dan bestond er al sinds de vorige eeuw een samenzwering om vrijmetselaars om te brengen. Met welke reden? Hij had geen idee, maar de onzichtbare vijand trotseerde de tijd.

Hij keek weer op zijn horloge. Nu was Jade hem echt vergeten. Ze was ruim een halfuur te laat! Hij belde haar gsm, maar kreeg haar voicemail. Kortaf sprak hij de boodschap in dat ze hem moest terugbellen.

Ze begon hem te irriteren, hoewel hij wist dat hij de eerste stap moest doen. Jade stond veel vijandiger tegenover de vrijmetselarij dan de meeste profanen met hun gebruikelijke wantrouwen. Hij moest ook uitzoeken waarom dat was.

Chevreuse

Het was de stank die haar langzaam bijbracht. Een zware, misselijkmakende lucht vulde het vertrek. Het was de geur van de dood die ze goed kende. Het bracht meteen een herinnering naar boven: het ziekenhuis in Kaboel waar twee zieke vrouwen die door de Taliban niet behandeld werden, lagen weg te rotten aan gangreen. Jade beschermde twee artsen van een NGO die stiekem medicijnen bezorgden aan de verpleegsters van het hospitaal dat werd bestierd door een Taliban-theologiestudent voor wie lijden een genade van God betekende.

Langzaam en met een knellende band om haar schedel kwam Jade bij uit haar verdoving. In haar hoofd drensden woorden in het Arabisch dat ze beheerste, maar ze begreep niet wie ze uitsprak. Ze was niet meer in Kaboel. Ze was trouwens aan het winkelen, in Saint-Germain, in Parijs, toen...

Ze hoorde een in het Arabisch geformuleerde klacht, een aanhoudend gekerm, onderbroken door gesnik. De Afghaanse begreep elk afzonderlijk woord, maar de zinnen waren onbegrijpelijk.

'Bviti, ik beklim de steen... mijn nagels rijten het verdoemde vlees open... Bviti... de hemel kleurt rood van het bloed, het oog bespiedt me. Ik moet nu gaan...'

Naast haar was iemand aan het ijlen. Ze hoorde hortende, onsamenhangende zinnen. Ze probeerde overeind te komen, maar haar benen waren aan de vloer geklonken.

'Ik zie het... het is prachtig, maar de steen houdt me tegen... Ga weg, je bent de duivel...'

De man gaf een schreeuw.

'Je bent de duivel... Je leidt me in verzoeking... Wee mij... Er is niets dan de Almachtige.'

Toen ze haar hoofd naar rechts draaide, zag Jade op nog geen meter van haar vandaan een man, ook een gevangene, die als een wilde om zich heen sloeg. Ondanks de duisternis zag ze een bloedig verband om een van zijn handen en om een voet. Ze begreep ineens waar de walgelijke geur vandaan kwam die haar had wakker gemaakt: de kreunende stakker was aangetast door gangreen. Als hij niet werd behandeld, ging hij eraan. Na een bepaald stadium hebben antibiotica geen enkel effect meer.

Verschrikt begon ze te roepen. 'Hallo, is daar iemand? Kom snel. Hierheen, er ligt iemand dood te gaan.'

Ze hield op met schreeuwen toen ze besefte dat het niets uithaalde. Ze stelde zich belachelijk aan, de ontvoerders van die man wisten best hoe hij eraan toe was. Ze waren waarschijnlijk zelf verantwoordelijk.

Ze voelde een begin van paniek, maar kon zich beheersen. Als haar ontvoerders haar wilden vermoorden, zou ze hier niet liggen. Ze keek rond. Ze zag een soort kelder met een traliehek. Geen andere uitgang.

'Bviti... De oorsprong van de hemel... het oog is ook zwart geworden, het huilt tranen van bloed... Het is zo prachtig... Ik word een traan...'

Jade keerde zich naar Béchir.

'Wie bent u? Hoort u mij?'

De man keek haar aan, het zweet droop van zijn gezicht, zijn ogen rolden in hun kassen, kwijl liep uit zijn mond.

'Ik ben wat is... niet te doorgronden...'

Gelukkig was de man vastgebonden, anders had die gek haar misschien iets aangedaan, maar dat was het enige pluspunt van haar toestand, dacht Jade.

De man bleef onbeheerst in zichzelf praten, maar werd steeds onverstaanbaarder. Hij kwijlde op zijn hemd en op de voorkant van zijn broek verscheen een vochtplek.

Ze draaide haar hoofd weg en probeerde zich haar ontvoering in Saint-Germain voor de geest te halen. Het was vakwerk geweest. De truc met de drug, de ontvoering midden in Parijs, onder de neus van honderden voorbijgangers. De vrouw die dat voor elkaar kreeg, werkte vast samen met de moordenaars van haar vriendin Sophie. Ineens drong tot haar door dat haar ontvoerster en de moordenares in Rome waarschijnlijk een en dezelfde persoon waren en haar woede kwam terug.

Aan haar rechterzijde bleef de man bazelen.

'De steen is mijn maatstaf! Ik ben Gods paria!'

De stank was niet te harden. Hij zou het niet lang meer maken. Ze kon er maar beter nog even snel van profiteren.

'Wie is uw god?'

'De Allerhoogste... De Verborgene. Niemand kent zijn waarheid.'

'En u?'

'Ik zag het gouden aangezicht van de Allerheiligste toen hij zijn ziel uitblies over de steen. Hij heeft gesproken... In het middelpunt van de talen der mensen. En het heilige woord is hun lotsbestemming.'

'Van welke mensen?'

Een waanzinnige lach galmde door het keldergewelf.

'De ongelovigen hebben de steen opgegraven en verwoesting gezaaid. God heeft in de wasem van woorden gegrift wat hen tot knechtschap zal dwingen!'

'Welke ongelovigen?'

'De zonen van Zion die de ware God niet eerden. De steen zal nu spreken. Hij zal het heilige openbaren. Bviti. Bviti. Bviti.'

Ze kreeg een schok toen ze haar hoofd in de richting van het hekwerk draaide. Een besnorde man met een pijp in de mond en een hand in een schortzak stond naar haar te kijken. Hij maakte een vriendelijk gebaar en glimlachte. Ze gaf hem een grimas.

'U ziet toch wel dat die man sterft van de pijn?'

De eerste man kreeg gezelschap van een tweede, die er dreigender uitzag en die haar ook bekeek. De eerste maakte het hek open en ze kwamen allebei binnen.

'Dat klopt. En we zullen zijn pijn meteen verzachten. Hans?'

De griezel met zijn geschoren kop haalde een zwart pistool tevoorschijn en zette de loop tegen Béchirs slaap.

De echo van het schot daverde door de kelder.

Een geiser van bloed en vlees spoot tegen de tussenmuur.

'Nee!'

Jade schreeuwde het uit. Ze zag ineens weer haar vader. Het opzij hangende hoofd, de bloedplas op de grond. Een kogel door het hoofd.

Maar nu was ze geen kind meer en ze was ook niet verlamd door angst. Ze was alleen maar razend. Ze voelde een kille woede opwellen, ijzig als een onderaardse bron. Een bron die nooit zou opdrogen.

'Vuile schoften!'

De besnorde man kwam naast Jade zitten en streelde met een vreemde uitdrukking op zijn gezicht langs haar bovenbeen. Hij knikte, legde zijn pijp op de grond en zei olijk: 'Ik ben de tuinman. Wat is uw lievelingsbloem?'

35

Parijs,
île Saint-Louis

Het restaurant met een voorpui van houtwerk uit de vorige eeuw, lag tussen de quai d'Anjou en de rue Poulletier. Het clientèle bestond vooral uit antiquairs en galeriehouders op leeftijd die hielden van het belle-époquedecor. De keuken was niet opzienbarend, maar de wijnkelder was goed gevuld. In de zacht verlichte zaal waren overal hoekjes ingericht waar gesprekken vertrouwelijk konden blijven. De vaste klanten kwamen af op de behaaglijke sfeer van intimiteit en bevoorrechting. Dat was althans wat men wilde uitdragen.

Vandaar dat de directie nogal overvallen werd door een dertiger in joggingpak die bleef staan in de entree. Hij keek speurend de zaal rond naar de schimmen in de schemering.

'Wenst u een tafel?'

'Nee, dank u. Een vriend heeft hier gereserveerd. Hij zal er al wel zijn.'

Hij liep tussen de stoelen door naar het einde van de zaal. Naar de plek waar de restaurateur de klant had neergezet die om een heel rustige tafel had gevraagd.

'Je hebt een feilloze smaak, broeder. Dit is een uitstekend restaurant. Helaas ben ik niet in stijl gekleed,' zei de nieuwkomer die zich neerliet op de versleten leren bank.

'Zit er niet over in, Patrick,' suste Marc Jouhanneau.

De ober kwam bij hen staan en ze kozen allebei een aperitief.

'Mijn oom zaliger, die je goed hebt gekend, hield er zeer behoudende ideeën over kleding op na. Te ouderwets naar mijn smaak. En helemaal in tegenspraak met de gewoonten van onze tijd. Hoewel er gezegd wordt dat tegenstrijdigheid het voorrecht van de echte noblesse is. Zo kan ik een op de toekomst gerichte cosmeticafirma leiden en als vrijmetselaar traditionele waarden verdedigen.'

'Daarom hebben we je ook in Orion opgenomen. Hoe vond je je nieuwe broeders?'

'Geweldig.'

'Ik zag je praten met onze broeder, de bioloog. Zijn jullie ook een profane relatie aangegaan?'

Chefdebien grijnsde. Het spelletje begon.

'Dat is geen geheim. Die broeder, of liever zijn onderzoekers, zijn heel ver gevorderd in het onderzoek van Zuid-Amerikaanse biotopen. Zonder in details te treden, kan ik zeggen dat hun plantkundige kennis voor Revelant interessant kan zijn.'

'Hoe bedoel je?'

'De cosmeticamarkt is booming business. Producten op basis van planten hebben een geweldige toekomst.'

Jouhanneau bestudeerde het menu en legde de kaart op tafel.

'Dat gebied is me vanwege bepaalde familiale redenen niet helemaal onbekend.'

'Je vader?' viste Chefdebien.

'Ja, mijn vader. Je bent goed ingelicht!'

'Ik weet alleen dat hij een neuroloog van faam was.'

'Aan hem dank ik mijn belangstelling voor de exacte wetenschappen. En biologie heeft me altijd geboeid.'

'Ik zag je meer als iemand die bezig is met filosofie en spiritualiteit. Een godsdiensthistoricus als jij.'

Alvorens te antwoorden gaf Jouhanneau de bestelling door.

'Ik ben maar wat Gérard de Nerval een "oude ziener" noemde. Iemand die ervan overtuigd is dat hij de waarheid moet vinden. In mijn geval de waarheid van de vrijmetselarij. Al jaren ben ik, net als jouw oom, aan het spitten in ons collectieve geheugen. Het is een onvolledig geheugen waarvan de stukken overal verspreid liggen. Er bestaat trouwens nog geen enkele serieuze, volledige en wetenschappelijke studie die iets zegt over onze oorsprong...'

'... en dus ook over ons heden,' voegde Chefdebien eraan toe.

'Ja. Trouwens, in de twee eeuwen van haar bestaan is de vrijmetselarij overal ter wereld een van de meest gezaghebbende, en soms ook gevreesde, maatschappelijke krachten geworden. Niets lijkt dat fenomeen te kunnen rechtvaardigen. Waarom bijvoorbeeld trotseert de vrijmetselarij de eeuwen, waarom overleeft ze alle revoluties en dictaturen? Dat is de vraag die me bezighoudt, en niet alleen mij, overigens.'

'En het antwoord?'

'Het geheim! Het fameuze geheim dat niemand nog heeft gevonden en waarvan wij, vrijmetselaars, zonder het te kennen de behoeders zijn. Een geheim waarvan velen het bestaan vermoeden en dat de wildste ideeën voedt...'

'En bestaat er echt een geheim?'

De toon waarop de vraag werd gesteld, verried een lichte spot. De ober kwam het bestek neerleggen.

'Een geheim? Natuurlijk! Elke echte vrijmetselaar heeft er deel aan. Hij draagt het uit zonder het te kennen, hij beleeft het zonder dat hij het kan verklaren. Ieder van ons weet dat onze inwijding ons heeft veranderd. We leven in een nieuwe dimensie die ons vervult, die in ons werkzaam is en die ons transformeert. Als de ruwe steen die door de beitel van de ambachtsman wordt bewerkt tot een edelsteen. Het geheim is de uitvoering van het ritueel.'

'Denk je dat echt...'

'Er zijn mensen die menen dat er nog een ander geheim bestaat. Een materiële waarheid. Jouw oom heeft daar onvermoeibaar naar gezocht.'

De Groot-Archivaris keek peinzend naar de rode sprankeling in zijn wijnglas.

De ober serveerde het vlees met alle ceremonieel van een vermaard etablissement in het historische hart van Parijs.

De Groot-Archivaris ging door: 'Een verloren gegaan geheim, dat waarschijnlijk weer teruggevonden is. Vermoedelijk door de Tempeliers. Althans gedeeltelijk. Wist je dat je oom zich ook voor dergelijke kwesties interesseerde?'

Chefdebien maakte een gebaar van onmacht.

'Mijn oom interesseerde zich overal voor. En speciaal voor Tempeliers! Eerlijk gezegd, en neem dat vooral niet persoonlijk op, vind ik dat je een beetje ver gaat met je zoektocht naar een geheim waar die brave Tempeliers bij betrokken zouden zijn. Vertel me alsjeblieft niet dat je ook op zoek bent naar de zoon van Jezus en de Heilige Graal...'

Marc Jouhanneau keek hem strak aan.

'Spot maar. Net als jij laat ik de grote mysteries van de Tempeliers over aan profanen met een hang naar occulte geheimen. Ik ben er wel rotsvast van overtuigd dat ze iets te weten zijn gekomen dat verborgen was. Ik wil me even terugtrekken om die gedachte uit te werken.'

'Ga een paar dagen naar het kasteel van mijn oom in de Dordogne. Daar heb je het rijk alleen en de streek is uiterst rustgevend.'

Jouhanneau nam zijn tafelgenoot op en gunde zichzelf even bedenktijd.

'Ik neem je voorstel graag aan.'

'Mooi... mooi. Neem dan contact op met de notaris in Sarlat, meester Catarel, die de erfenis afhandelt. Ik zal hem waarschuwen. Hij zal je de sleutels geven.'

De Groot-Archivaris legde zijn bestek neer.

'Erg bedankt voor je aanbod. Je weet dat ik nooit iets vergeet. Maar er is nog iets.'

Intussen waren de meeste tafels bezet. Het geroezemoes van gesprekken golfde door de zaal als afgeschuimd leven. Tenminste voor Jouhanneau.

'Je weet waarschijnlijk dat mijn vader omkwam tijdens zijn deportatie. In zijn laatste dagen had hij een gezel, een lotgenoot. Een Joodse broeder, die alles heeft onthouden.'

'Vreselijk moet dat zijn geweest...'

'Onvoorstelbaar erg. De nazi's dwongen mijn vader mee te werken aan zogenaamd wetenschappelijke experimenten. Toen ze hem niet meer nodig hadden werd hij naar Dachau gestuurd. Daar heeft hij op het einde alles verteld aan die andere gevangene, Marek. Volgens hem was er een racistisch geheim genootschap Thule dat, onder de dekmantel van de organisatie Ahnenerbe, binnen het naziregime zijn eigen agenda afwerkte. Die broederschap was heel sterk vertegenwoordigd binnen de SS en vormde een macht binnen de macht. De experimenten waaraan mijn vader meewerkte hadden te maken met dat geheim.'

'Wat voor experimenten? De nazi's hebben zoveel gruwelijk en krankzinnig onderzoek gedaan.'

'Ze zochten een stof die werd achtergelaten door de goden. Maar zoals alles wat deuren opent naar de oneindigheid, kon ook dit leiden naar het paradijs of naar de hel. Die substantie zou een voorname rol spelen in een verloren gegaan maçonniek ritueel, het schaduwritueel.'

Chefdebien had zijn bestek neergelegd.

'Ik kan je echt niet meer volgen.'

'Stel dat er een goddelijke drug bestaat waardoor je in contact kunt treden met de oorsprong en de levenskracht. Met wat wij vrijmetselaars de Opperbouwmeester des Heelals noemen. En stel je voor wat de nazi's met die kennis hadden kunnen aanrichten! Zij dachten dat ze de soma uit de Vedische en Arische rituelen op het spoor waren.'

'Dat is krankzinnig,' riep Chefdebien. 'Wie gelooft er nu in een geheim van duizenden jaren oud over een... soort hogere ecstasy!'

'Een Onbegrensd Kunnen.'

'Dat zou toch onzinnig zijn.'

'Onzinnig? Weet je wel wat je zegt? Dat geheim kostte mijn vader zijn leven.'

Patrick schoof zijn bord opzij.

'Ik ben maar een simpele cosmeticaverkoper.'

'Dan heb ik iets beters voor je.'

Zijn kaas aansnijdend, ging Jouhanneau door: 'Die Joodse broeder Marek, over wie ik je net vertelde, heeft zijn leven gewijd aan de opheldering van dat geheim. Hij was archeoloog in Israël en de vorige maand vond hij een steen waarin een tekst stond gegraveerd. Die zogeheten steen van Thebbah gewaagde van eenzelfde substantie als de stof waar de nazi's indertijd zo naar zochten. Marek is vermoord en de steen werd gestolen door navolgers van onze vijanden.'

'Wie? De mensen van Thule?'

Het gezicht van Jouhanneau versomberde.

'Ja, het beest leeft nog steeds en leidt een verborgen bestaan. Het heeft weer eens toegeslagen. Wij en zij... zijn verwikkeld in een dodelijke wedloop om dat brouwsel te vinden.'

'Wie zijn wij?'

'Mensen van Orion. Die zoektocht gaat de Grand Orient niet aan, de Grootmeester zou van zijn stoel vallen als hij ervan hoorde.'

Chefdebien keek om zich heen en legde zijn hand op Jouhanneaus schouder.

'Goed, laten we even de boel samenvatten voordat mijn hoofd barst. Het gaat om een oeroud geheim. Om een soort toverdrank, een brouwsel dat de mensen ooit gekend hebben en dat vervolgens verloren is gegaan. De fameuze soma uit de oudheid. De drank die je de gelijke van de goden maakt!'

De Groot-Archivaris glimlachte.

'Absoluut. Sinds mensenheugenis is bekend dat bepaalde planten, beter gezegd, bepaalde moleculen, bij mensen een openbaring teweeg kunnen brengen.'

'En weet jij welke planten er zijn gebruikt voor dat brouwsel?'

'Een ervan is bekend, de naam van de tweede kwam ongetwijfeld terecht in een Tempelierskapel in het hart van Frankrijk, met een ritueel dat is ontdekt door een broeder in de achttiende eeuw, de derde naam staat op de steen van Thebbah. Alleen de juiste dosering van de drie ingrediënten ontbreekt. In een van de archiefstukken is sprake van het bestaan van die elementen, maar er wordt er maar een genoemd. De mensen van Thule kennen de samenstelling van twee van de componenten. De eerste mens die ze alle drie kent zal, in theorie, in staat zijn een unieke drank te bereiden die de deuren kan openen naar een heel nieuwe perceptie, om met Aldous Huxley te spreken.'

De twee mannen aten hun dessert. Zwijgend. Jouhanneau leek vermoeid. Hij had zoveel gepraat. Chefdebien, die gewend was snel in grote lijnen te denken, verwerkte de informatie die zijn gast hem had verschaft.

'Goed, welke stof is er al ontdekt door jouw toedoen?'

'Hij werd genoemd in een document dat we terugkregen van de Russen. Het was een kopie van een verloren gegaan origineel, een duplicaat dat zeker was overgeschreven door een Duitse bureaucraat. In die tijd werden gestolen documenten die belangrijk leken vaak met de hand gekopieerd. Kortom, een van onze archivarissen, Sophie Dawes, ontdekte dat afschrift. Het origineel moet in handen van Thule zijn gebleven. We kennen dus allemaal dat ene element.'

De koffie stond koud te worden. Geen van beiden dronk ervan.

'Welk element?'

'Heb je wel eens gehoord van "de ziekte van de vurigen"? Of van het Sint-Antoniusvuur?'

'Nee.'

In 1039 brak in de Dauphiné de eerste Heilig Vuurepidemie uit. Honderden boeren werden bijna gek van ondraaglijke hallucinaties.'

'Wat was de oorzaak van die epidemie?'

'De *Claviceps paspali* of *Claviceps purpurea*, ook wel "Moederkoren" genoemd. Het is een schimmel uit de alkaloïdenfamilie die voorkomt op graangewassen. Sommige van die schimmels hebben een heel krachtige werking. In de Griekse cultusmysteriën ter ere van Demeter wordt deze godin altijd afgebeeld met een korenaar in haar hand.

'En het tweede element?'

'Toen Sophie de eerste stukken ontdekt had die het Moederkoren op rogge als een van de elementen van het verloren gegane ritueel vermeldden, waarschuwde ze mij en hebben we haar onderzoek bijgestuurd. Ik heb Marek gewaarschuwd, die onmiddellijk het verband legde met wat mijn vader hem had verteld over zijn experimenten voor de nazi's. Een maand later trof Sophie in een andere archiefmap het manuscript van Du Breuil aan en ongeveer tegelijkertijd vond Marek de steen van Thebbah. Vlak voordat ze naar Rome vertrok is Sophie gaan kijken in de kapel van Plaincourault, waar ze die tweede plant hoopte te vinden. Ik heb haar niet meer teruggezien.'

Chefdebien keek verbijsterd. Jouhanneau vervolgde: 'De derde component, die Marek ontdekte, is in handen van onze vijanden.'

'De vermoorde archeoloog...,' mompelde Chefdebien.

'Inderdaad,' bevestigde de Groot-Archivaris, 'en wij moeten absoluut de steen en dus die lui van Thule vinden. Daarvoor heb ik je hulp nodig en de knowhow van jouw firma. Als we die drie planten bij elkaar hebben, moeten we de soma namaken. En hem drinken...'

'En wat is het verband met het schaduwritueel?'

'De soma maakt deel uit van dat geheimzinnige ritueel.'

Jouhanneau liep in de richting van de Notre-Dame nadat hij nog even had gezwaaid naar de flamboyante president-directeur van Revelant. Jouhanneau wilde dezelfde middag nog naar Sarlat vertrekken. Chefdebien had een telefoontje gepleegd naar zijn piloot dat hij aan het einde van de middag moest klaarstaan met de Falcon van de firma.

Ondanks het lentezonnetje was het nog fris langs de Seine. Chefdebien zette zijn kraag op. Zodra hij op kantoor kwam riep hij de directeur van zijn researchafdeling bij zich, die hij opdroeg om direct een laboratorium ter beschikking te stellen van Jouhanneau.

Chefdebien zag alleen maar voordelen aan deze samenwerking. Geen moment geloofde hij aan de goddelijke eigenschappen van het brouwsel dat werd gedronken tijdens dat beruchte ritueel. Hij vond dat Jouhanneau nogal doordraafde door een bijna persoonlijke zaak te maken van zijn onderzoek. Zijn schaduwritueel was hem in de bol geslagen. Het kwam wel meer voor dat broeders de kluts kwijtraakten en Jouhanneau vertoonde overduidelijk obsessief gedrag. Maar wie weet hadden ze in de oudheid toch zonder het te willen een drankje uitgevonden dat medicinale en psychotrope eigenschappen bezat. Antidepressiva waren een groeimarkt en Revelant had al lang plannen om zijn activiteiten uit te breiden met farmaceutica.

Een andere reden voor tevredenheid, en in zijn ogen de belangrijkste, was de morele verplichting van Jouhanneau. De officier van Orion had een grote invloed en kon nu niet anders meer dan hem steunen bij wat hij al jarenlang ambieerde: de volgende Grootmeester van de Grand Orient te worden.

36

Chevreuse

'Wie bent u?'

'Dat zei ik al, ik ben de tuinman.'

Snorremans zag er inderdaad zo uit. Jade kwam overeind van haar matras en zag dat hij iets zocht in de zak van zijn voorschoot.

'Waarom ben ik hier?'

'Dat weet ik niet. Ik wil alleen weten wat uw lievelingsbloem is.'

'Jammer dan. Ik haat bloemen.'

De man haalde een snoeischaar uit zijn zak en hield die voor haar gezicht.

'Dat kan niet, iedereen houdt van bloemen en vooral vrouwen. Ik zal u betere manieren moeten bijbrengen.'

Hij zette het tuingereedschap op haar grote teen. Jade begreep ineens de reden van het verband rond handen en voeten van de dode die naast haar lag. Het bracht haar niet in de war. Ze dacht aan haar training om mentale en fysieke marteling te doorstaan. Tijdens een stage in een geheime basis van de buitenlandse veiligheidsdienst ergens bij Orléans, had een van haar opleiders een lezing gehouden over de verschillende martelmethodes die overal in de wereld werden toegepast. Sensore deprivatie, drugs, elektriciteit en alle mogelijke gereedschappen, maar het kwam er allemaal op neer dat het nog het meest doeltreffend was om iemand permanent bloot te stellen aan geweld. Die succesvolle methode was in praktijk gebracht onder Pinochet in Chili en in Argentinië door de politie van generaal Videla, met actieve medewerking van specialisten van de CIA.

Haar de executie van de Arabier laten bijwonen was maar een inleiding, een psychologische voorbereiding op wat haar te wachten stond. Maar ze zou die smeerlap niet haar angst gunnen, als hij haar dan toch ging afslachten kon ze alleen nog maar zijn plezier vergallen. Ze wist dat ze gruwelijk en ondraaglijk zou lijden, maar ze dacht aan Sophie en ze richtte al haar haat op de beul.

'Mag ik u iets vragen voordat u met uw snoeiwerk begint?'

Van zijn stuk gebracht, stopte de man.

'Eh... jawel.'

'Het schijnt dat folteraars zoals u vaak impotent zijn. Ik heb daar eens een studie over gelezen. Ze komen klaar op de pijn van hun slachtoffers, maar ze kunnen geen stijve krijgen. Klopt dat voor u?'

De snor verbleekte en maakte een gebaar naar zijn helper.

'Laat ons alleen, Hans! Ik ga even een indringend gesprek voeren met mevrouw en haar argumenten wat bijsnoeien, ik vrees dat haar geschreeuw niet om te harden zal zijn.'

Hij bekeek haar en beet op zijn lip.

'Een vrouw die niet van bloemen houdt en die aan mijn mannelijkheid twijfelt... Ik denk dat ik eens iets nieuws ga proberen en met de oren begin.'

De schaar naderde het hoofd van Jade, die zich niet verweerde. Ze wist dat haar beul voordat hij echt zou beginnen angst op haar gezicht wilde zien. Met haar spottende glimlach stelde ze de krachtsverhouding op de proef.

De stalen messen gingen open en gleden voorzichtig, bijna strelend rond haar rechteroor. Een huiveringwekkende liefkozing. Jade sloot haar ogen en balde, zoals haar dat was geleerd, haar vuisten om al haar spierkracht te bundelen.

De man boog zich over haar heen. Ze rook zijn zure adem, vermengd met de bittere geur van pijptabak.

'Over vijf minuten zul je me smeken om op te houden, maar dat kun je vergeten.'

Plotseling klonk er een vrouwenstem: 'Zo is het wel goed, tuinman. Laat haar met rust.'

De man rechtte zijn rug en keek naar het hek. Zijn gezicht was een van woede verwrongen masker.

'Hoe durft u me te onderbreken? Mijn bevelen zijn duidelijk.'

Achter het hek verscheen een jonge vrouw die haar stem verhief: 'Mijn bevelen wegen zwaarder. Sol wil dat ze boven gebracht wordt en dat ik me persoonlijk met haar bezighoud. Onmiddellijk! En neem je gorilla Hans met je mee.'

'Ik wens niet zo te worden toegesproken, jongedame. Weet je wel wie ik ben in de organisatie?'

'Jawel, en dat zal me een worst zijn. Moet ik Sol vertellen dat je weigert?'

De snor borg zijn snoeischaar weg en kwam met tegenzin overeind.

'Ik zal je maar geloven... En het is toch maar uitstel. Ik heb mijn lievelingetjes nog nooit vrouwenbloed kunnen geven. Ik kom gauw weer terug,' beloofde hij Jade glimlachend.

Hij deed het hek open en vertrok met zijn helper. Marie-Anne kwam naast de Afghaanse zitten.

'Opgeruimd staat netjes. Je mag me wel bedanken.'

Jade keek haar minachtend aan.

'Verwacht van mij vooral geen dankbaarheid. Ik weet wie je bent. Je hebt in Rome mijn vriendin vermoord.'

'Ja, en dat ging veel te gemakkelijk naar mijn smaak. Jij lijkt me stukken interessanter wat dat betreft. We hebben elkaar een hoop te vertellen, maar eerst moet ik nog wat voorzorgsmaatregelen nemen.'

Uit een leren tasje haalde Marie-Anne een puntige zilveren ring die ze aan haar ringvinger deed. Voordat Jade iets kon doen, drukte de moordenares de ring tegen haar blote voet, op de geprikte plek verscheen een druppel bloed.

'Je bent een geluksvogel, Jade. Gewoonlijk lopen er in deze kelder liters bloed over de vloer. Dit brengt je een kwartiertje in slaap, de tijd die nodig is om je naar boven te brengen.'

Opnieuw voelde de Afghaanse zich draaierig worden, net als voor haar ontvoering. Ze wilde nog iets zeggen, maar ze was al te ver heen.

Parijs,
de Grand Orient

In een vertrek op de zesde verdieping van het gebouw van de GO stonden in grijsmetalen stellingen honderden kartonnen archiefdozen. Elke doos had een etiket met grote zwarte cyrillische letters en op een aantal zaten nog pas verbroken zegels.

Marcas liet zijn hand over de gehavende dozen gaan die duizenden kilometers hadden gereisd. Parijs... Berlijn... Moskou en dan weer terug naar Parijs. Een onvoorstelbare zwerftocht voor deze manuscripten die het hervonden geheugen van een seculiere orde vormden.

De politieman liep terug naar de ingang van de zaal waar de conservator zat, een veertiger met een peper-en-zoutkleurige baard en dikke wenkbrauwen.

'Het is ontroerend om die archiefstukken te zien als je hun geschiedenis kent. Bedankt dat ik er even naar mocht kijken. Hoelang zou het duren om deze goudmijn aan gegevens te ontginnen?'

Tegen het eind van de middag, toen Jade niet kwam opdagen, had Marcas besloten om in de rue Cadet te gaan kijken of er nog andere manuscripten uit de Du Breuil-collectie waren en of men er misschien nog getuigenissen had over nooit opgehelderde moorden volgens het ritueel van Hiram. Hij had gebeld met de conservator, die toevallig die avond zou doorgaan met het doorzoeken van de Russische archieven.

'Waarschijnlijk nog jaren. Gelukkig hebben de Russen ons een handje geholpen, want alle vermeldingen die je op de dozen ziet verwijzen naar een heel accuraat classificatiesysteem, dat weer overeenkomt met een uitgebreide inventaris. Het is raar om te bedenken dat vanaf 1953 Franssprekende Russische bureaucraten maandenlang bezig waren om onze documenten pagina voor pagina te bestuderen, zonder dat ze de reikwijdte ervan konden overzien. Of misschien hebben ze gewoon het werk van de Duitsers nog een keer overgedaan...'

'Wat zochten ze precies?'

'Het Sovjetrijk gleed af in de verstarring van de Koude Oorlog. Ze moesten documenten met een politieke strekking zoeken en vooral uitzoeken hoe de loges georganiseerd waren en of we een eigen spionagenetwerk hadden. De communisten waren niet erg op ons gesteld.'

Marcas knikte begrijpend.

'Ze waren niet de enigen. Je had ook nog de nazi's, de reactionaire katholieken, de monarchisten, de nationalisten van diverse pluimage. Je moest in die tijd stevig in je schoenen staan wilde je voor je vrijmetselaarsengagement durven uitkomen.'

'Je kunt niet iedereen te vriend houden. Maar die archiefstukken zijn vooral van sentimentele historische waarde, zoals het document waarmee ik nu bezig ben. Bekijk het maar eens.'

De conservator gaf Marcas een vergeeld stuk papier, dat was beschreven in een ouderwets schoonschrift en begon met de woorden:

Lijst van nieuwe officieren van de E:. Loge van de IX Zusters.
Uittreksel van een bouwstuk te houden op de 20ste dag van de 3^{e} maand van het jaar:. *L:. 1779.*

Achtbare-Br:. Dr. Franklin.

Marcas riep uit: 'De namenlijst van de loge van Benjamin Franklin! Dat is uniek!'

De conservator lachte.

'Die aantekening is ruim tweehonderd jaar oud, dat zet je aan het denken. Maar wat kan ik voor jou doen?'

De politieman vertelde in het kort van de moord op Sophie Dawes, de strekking van de archiefstukken die ze had bestudeerd en zijn eigen ontdekking van de vroegere moorden in Italië. Peinzend krabbelde de conservator in zijn baard.

'Dawes heeft alles meegenomen en er is hier niets meer van het dossier Du Breuil. Je mag gerust weten dat ik razend was toen ik haar met de zegen van Jouhanneau die originele stukken zag inpakken. Gelukkig zijn ze weer terug! Wat betreft de moorden waar je het over hebt, raad ik je aan te kijken in de inventarisboeken van de Russische archieven. De archiefdozen worden daarin vermeld onder nummers die weer overeenkomen met de nummers op de etiketten. Het is in Russisch alfabet, maar de cijfers zijn hetzelfde als bij ons. Roep me als je hebt gevonden wat je zocht; ik zit in het kantoor hiernaast.'

Marcas ging zitten op een stoel tegen de muur en pakte de grote inventarisordner van geel linnen. Hij keek op zijn horloge, het was tien uur 's avonds. Hij dacht aan Jade en probeerde nog eens haar gsm. Uiteindelijk sprak hij nog maar een boodschap in op haar voicemail. Waarschijnlijk was ze op het laatste moment verhinderd, ze waren tenslotte niet getrouwd, ze was hem geen verantwoording schuldig. Hij waarschuwde rechter Darsan ook niet. Dat deed hij morgen wel als hij dan nog geen nieuws had.

Hij sloeg de inventaris open en doorliep de omschrijvingen. Er zat van alles bij. Een kwitantie van de loge uit 1830, bouwstukken uit 1925, zittingverslagen uit 1799... Geduldig ontcijferde hij alle omschrijvingen.

Na een halfuur, toen zijn ogen al rood werden en zijn benen stram, vond hij een merkwaardige aantekening.

Verhandeling van Br:. André Baricof van de loge Grenelle étoilée over de vervolgingen van vrijmetselaars in de geschiedenis. Gedateerd 1938. Serie 122, sub-sectie 12789.

Marcas stond op en klopte aan bij de conservator, die in de weer was met een stapel gehavende documenten. Hij keek op en glimlachte terug.

Tien minuten later zat Antoine voor een grote, bolstaande archiefmap. Hij knipte het koordje door dat als verzegeling had gediend en verwijderde het door vocht aangevreten kartonnen omslag. Daaronder zaten dunne papieren mapjes met stapeltjes manuscripten en tabellen met cijfers. Marcas inspecteerde de mapjes een voor een tot hij iets interessants vond.

Hij legde de grote map op de grond naast het bureau en sloeg het dossier Baricof open dat een tiental pagina's bevatte. Baricof was een lid van de GO en werkte als journalist bij een grote krant. Hij beschreef op een nogal lugubere manier hoe vrijmetselaars in de loop van de geschiedenis op een gewelddadige manier aan hun einde waren gekomen. Marcas nam de tekst snel door. Bij de achtste pagina aangekomen, sloeg zijn hart over. Reden was een paragraaf van dertig regels:

... Merkwaardig is een verhaal over moorden die identiek zijn aan de moord op Hiram dat vooral wordt verteld door sommige oude broeders. De eerste zouden zich aan het begin van de achttiende eeuw hebben afgespeeld in Westfalen in Duitsland. Twaalf Duitse broeders van eenzelfde loge werden op een open plek in het bos dood aangetroffen met de merktekens van Hirams dood: de ontwrichte schouder, de gebroken halswervels en de ingeslagen schedel. De broeder, een hoge politieofficier die het onderzoek leidde, ontdekte dat de moordenaars behoorden tot een griezelig genootschap, de Sankt Fehm, dat was opgericht door rechters en militairen die vijanden van het christendom wilden afstraffen. De resultaten van het onderzoek werden door de autoriteiten genegeerd en de daders zijn nooit vervolgd. De broeder-politieman stuurde een verslag naar alle loges om ze waarschuwen.
Ik heb zelf nog twee van dergelijke moorden gevonden, die allebei vlak na de oorlog in Duitsland gebeurden. De eerste vond plaats in München, na het mislukken van de Spartakistenopstand waarbij de communisten in 1919 bijna de macht in Beieren hadden overgenomen. De

represailles van het vrijkorps Oberland, een extreem-rechtse militie die in het geheim onder bevel stond van een Thule genaamde racistische organisatie, waren genadeloos en onder de honderden geëxecuteerde tegenstanders waren verschillende vrijmetselaars die op dezelfde rituele manier waren omgebracht. Waarbij moet worden aangetekend dat die broeders geen revolutionairen waren. Een tweede moord, in Berlijn ditmaal, trof een Achtbare Meester van de loge Goethe, die op het trottoir werd achtergelaten met sporen van dezelfde slagen. Het zou leerzaam zijn om te weten of de nazi's die praktijken hebben voortgezet, maar sinds het verbod op de loges en de opening van concentratiekampen hebben we daar geen contacten meer.

De tekst ging door met filosofische beschouwingen over de gespannen verhoudingen met fascistische regimes. Marcas maakte aantekeningen in het notitieboekje dat hij was begonnen in Rome. Eindelijk had hij een bruikbaar spoor en het ging hier niet meer om toevalligheden. Het was allemaal begonnen in Duitsland en het leefde voort als een bloedige parodie op de moord op de in de vrijmetselarij meest geëerbiedigde man, Hiram.

37

Chevreuse

Het nog ongeschonden hedonistische decor van het vertrek was ongetwijfeld ontworpen door een aristocraat uit het einde van de achttiende eeuw. In de nadagen van de regering van Lodewijk XV had de libertijnse noblesse een levensstijl ontwikkeld waarbij ze in het sprookjesachtige decor van *petites maisons* de geneugten van de lichamelijke liefde vierde.

In afgelegen kastelen rond Parijs en Versailles, in valleien van een arcadische bekoring, waren lusthoven verrezen waar de losbollen van die tijd samenkwamen. Ver van de praal van het hof en de mondaine en filosofische salons van de hoofdstad, werd een nieuwe levenskunst uitgevonden.

Die kortstondige periode van frivoliteit was gesmoord in het bloedbad van de Revolutie. Veel van de *petites maisons* werden weggevaagd in de storm die door de geschiedenis raasde en de druk die dat zette op de onroerendgoedmarkt. Enkele discreet in ere gehouden buitens bleven over, die met hun ouderwetse charme de stille getuigen waren van het tijdverdrijf in een periode van vrijzinnigheid van lichaam en geest.

De balkondeuren kwamen uit op het park. De rolluiken waren opgehaald. De jaloezieën van de lange zonwering lieten smalle lichtstralen door die het geboende parket veranderden in een blinkende spiegel. Minnaressen uit vervlogen tijden moeten de speelse streling van het licht op hun blanke enkels hebben gevoeld. Boven de schoorsteen van gevlamd marmer hield een Venetiaanse spiegel de hele kamer in het oog. Op en rond sensueel gewelfde fauteuils slingerde dameskleding. Een smalle schoen met een blokhak was gestrand aan de voet van een mahoniehouten bureau, de tweede lag onder het bed. Een sjaal van wit linnen tooide een ondeugend glimlachend gipsen borstbeeld.

Helemaal achter in het vertrek boden openhangende draperieën een doorkijkje naar de schemerige diepte van een alkoof. Een bed onder een baldakijn van donker hout hield een jonge vrouw gevangen wier blanke vlees zichtbaar was.

Op een sofa zittend bestudeerde Marie-Anne opgewonden de vrouw die ze op het punt stond te doden.

Gedurende al die jaren dat de Kroatische uitsluitend had geleefd met de drang om zich te wreken, had ze nauwelijks tijd gehad om aandacht te besteden aan haar liefdesleven. Ze had mannen gekend en vluchtige verhoudingen gehad, maar haar eigen begeerte was daarin niet aan bod gekomen. Ze deed haar best en was een ongetwijfeld gewaardeerde, maar hopeloos afwezige partner.

Doden betekent eerst en vooral wachten. Soms duurde het wel dagen voordat het wild uit zijn hol kwam. Wachten in auto's, gangen, wegbermen. In regen en wind. Marie-Anne wist niet hoe haar vakbroeders uit het huurmoordenaarsgilde hun wachttijd doorbrachten, maar zelf had ze een oplossing bedacht.

Terwijl de uren verstreken, verzon ze een onbestaand decor. Het was ongetwijfeld opgetrokken uit de vage herinnering aan een beeld dat ze als kind had opgedaan. Het was altijd een schemerige kamer, die ze naar hartenlust stoffeerde met chic meubilair. Alles ademde genot uit. In de donkerste hoek stond onveranderlijk een bed. Een onopgemaakt bed, waarin de geur van wellust zich vermengde met de uitwaseming van een onbekend lichaam. Dat was altijd het punt waarop Marie-Anne haar droom onderbrak. Waarop het genot schrijnend werd.

Eén enkele keer maar had ze haar eigen spelregel overtreden. En op dat denkbeeldige bed had ze, als in een vervloekte droom, een vrouw zien liggen...

Sindsdien nam ze een strenge mentale discipline in acht die elk droombeeld verbood. Tot ze vandaag deze kamer betrad.

Buiten in het park heerste rust. Om deze tijd was het personeel klaar met zijn werk. Marie-Anne keek even door een kier in de zonwering. Het uitgestrekte gazon lag er verlaten bij. Slechts een standbeeld bewaakte er met marmeren blik de stilte. Het gras liep door tot aan de zoom van een eikenbos, dat zich uitstrekte tot aan de muur van het domein. Niemand zou hen komen storen.

De Kroatische keerde terug naar het bed. Jade had bewogen. Het was maar een kort rukje van het hoofd. In wat voor duistere wereld was ze beland? Marie-Anne zag haar oksels die in haar vastgebonden positie zichtbaar waren, vochtig worden. Ze had nog nooit zoiets erotisch gezien.

Ze moest zich bedwingen. Ze moest de draad van de opdracht weer oppakken.

Marie-Anne haatte zwakheid. Haar eigen zwakheid vooral. En toch was ze gezwicht. Ze had Jade naar haar kamer gebracht. De Afghaanse was diep in slaap. Voordat ze haar met elektriciteitsdraad vastbond aan de stijlen van het bed, had ze haar uitgekleed. En nu wachtte ze tot haar slachtoffer zou ontwaken.

Marie-Anne hield ook wel van haar zwakheden. Op het mahoniehouten bureau stond een ondoorzichtig plastic bakje. Er zaten twee nog vochtige paddenstoelen in met soepele stelen en gerimpelde hoedjes. De Arabier had er maar een beetje van gebruikt. Zij was het geweest die op bevel van Sol het aftreksel had gemaakt dat Béchir had gedronken. Een brouwsel met hallucinogene eigenschappen om zich voor te bereiden op de grote reis. Er waren twee paddenstoelen overgebleven... genoeg om haar eigen zwakheden onder ogen te kunnen zien, om haar fantasieën in praktijk te brengen.

Jade kreunde zachtjes. Ze had het koud. Haar handen leken gevoelloos. Een snijdende pijn trok omhoog door haar benen. Ze wilde bewegen. Ze kon het niet.

'Bespaar je de moeite,' zei een slepende stem.

Ze moest haar ogen opendoen.

'Een schone slaapster,' vervolgde de stem, 'maar de prins op het witte paard kun je vergeten. Die komt niet.'

De jonge moordenares zat voor Jade. Ze had een starende blik. Haar ogen stonden glazig.

'Die komt niet. Dus...'

De onbekende was opgestaan.

'Dwing me niet je te martelen. Denk aan je mooie lijf.'

Traag kwam ze dichterbij.

'Zo'n prachtig lichaam. Daar moet je al veel plezier van hebben gehad...'

Ze was nu op het bed.

'Je vriendin was ook zo mooi. Voordat ik haar vermoorde heb ik haar nog gezoend.'

Jade onderdrukte een schreeuw.

'Maar jij bent nog naakt ook...'

'Zeg me wat je van me wilt!'

Marie-Anne strekt zich uit op het bed. Haar blonde haar streelde de oksel van Jade.

'Wat ik wil? Van alles! En vooral...'

De Afghaanse verstijfde.

'Is het kindje bang? Had je liever je politieman?'

'Wat weet jij daarvan?'

'Je stelt me echt teleur. Een flik! Als het nou nog je vriendin geweest was, Sophie?'

'Vuile slet!'

'Toe maar, liefje! Je gaat er hoe dan ook aan. Dus houd je maar niet in. Slet? Waarom niet. Ik had het misschien best leuk gevonden.'

Jade kreeg een idee.

'Nee, niet de flik. Die is niet mijn soort.'

De stem werd dieper: 'Nee?'

'Nee.'

'Had je liever je vriendinnetje?'

'Wat denk je?'

Het blonde haar werd nog strelender.

'En als ik nou eens niet van raadsels houd?'

'Mijn handen... Sophie hield vooral van mijn handen.'

Marie-Anne kwam onvast overeind.

'Je handen... Je handen. Denk je dat ik gek ben?'

Ze lachte spottend en smeet haar schoenen dwars door de kamer.

'Laat me bewijzen dat je helemaal niet gek bent.'

'Ga je gang!'

Tussen de oude boeken op het bureau lag een papiersnijder.

'Eén hand dan. Eentje maar. En bij de eerste foute beweging, eentje maar...'

De Kroatische bracht de papiersnijder naar haar keel.

'... laat ik je leegbloeden.'

Jade dacht aan Marcas. Zomaar. Ze had ook een ander gezicht voor ogen kunnen krijgen. Waarom niet haar vader? Of een man die ooit van haar had gehouden? Waarom Marcas? Hij had niets speciaals. Hij was een loser. Een kneus. Ineens moest ze denken aan een Franse les op de middelbare school. Ze hadden lang gepraat over een tekst van Proust. *Een liefde van Swann*. Over de onmogelijke liefde tussen een verfijnde man en een hoertje. Een liefde waarvoor die Swann alles had opgeofferd. Vanwege zijn passie voor 'een vrouw die zelfs niet mijn soort was'.

Jade kende die laatste zin nog. Ze wist niet of ze hem goed citeerde, maar de waarheid ervan was haar altijd bijgebleven. Het was een waarheid die haar angst aanjoeg en die maakte dat ze grossierde in komende en gaande minnaars. Metroseksuelen en briljante intellectuelen, maar nooit een man van wie ze had gehouden. En nu, op de drempel van de dood, dacht ze aan een vent met een belachelijke voornaam. Antoine.

Marie-Anne was klaar met het doorzagen van de boeien van haar rechterhand. Ze nam de vingers van haar gevangene.

'En nu ga je me daarmee een plezier doen.'

Sarlat,
in de Dordogne

Meester Catarel was een gewiekste notaris. In de weekends trok hij eropuit om de omgeving te verkennen, uitgedost als wandelaar en met een digitale camera om zijn nek. Als hij soms cliënten tegenkwam verklaarde hij hun zijn passie voor de lokale architectuur en raakte hij niet uitgepraat over een vakwerkmuur of een verzakt dak.

Als ijverige correspondent van de 'Société des Etudes historiques du Périgord' publiceerde hij regelmatig jubelende artikelen over dingen als wormstekige voordeuren of klaagde hij de kwalijke invloeden aan van de moderniteit op de architectuur. Dat alles had hem de reputatie van groot kenner en een grote clientèle opgeleverd. Een faam die er ook voor zorgde dat handelaars in onroerend goed die zich in zijn streek vestigden binnen de kortste keren failliet gingen. Want de prachtige foto's van notaris Catarel verschenen niet alleen in regionale tijdschriften, maar deden ook de ronde onder liefhebbers van oude gebouwen: meestal waren dat rijke mensen die altijd wel interesse hadden in een mooi oud herenhuis of een kasteeltje om te kunnen restaureren.

Toch was notaris Catarel een discrete man. Hij kwam voort uit een geslacht van notarissen, hij kende zijn vak en de gezondheidstoestand van de fortuinen in zijn regio. Hij had zich altijd op die kennis en ervaring kunnen verlaten.

Toen de jonge Chefdebien, die in de streek zo werd genoemd om hem te onderscheiden van zijn oom, hem had gevraagd zich te ontfermen over een vriend van hem, Marc Jouhanneau, was de notaris meteen tot alles bereid. Temeer daar de president-directeur van Revelant erbij had gezegd dat zijn vriend zijn intrek zou nemen in het familiekasteel.

Jouhanneau was op Le Bourget aan boord gegaan van de privéjet van Revelant, die Chefdebien tot zijn beschikking had gesteld. Hij landde in Bergerac waar een dienstauto van de Kamer van Koophandel van Bordeaux voor hem klaarstond. De baas van Revelant had lachend gezegd dat hij daarmee misbruik maakte van gemeenschapsmiddelen ten koste van zijn eigen onderneming en dat hij daarvoor in de gevangenis kon belanden. Jouhanneau had hem op dezelfde spottende toon geantwoord dat er enorm veel begripvolle broeders bij het gerecht werkten.

Notaris Catarel nodigde zijn gast uit plaats te nemen in een leunstoel van versleten leer, de enige luxe in het strenge decor van een typisch provinciaal notariskantoor.

'Fijn dat u me zo laat nog wilde ontvangen, maar ik kom net aan uit Parijs. Per vliegtuig.'

Met opzet vertelde Jouhanneau dat erbij.

De wenkbrauwen van de notaris gingen vragend een ietsje omhoog.

'Ik wist niet dat er zo laat nog vluchten waren...'

'Ik kwam met een privévliegtuig. Maar laten we het over het kasteel hebben. U bent zo'n beetje de beschermheer.'

'Zo kun je het stellen. Na overdracht van de nalatenschap werd het verzegeld en de erfgenaam die me de eer aandoet mij zijn vertrouwen te schenken, heeft me gevraagd om er een inventaris van op te stellen. En om het nodige onderhoud te laten verrichten...'

'Dat vertrouwen is volstrekt terecht...'

De notaris trok zijn wenkbrauwen nog ietsje hoger.

'Wijlen de markies de Chefdebien stond mij zeer na. Het was een oude vriendschap. Hij was uitzonderlijk erudiet.'

'Ik heb uw vriend ook goed gekend. Zijn intellectuele nieuwsgierigheid kende geen grenzen.'

'En ging zo diep... Die man interesseerde zich werkelijk voor alles.'

'En zijn kasteel?'

De notaris tuitte zijn lippen.

'Een wonder van architectuur, maar ik vrees dat u het comfort er... hoe zal ik zeggen... nogal sober zult vinden.'

'Soberheid stimuleert ongetwijfeld de overpeinzing. De markies heeft er zeker veel nagedacht en gewerkt?'

'Absoluut. Absoluut. Een plek met zo'n historische beladenheid is een bron van inspiratie...'

Jouhanneau onderbrak hem: 'Ik kan niet wachten om het met eigen ogen te aanschouwen.'

'Ik weet zeker dat u niet teleurgesteld zult zijn. Alles is voor u in orde gemaakt. De sleutels liggen voor u klaar, meneer Jouhanneau. Mijn klerk zal ze u zo brengen. Maar mag ik u eerst nog een verfrissing aanbieden? Onze lokale specialiteit is een notenlikeur.'

Jouhanneau knikte.

'Dat lijkt me heerlijk.'

Notaris Catarel pakte zelf de glazen.

'Ik hoop dat u tijdens uw verblijf ook onze mooie streek een beetje zult verkennen. U weet dat hij een rijke geschiedenis heeft.'

'Wat raadt u me aan?'

'Vooral de prehistorie. De kunst is hier ontstaan, mijn beste. Lascaux is een hoogtepunt in de schilderkunst!'

'Ik dacht dat de grot voor het publiek gesloten was.'

'Er vlakbij is een reconstructie gemaakt. Buitengewoon geslaagd.'

'En de oude grot zelf?'

'Die gaat nog maar heel zelden open. Alleen voor onderzoekers en hoge gasten. De wandschilderingen kunnen slecht tegen kooldioxide. De adem van de bezoekers hebben deze unieke bezienswaardigheid bijna vernietigd.'

De Groot-Archivaris onderdrukte een glimlach. Hij had broeders gekend in Cordes, in de Tarn, die hun tempel in een grot hadden ingericht. Het waren absoluut geen dwepers, maar gedreven broeders die hechtten aan het ritueel zoals het was voorgeschreven. Het was pas door recent onderzoek dat specialisten vermoedden dat de prehistorische grotten plaatsen van inwijdingen geweest waren. Er was sprake van sjamanisme en van rituele ceremonies...

'En voorts natuurlijk de kastelen, meneer Jouhanneau! We hebben schitterende exemplaren! Trouwens, het kasteel de Beune waar u gaat logeren is uniek in zijn soort.'

'Het was, meen ik, het familiekasteel van de Chefdebiens?'

'Dat wil zeggen...'

'Ik dacht echt...'

'Wijlen de markies liet het inderdaad voorkomen alsof het kasteel deel uitmaakte van de familiebezittingen, maar...'

'Geschiedenis is uw stokpaardje, is het niet?

'Ik moet bekennen dat het een zwak van me is.'

'En dit kasteel is dus...'

'Nooit eigendom van de familie Chefdebien geweest. De markies heeft het gekocht als een bouwval en er een deel van gerestaureerd.'

Peinzend nam Jouhanneau een slokje van zijn notenlikeur. De notaris ging door: 'Ik weet niet wat de huidige markies ermee gaat doen.'

'Ik ook niet, maar hij heeft het erg druk.'

'Natuurlijk. Met Revelant.'

De wenkbrauwen van de notaris schoten weer wat hoger.

'En zo'n gebouw vraagt voortdurende zorg. Stel u voor, een kasteel uit de dertiende eeuw! Dat heeft hectaren aan dakbedekking, alleen al op het gerestaureerde gedeelte. En dan praat ik nog niet eens over de bijgebouwen. Het was ooit een *castrum*. Met een landhuis voor de edelen, met een kapel...'

'Heeft het een boeiend verleden?'

'Buitengewoon!'

De Groot-Archivaris zette zijn glas neer.

'Leg ik niet te veel beslag op uw tijd als ik u vraag om...'

De ogen van de notaris begonnen te schitteren.

'Maar absoluut niet! Wilt u nog een slokje van onze regionale likeur?'

'Graag, hij is heerlijk.'

Als het over het kasteel de Beune ging was de notaris niet meer te stuiten. Het was al elf uur in de avond toen Jouhanneau weer buiten stond. Hij liep door de beschermde wijk van de oude stad om bij de auto te komen die geparkeerd stond aan de randweg. Het was waar dat Sarlat een buitengewoon architecturaal erfgoed bezat. Je waande je er in de renaissance. In sommige straatjes was alles eeuwenlang hetzelfde gebleven.

Okerkleurige gevels vormden een decor van wonderbaarlijk goed geconserveerde huizen. Ze hadden deuren met hoge frontons en ramen met monelen, de een nog mooier bewerkt dan de ander.

Maar er waren ook heel wat middeleeuwse overblijfselen. Te beginnen met het kerkhof, waar platte grafstenen lagen waarop het Tempelierskruis was uitgehouwen. En net iets hoger dan de kerk, de beroemde *lanterne des morts*. Een ranke kegelvormige toren met als enige opening een voordeur. Lokale amateurhistorici probeerden hartstochtelijk het raadsel van die toren te ontsluieren.

Men dacht dat het een gedenkzuil kon zijn, een collectief graf en zelfs een loge van actieve vrijmetselaars, de ambachtslieden die de abdijkerk hadden gebouwd. Waar of niet waar, een feit was dat er veel vrijmetselaarsloges waren in Sarlat. Nagenoeg alle obediënties waren er vertegenwoordigd. Een dergelijke hoge broederconcentratie kwam nergens anders voor.

Jouhanneau nam de rue Montaigne in de richting van de randweg. Hij omklemde de bos zware smeedijzeren sleutels in zijn jaszak.

38

Chevreuse

'Maar eerst... noem je me Joana.'

'Mooie naam! Waar komt die vandaan?'

'Uit Kroatië... Een mooi land... ook...'

Jade was weer helemaal helder en probeerde haar kansen in te schatten om te ontsnappen uit deze hel. Met een hand en twee voeten vastgebonden, lag het voordeel duidelijk aan de kant van de moordenares. De Afghaanse had absoluut geen trek in de spelletjes van die gekkin, maar ze zag weinig andere mogelijkheden, vooral niet met een mes op haar keel.

'Ik wacht...'

De stem van het meisje klonk schor en Jade voelde de druk van het mes toenemen. Ze had het gevoel dat ze was beland in een B-film en dat er achter de spiegel een viezerik bezig was de scène op te nemen. Er rijpte een idee in haar hoofd. De laatste woorden van haar ongelukkige lotgenoot.

'Ik weet alles van Bviti.'

Joana verlichtte de druk even.

'Bvi... wat?'

'Bviti. Ik moet je baas spreken.'

'Mijn baas?'

Joana grinnikte.

'Ja, je meester. Zeg hem dat ik bereid ben om hem alles te vertellen en zelfs nog meer over de vrijmetselaars. Ze hebben een grote voorsprong op jullie.'

Terwijl ze Joana's aandacht afleidde, vond haar hand de genaaldhakte schoen die haar aanvalster op het bed had gelegd. Behoedzaam schoof ze de schoen centimeter voor centimeter dichter naast haar lichaam. Het mes lag nog op haar keel, maar met minder aandrang. Joana boog zich naar Jade toe.

'Ik wil je hand.'

De schoen met de metalen hakpunt beschreef een volmaakte cirkel om te eindigen tegen de slaap van de Kroatische, die over de rand van het bed viel. De moordenares uitte een dierlijke kreet van pijn en viel op de grond. Gelukkig was het mes langs de keel van Jade afgegleden en ze voelde slechts een heel klein sneetje.

De Afghaanse greep het mes en sneed de draden los waarmee ze was vastgebonden aan het bed. Ze was nog lang niet uit de problemen, het huis zat vast vol met vrienden van de tuinman en de moordenares. Die lag in foetushouding ineengekrompen op het tapijt. De Afghaanse kon er niet toe besluiten om haar in koelen bloede af te maken, ze tastte naar de basis van de hals en drukte op de halsslagader om de bloedstroom naar de hersenen te vertragen en de bewusteloosheid te verlengen. Ze profiteerde ervan om haar vast te binden en te knevelen met de boeien waarvan zij zichzelf net had bevrijd.

Jade beschikte weer over alle reflexen die haar bij de training waren aangeleerd, de adrenaline maakte haar geest glashelder. Ze liep de kamer door en keek naar buiten, het park lag er verlaten bij op dit nachtelijke uur. Nog een geluk dat ze haar hadden opgesloten in een kamer op de eerste verdieping.

Ze liep om het bed heen en opende voorzichtig de deur, aan het einde van de lange gang klonk gepraat en muziek. Te link. Ze moest snel iets anders bedenken, want elk moment kon er iemand komen. Ze besloot door het raam te gaan.

Ze doorzocht Joana's tas die op de tafel stond en haalde er de, ongetwijfeld valse, identiteitspapieren uit en het mobieltje, een kostbare vondst waarmee telefoonnummers konden worden achterhaald. Ze kleedde zich snel aan en friste haar gezicht op in de badkamer. Het spiegelbeeld was niet opbeurend, ze zag er angstaanjagend uit. Met haar plakkerige haar kon ze doorgaan voor een uit een gesticht ontsnapte gekkin.

Ze had geen tijd meer om zich op te knappen. Ze liep de kamer weer door, pakte het mes en draaide het rond in haar handen. Het zou zo eenvoudig zijn… niemand zou het haar kwalijk nemen… Gelden gewetensbezwaren ook voor mensen die gewetenloos martelen en moorden? Met een boosaardig lachje bracht ze het mes naar Joana's maagstreek, nog maar een paar centimeter en de bitch was er geweest.

Ze had al eerder iemand gedood, maar nog nooit een tegenstander die machteloos was. Voor haar geestesoog verscheen het gezicht van Sophie, haar glimlach, haar levenslust... nog een beetje meer haat en ze was gewroken...

Ineens vermande ze zich. Geen sprake van dat ze een moordmachine zou worden. Haar principes kregen de overhand, maar de frustratie bleef. Joana mocht hier niet ongeschonden mee wegkomen. Ze moest er iets aan overhouden.

Jade keek om zich heen en ontdekte op een bijzettafeltje een stenen beeld dat een gestileerde kolom voorstelde. Ze woog het – de pilaar woog zeker een paar kilo – voordat ze ermee naar de moordenares ging. Jade hief het beeld op en sloeg ermee op de rechterpols van de Kroatische.

De klap wekte Joana uit haar bewusteloosheid en ze schreeuwde achter de prop in haar mond, haar ogen vulden zich met tranen, ze kronkelde als een bezetene. Jade ging boven op haar zitten en klemde haar tussen haar dijen.

'Ik heb ook mijn nare kanten. Ik ben helemaal geen lief mens. Je bent voor je leven gehandicapt. En ik ben nog niet klaar.'

Met een hand hield ze de gebroken pols stil, de andere gebruikte ze om met het beeld op Joana's vingers te slaan. Heel systematisch en met een werktuigelijke precisie. De vrouw stiet gesmoorde geluiden uit en in haar blik fonkelde intense haat.

'Zo, die kun je nooit meer gebruiken. De botten en het kraakbeen zijn verbrijzeld. Voor je algemene ontwikkeling vertel ik erbij dat ik deze techniek heb geleerd van een instructeur die hem op zijn beurt had afgekeken van een Congolese officier. Het was een Afrikaans gebruik om dieven te straffen.'

Voor ze opstond, sloeg Jade haar nog vol in het gezwollen gezicht.

'Dit doe ik alleen maar om je te vernederen en omdat het lekker is. Het probleem van ons meisjes is dat ons wordt geleerd om onze driften te beheersen... Het is heel gezond om je af en toe eens te laten gaan. De groeten, slettenbak!'

De Afghaanse controleerde nog eens of de boeien wel stevig genoeg waren. De moordenares kon onmogelijk ontsnappen. Voldaan liep ze naar het raam en klom op de vensterbank. Het park was rustig als de nacht. Ze klampte zich vast aan de daklijst en belandde binnen een minuut lenig op het grind. Twee waarschijnlijk gewapende mannen liepen heen en weer langs het hek en versperden haar de doorgang.

Jade sloop langs de kas en tijgerde honderd meter onder de ramen door. Aan de andere kant aangekomen, hief ze haar hoofd op en zag de tuinman bezig met het begieten van reuzenficussen. Ze kon het zich verbeelden, maar hij leek tegen ze te praten alsof het mensen waren. Jade dacht aan de stakker die was doodgemarteld en haar woede steeg. Ze zou naar binnen kunnen glippen om hem te vermoorden, maar daar had ze geen tijd meer voor. Ze moest hier weg om de autoriteiten te kunnen waarschuwen, Marcas en Darsan.

De tuinman stopte met gieten en draaide zijn hoofd naar de plek waar Jade stond. Haar hart sloeg over. Hij bleef even in haar richting kijken alsof hij iets had gehoord, en ging toen door met zijn werk. De jonge vrouw zuchtte opgelucht. Ze sloop naar de achterkant van het kasteel en verdween in de bosjes.

Parijs

De taxi wachtte voor de ingang in de rue Cadet. Marcas schoof in de auto en nestelde zich op de achterbank. Het was een uur in de ochtend en hij had maar één wens, zijn zachte bed in duiken. In tien minuten zou hij thuis zijn. Het mobieltje in zijn binnenzak trilde. Op het schermpje verscheen de melding: 'onbekend nummer'. Hij nam op. Het was een vrouwenstem.

'Marcas, kom me onmiddellijk halen. Ik ben in Dampierre.'

'Dit is een geintje zeker? Ik zit uren te wachten, ik heb twee boodschappen op uw voicemail achtergelaten en nu trommelt u me even op om voor chauffeur te spelen...'

'Stop! Ik ben vandaag ontvoerd door de moordenares van Sophie. Ze zitten me achterna. Schiet op! Ik heb ook een boodschap achtergelaten bij Darsan, die nog slaapt. Gelukkig had ik jullie nummers onthouden. Dit dorp hier is uitgestorven. Ik durf geen taxi te bellen omdat ze misschien de frequentieband afluisteren.'

De paniekerige toon van de stem liet geen ruimte voor twijfel aan de urgentie van de toestand. De politieman dacht even na. Hij had minstens een uur nodig om vanuit het negende arrondissement in Parijs naar Dampierre te komen. Dat duurde te lang.

'Ik kom eraan. Maar om tijd te winnen bel ik vast een vriend van me in die buurt. Met een beetje geluk is hij eerder bij u dan ik. Ik bel zo terug.'

'Nee, ik bel met de gsm van de moordenares, ik ken het nummer niet. Ik bel...'

De verbinding werd verbroken. Marcas pakte zijn agenda en zocht een naam. Broeder Villanueva, topkok en baas van het relais-château la Licorne, een van de beste hotel-restaurants in de regio Rambouillet. Marcas had hem een jaar geleden verlost uit een ingewikkelde privékwestie van louche zakenlui die in zijn zaak wilden investeren en had hem daardoor heel wat ellende bespaard. Corrupte investeerders gebruiken graag kleine Franse ondernemingen om hun geld wit te wassen.

Hij koos een nummer. Een slaperige stem gaf antwoord: 'Jaaa...'

'Met Marcas.'

'Wie?'

'Je broeder Marcas.'

'Leuk hoor, ik ben enig kind.'

Marcas herinnerde zich dat Villanueva hardhorend was. Hij noemde de naam van de loge waar ze elkaar hadden leren kennen.

'L'étoile flamboyante!'

Er klonk een verheugde kreet: 'Mijn broeder-commissaris! Ik had je niet herkend. Wat kan ik zo laat nog voor je doen?'

'Het gaat om iets heel ernstigs, een vriendin van me is in gevaar. Ze moet worden opgehaald in Dampierre en in veiligheid gebracht. Wil je dat voor me doen?'

'Vanzelfsprekend, binnen een kwartier ben ik in Dampierre.'

'Geweldig, ik bel je terug. Ik zal haar jouw mobiele nummer geven, zodat jullie elkaar kunnen vinden. Nogmaals bedankt.'

Er klonk een luide lach.

'Ik ben dol op detectiveverhalen.'

Marcas leunde achterover in de leren achterbank. Hij gaf de chauffeur de nieuwe bestemming door.

'Hebt u wel genoeg geld bij u,' mopperde de chauffeur. 'Om deze tijd gaat dat dik honderd euro kosten en ik neem geen creditcards aan.'

De politieman stak zijn driekleurige identificatie onder de neus van de man die meteen een toontje lager zong.

'Sorry hoor, maar wie betaalt de rit?'

Marcas zuchtte.

'Stop maar even bij een geldautomaat.'

Het mobieltje trilde weer. Jade.

'En?'

'Over een kwartiertje komt een broeder je oppikken en we zien elkaar in zijn hotel. Leer zijn nummer vanbuiten, zodat je hem kunt gidsen.'

'Marcas?'

'Ja.'

'Je zei "je" tegen me.'

'Dat zal de emotie wel wezen.'

Chevreuse

De tuinman keek smalend neer op de vastgebonden vrouw. Door haar klunzigheid had ze de hele Orden in gevaar gebracht. Zijn mannen hadden zonder resultaat het hele domein uitgekamd. De gevangene zou wel ergens in de bossen zitten en de kans om haar terug te vinden was nog maar heel gering. Voor de beveiliging van het hele kasteel beschikte hij maar over drie mannen; dat was te weinig om een klopjacht te houden. Gezien het late uur moest er eerst en vooral iets anders gebeuren. De Orden moest elk spoor uitwissen van haar verblijf hier, voordat de politie alles kwam doorzoeken.

Alle verantwoordelijken van Ordenhuizen in de hele wereld kenden de evacuatieprocedure die moest worden toegepast in geval van uiterste nood. Twee keer per jaar oefende het personeel het draaiboek voor zo'n noodevacuatie. Fase één: veiligstellen van alle documenten uit de kluis en brandstichting. Altijd met gasflessen om de indruk te wekken van een ongeluk. Fase twee: het verspreiden door de kamers van het kasteel van zes lijken, die voor dat doel meestal in diepvriezers werden bewaard. Valse identiteitspapieren in hun zakken vervolmaakten het bedrog. Fase drie: aftocht in stationcars die klaarstonden in een garage aan de andere kant van het park. Bij de laatste oefening had zijn team alles in vijfentwintig minuten ontruimd.

De tuinman bevrijdde Joana.

'Dat kreng heeft mijn hand naar de verdommenis geholpen. Geef me wat morfine.'

De man reageerde niet. Als het aan hem lag, kon ze de kogel krijgen. Dat was de manier om zich te ontdoen van mislukkelingen. Deze hier had de verwoesting van een Ordenhuis op haar geweten en, nog erger, de ontmaskering van sommige leden, onder wie hijzelf. Jammer genoeg was de Kroatische een beschermelinge van Sol en de dochter van een directielid. Met andere woorden, ze was onaantastbaar. Een vaderskindje.

'Goed, ik stuur Hans met een spuit. Aftocht in hooguit een kwartier. Weet wel dat ik uw fiasco ga rapporteren. Door uw schuld verliest de Orden een belangrijke basis en ik mijn lievelingen.'

Woedend hoorde Jade het gezanik van de tuinman aan, de pijn bonkte in haar rechterhand.

'Lievelingen?'

'Mijn liefdesplanten. Ze zullen omkomen in de brand; dat verlies kom ik nooit meer te boven, ik ben erg gevoelig.'

Joana keek met een spottend lachje naar het slaapkamerplafond.

'Wat een engerd! Hij knipt mensen aan mootjes met zijn snoeischaar en staat te jammeren bij zijn verdomde bloemen...'

De tuinman keek haar meewarig aan en verliet de kamer met de mededeling: 'Een kwartier en niet langer, dan begint de brand.'

Joana sleepte zich naar het bed. De tuinman zou haar niet sparen in zijn rapport. Ze wist dat haar fouten haar niet zouden worden vergeven en dat haar verminking haar ongeschikt maakte voor het enige vak dat ze kende: moorden. Van de Orden verwachtte ze geen enkel mededogen, 'medelijden is de hoogmoed van de zwakken', was Sols geliefkoosde uitdrukking. Haar enige heil was de liefde van haar vader.

39

Regio Rambouillet,
Domaine de la Licorne

Het was lang geleden dat Marcas in een hôtel de charme had geslapen. En trouwens, het werkwoord slapen was nu niet echt van toepassing. Hij had de hele nacht zitten roken en nadenken. Als je dat nadenken kon noemen, tenminste.

Zijn gedachten vlogen heen en weer tussen alle informatie die moest worden gerangschikt en de vrouw met de gezwollen polsen en enkels die lag te slapen in de kamer naast de zijne.

Maar hij dacht er vooral aan dat hij nu de naam kende die op de steen van Thebbah stond gegrift. Voordat ze ging slapen had Jade hem verteld over het ijlen van haar ongelukkige celgenoot en die vreemde naam, Bviti, die hij alsmaar noemde als hij het had over de steen van Thebbah. Wie die stakker was zouden ze wel nooit te weten komen, maar dankzij hem hadden ze weer een stukje van de puzzel.

BVITI.

Die naam zei Marcas iets. Hij had hem ergens gelezen, of had hij hem gehoord tijdens een voordracht in de loge? Op zijn tenen lopend was hij naar beneden gegaan en had in de kleine lounge van het hotel de computer ingeschakeld, waarmee de gasten onbeperkt op internet konden surfen.

Het kostte hem een halfuur om een artikel over Bviti te vinden op een site die was gewijd aan deze… Afrikaanse cultus. Etnologen van het Franse onderzoekscentrum CNRS hadden in een diep in de Gabonese jungle verstopt dorpje onderzoek verricht naar het gebruik van deze plant bij inwijdigingsriten van de Mitsogho-stam.

De Bwiti-inwijdingen. Bwiti, de wereldziel, de kennis van het hiernamaals, van de verborgen waarheid.

Om Bwiti te kunnen zien, moest men een brouwsel drinken dat was getrokken van de wortels van de heilige plant de Iboga, en een heel initiatieritueel afwerken.

Een heilige chemische substantie: ibogaïne.

Het artikel uitvlooiend, ging er ineens een rilling over Marcas' rug. Het toeval was zo verontrustend dat hij het stuk twee keer herlas.

In de eerste plaats zijn er enkele opmerkelijke overeenkomsten tussen de Bwiti-initiatie en de maçonnieke inwijdingsriten. Het doel is gelijk, kennis van het mysterie van het hogere, dat de vrijmetselaars het Sublieme Geheim noemen [...] Maar het merkwaardigste in het maçonnieke ritueel zijn de drie slagen met een hamer ter herinnering aan de moord op Hiram, de bouwmeester van Salomo's tempel, door zijn drie gezellen aan wie hij had geweigerd het 'Sublieme Geheim' te onthullen. Het enige verschil tussen vrijmetselaars en Bwiti-aanhangers is dat de laatsten zeker weten dat ze het geheim kennen.

De onderzoekers merkten voorts nog op dat, bij een Bwiti-inwijding, 'de kandidaat drie keer met een hamertje op de schedel wordt geklopt om zijn geest te bevrijden'.

Marcas was verbijsterd over die overeenkomsten.

Zijn hoofd liep om van de vragen; hoe kwam de Bwiti-cultus terecht op die duizenden jaren oude Hebreeuwse steen? Vermoedelijk via Egypte, overgebracht door Egyptische kooplui die contacten hadden met Afrikaanse stammen, of misschien via Ethiopië, vanwaar er expedities vertrokken naar het hartje van donker Afrika.

Zijn verbeelding sloeg op hol; de koningin van Seba, koningin van Ethiopië, een verovering van de grote koning Salomo, had die planten misschien aan de Hebreeërs geschonken...

Uitgeput viel hij in slaap. De volgende ochtend had hij rode ogen en een bleek, ingevallen gezicht. De kop van een donjuan na een liefdesnacht. Als Anselme hem zo zag...

Jade sliep nog. Antoine rekte zich uit en liep naar het raam. De opkomende zon verjoeg de laatste sluiers van de nacht; hij had maar drie uur geslapen. Hij had koffie nodig. Hij had kalmere ochtenden beleefd.

Hij moest weer denken aan het griezelige Thule-Gesellschaft. Hij kon er niet over uit hoe je een ervaren soldaat als Jade midden in Parijs kunt ontvoeren, en dat je drogeert en martelt vanwege een denkbeeldig geheim... Hetzelfde gespuis had indertijd in andere streken zijn broeders vervolgd en vermoord. Hij moest onverwijld met Jouhanneau bellen.

Château de Beune,
in de Dordogne

De Groot-Archivaris zette de wekker af en stond op om op de sofa te gaan zitten. Terwijl hij langs het spitsboograam liep, keek hij naar buiten waar het licht begon te worden. Het was zes uur in de ochtend, alles was nog stil. De vorige avond was hij nog even naar het platform van het donjon geklommen. Onder hem lag de vallei van de Beune. Een beekje meanderde tussen de weiden door. De eerste kikkers begonnen met hun kwaakconcert. En zover het oog reikte waren er bossen.

De sleutels van het kasteel lagen op het bureau.

De oude Chefdebien moest zich vaak over die borstwering hebben gebogen om te kijken naar het landschap en naar de Avondster die traag boven de heuvels uitklom. Hoeveel mannen, hoeveel wachters van het Al, hadden daar in de loop van die eeuwen al staan peinzen? Maar Jouhanneau was niet bepaald nostalgisch. Hij was na zijn bezoek aan de notaris meteen naar bed gegaan en was zojuist uitgerust wakker geworden. Zijn gsm ging over.

'Met Marcas.'

Ondanks zijn opwinding bracht de commissaris een gedetailleerd verslag uit. De ontvoering van Zewinski, haar opsluiting samen met een hallucinerende onbekende, haar ontsnapping en het onderduiken in het hotel van een broeder.

Hij vertelde ook over zijn ontdekking van de Bwiti-plant. Hij vergat evenmin melding te maken van zijn onderzoek in de archieven van de GO. Van de moorden in Duitsland, die deden denken aan de moord op Hiram...

Jouhanneau was verrukt. Ze wisten nu evenveel als de mensen van Thule. Nu moesten ze nog de derde component en de dosering vinden.

'Ga naar Plaincourault. Denk aan de archiefstukken die Sophie heeft ontdekt. Aan die Du Breuil, de achttiende-eeuwse vrijmetselaar die een nieuw ritueel wilde invoeren.'

Vreemd genoeg was Marcas klaarwakker. Het kwam erop aan helder te denken.

'In zijn papieren stond dat hij dat het "schaduwriteel" noemde.'

'Het schaduwritueel... Poëtisch en onheilspellend. En een van de sleutels van dat ritueel zit verborgen in een muurschildering. Daarom moeten jullie zo snel mogelijk naar Plaincourault.'

'Waarom?'

'Sophie Dawes is er geweest voordat ze naar Rome ging. Ze heeft een boodschap voor me achtergelaten om me op de hoogte te brengen van de ontdekking van een schitterende muurschildering in de kapel, maar ze gaf geen verdere details. De dag van haar dood stond ik op het punt erheen te gaan. Vertrek vandaag nog.'

'Dat zal moeilijk gaan, ik heb nauwelijks geslapen en ik weet niet of Jade kan...'

Er sloop kilte in de stem van Jouhanneau: 'Dit is niet het moment om te zeuren. Er staat te veel op het spel. De muurschildering in de kapel is een uitbeelding van de erfzonde. Het Bijbelverhaal van de verzoeking van Eva. Bel me als je er bent. Dat fresco verbergt het ons ontbrekende element en misschien ook een code, een formule die we absoluut nodig hebben.'

Jouhanneau verbrak de verbinding.

Het Moederkoren. Het Sint-Antoniusvuur.

Iboga. De Afrikaanse boom der kennis.

Nog maar één stukje van de legpuzzel en de formulering.

Jouhanneau herinnerde zich de papieren van Du Breuil, de oudgediende van de Egyptische veldtocht en zijn voor die tijd verbijsterende tempelontwerpen met in het midden van de loge een 'boom met blootliggende wortels'.

En dan was er wat Marek had ontdekt op zijn steen. Het absolute verbod om een stof te maken die 'in de geest het zaad van de waarzegging zaait...'

Het gevaar was onmiskenbaar. De gevolgen van een foute dosering zouden verschrikkelijk zijn. De hel of de hemel.

Jouhanneau keek op zijn horloge. Hij gaf Chefdebien de boodschap door zodat zijn biologen al aan de slag konden gaan met de twee eerste componenten.

Ibogaïne uit de Iboga-plant en lyserginezuur uit het Moederkoren.

Met een beetje geluk gaf Marcas hem in de namiddag de naam van de derde plant door...

Jouhanneau keek weer naar de zonsopgang. De onzichtbare leden van Thule zaten ook achter het geheim aan. Net als hij waren ze het dicht genaderd. Voor het eerst sinds heel lang koesterde hij hoop. Zijn vader zou gewroken worden en de zoektocht was bijna ten einde.

40

Autoroute A20

Slecht gebakken vette patat lag samen met een worstje van onbestemde kleur in een doorschijnend plastic bakje. Een kwakje helrode ketchup gaf een onsmakelijk kleuraccent aan de portie voedsel die Jade met onverholen walging bekeek.

'Is dat om te eten?'

Marcas wierp een blik in de achteruitkijkspiegel en week uit om een Hollandse camper in te halen die op de rechterrijstrook sukkelde. Een klein meisje maakte een lange neus en stak haar tong uit toen ze even naast elkaar reden. Om iets terug te doen trok Jade haar meest enge tronie waarvan het kind verschrikt begon te brullen. De Hollandse ouders wierpen afkeurend blikken naar de Afghaanse. Marcas gaf gas om de gezinscamper af te schudden en er vielen twee vette frieten op Jades lichte pantalon. Er vormden zich meteen twee gele kringen.

'Kijk toch uit, ik zit onder dat junkfood voor zwaarlijvigen.'

Marcas grijnsde zonder zijn blik van de weg af te wenden.

'Stuur de rekening maar naar Darsan! Die zal blij zijn!'

'Kon je niets anders vinden dan deze smurrie?'

Ze hield een friet omhoog die futloos opzij zakte.

'Deze troep is niet alleen een belediging van de gastronomie in het algemeen, maar ook van het imago van de friet. En over dat slappe ding dat een worst moet voorstellen, zal ik maar zwijgen. Het stinkt ook nog.'

'Het was alles wat ze hadden in dat benzinestation. Geen broodjes, geen salades, niets... Je sliep en ik wilde je niet wakker maken. Over een kwartiertje zijn we er, we eten dan wel iets.'

De jonge vrouw schoof het bakje weer in de papieren zak, legde het zaakje op de achterbank en zakte onderuit. Het landschap schoot langs, na de bossen van Sologne kwamen de eentonige, maar rustgevende velden van de Beaucestreek. Ze zag nog haarscherp haar ontvoerders voor zich, de folteraar met zijn tuinschaar, de moordenares...

Na hun telefoongesprek had Darsan 's ochtends een speciale eenheid gestuurd om de leden van de Orden te arresteren, maar alles wat ze aantroffen waren rokende puinhopen. De brandweer was ze, na een noodoproep, voor geweest. De brand had bewoners van de omliggende dorpen opgeschrikt. De lichamen van de zes bewoners waren verkoold teruggevonden. De hele buurt betreurde oprecht het tragisch overlijden van de zes leden van de Franse vereniging voor de studie van minimalistische tuinen en vooral van die aardige tuinman.

Jade verblikte of verbloosde niet toen Darsan haar over de brand vertelde. Hij wilde haar direct oproepen voor een debriefing, maar Marcas vond dat ze moest laten weten dat ze een nieuw spoor volgden en dat ze de volgende dag pas terugkwamen. Jade dacht aan het stel lijpo's dat haar gevangen had gehouden en dat nu spoorloos was. Lieden in wier zieke geest een mensenleven hooguit waarde had als proefterrein voor hun onzinnige doctrines.

Door haar vak had Jade de hardheid en de meedogenloosheid van sommige vertegenwoordigers van de menselijke soort leren kennen. Standrechtelijke executies, aanslagen, vergeldingsacties. Ze dacht dat ze inmiddels alles al had meegemaakt en toch... Eigenlijk had ze maar één keer eerder een soortgelijke wreedheid gezien. Dat was in het district van de Afghaanse generaal Dorstom, de chef van een clan in het gebergte. Die 'krijgsheer', zoals hij zich ook trots liet noemen, organiseerde massamartelingen om zijn gezag te doen gelden bij de opstandige bevolking. De gebruikte techniek was simpel, maar doeltreffend: men nam een legertank en bond een of meerdere gevangenen vast aan de rupsbanden. De tank reed langzaam vooruit en de ongelukkigen werden stukje bij beetje verbrijzeld. Eerst de voeten, dan de benen, de buik... tot aan het gezicht dat onder de tank als een rijpe vrucht uiteenspatte. De generaal gelastte dan een familielid van het slachtoffer om de rupsbanden schoon te maken en de stukjes weefsel te verzamelen die in de bodem van het kamp waren gedrongen. Ze had bijna moeten overgeven bij het bekijken van de clandestiene opnamen die een dissident stamlid had gemaakt. Bij de geheime onderhandelingen in 2002, na de komst van de Amerikanen in Afghanistan, had de generaal, die een historische tegenstander van de Taliban was, zich weten te rehabiliteren en was vervolgens een niet te omzeilen politieke figuur geworden. En zonder enige wroeging vertelde hij doodserieus overal rond dat zijn nogal persoonlijke methodes een schoolvoorbeeld waren om angst te zaaien in de harten van zijn vijanden. Zijn denkbeelden vertoonden overeenkomst met die van Jades ontvoerders. Dezelfde onbeperkte waanzin.

En dan te weten dat diezelfde generaal Dorstom medewerking en schouderklopjes kreeg van de westerse democratieën, die maar al te blij waren dat deze grimmige bloedhond in hun plaats zijn handen wilde vuilmaken.

Ze werd nerveus door al die herinneringen. En misschien nog meer door het feit dat zij en Antoine de laatste uren nader tot elkaar waren gekomen.

'Denk je niet dat ons verhaal met archieven en Tempeliers nogal achterhaald is?'

'Achterhaald?'

'Ja, aanjagen achter een geheim van duizenden jaren oud dat bovendien hoogstwaarschijnlijk nooit heeft bestaan, terwijl miljoenen mensen creperen van de honger, onder dictaturen leven of ziek zijn.'

Marcas wist niet wat hij hoorde.

'En wij gaan leuk op een esoterische schattenjacht naar het platteland. Zonder mijn ontvoering en de moord op Sophie, zou het te gek voor woorden zijn.'

De commissaris stak een sigaret op. Het was tijd om in te grijpen.

'Helemaal niet! Je vergelijkt appels met peren. Wie ervoor heeft gekozen om de leiding te hebben over de bewaking van de ambassade in Rome, moet weten dat het niet haar job is om Congoleesjes te verplegen of in Thailand tsunamislachtoffers te helpen.'

'Dat weet ik, maar ik werk met de realiteit. Met jou heb ik het gevoel achter een hersenschim aan te hollen, achter gebakken lucht, achter een sprookje... Zoals Indiana Jones achter de Heilige Graal.'

Marcas blies een rooksliert uit.

'Dus als we de moordenares van je vriendin achtervolgden op de klassieke manier, met pistolen en agenten in het kader van een mooie, goed geplande commando-operatie, zou dat wel concreet en effectief zijn.'

'Je haalt me de woorden uit de mond.'

'Niemand dwingt je om mee te komen. Vanaf het station van Châteauroux ben je in tweeënhalf uur in Parijs.'

Antoine keek nu heel stuurs.

'Sorry, maar ik heb niets met esoterische raadsels. Ik heb zelfs de Dinges Code niet gelezen en ik begrijp niet wat iemand in zulke verhalen kan zien. De geheime zoon van Jezus, Tempeliers, astrologie, genezers... allemaal sprookjes voor volwassenen. Om maar te zwijgen over de maçonnieke geheimen... De leden van de sekte van de Zonnetempel in Canada slikten zulke dingen als zoete koek en kijk eens waar dat toe leidde... collectieve zelfmoord van vijfentwintig mensen...'

'Doe niet zo simplistisch. Het is heel gemakkelijk om je aan te sluiten bij een sekte, maar je raakt er haast niet meer uit. Bij ons is het precies andersom. Een overgroot deel van de broeders doet niet aan esoterie en denkt daar net zo over als jij. Sommige obediënties zijn meer gericht op de studie van de symboliek, maar dat heeft niets te maken met magie of met bovennatuurlijke onzin. Hoe dan ook! Er bestaat een verworvenheid die men tolerantie noemt en iedereen is vrij om te geloven wat hij wil.'

'Ook in het obscurantisme?'

De politieman voelde de ergernis weer opkomen.

'Je hebt geen idee hoe de vrijmetselarij in de afgelopen eeuwen heeft gestreden tegen het obscurantisme. Ben je op school geweest?'

'Ja, maar ik zie geen verband...'

'Het verband? Het gratis onderwijs van minister Jules Ferry, scholing voor iedereen en zonder onderscheid, is een vrijmetselaarsidee. De parlementariërs die in de negentiende eeuw voor die wet hebben gestemd, die elk regeltje ervan onderschreven, waren allemaal broeders. Zo kan ik nog een tijdje doorgaan. De eerste ziekenfondsen voor arbeiders zijn opgericht door vrijmetselaars. De abortuswet Veil uit de jaren 1970? Van a tot z ingegeven en ondersteund door vrijmetselaars... Denk even aan al die vrouwen en meisjes die zich voordien lieten bewerken met breinaalden! En spreek me voortaan alsjeblieft niet meer van obscurantisme!'

'Jawel, maar...'

'Precies... jawel. Je zou eens een zitting moeten bijwonen in de loge Devoir et Fraternité. De leden ervan werken het hele jaar door, van twaalf uur 's middags tot middernacht, aan maatschappelijke problemen en daar zit geen sprankje esoterisme bij. Toch zijn het vrijmetselaars in hart en nieren.'

Jade zag hoe hij werd meegesleept. Voor één keer wierp hij zijn masker af van onberispelijke politieman en eigenwijze intellectueel. Hij was leuker zo. Toch besloot ze hem nog een beetje te blijven jennen.

'Goed, jullie zijn heel sociaal denkend, maar toch is het merkwaardig dat er zo weinig arbeiders en middenkaders in jullie loges zitten. Terwijl het er barst van de artsen, ondernemers en politici. Ongeacht de generaties en de heersende regimes, zitten jullie altijd aan de kant van de macht. Bestaan er ook loges die "Van de bedeling" heten?'

Marcas klemde zijn handen rond het stuur. Die meid probeerde hem op stang te jagen. Ze kon het niet uitstaan dat ze hem nodig had gehad. Maar hij zou er niet in trappen.

'Je hebt misschien gelijk wat die sociale onevenwichtigheid betreft, maar het is idioot om te zeggen dat we heulen met de sterksten. Vraag je maar eens af waarom in alle totalitaire regimes de vrijmetselarij altijd stelselmatig wordt verboden.'

'Ja... Hitler en Mussolini. Maar die verboden alle organisaties, vakbonden, partijen, katholieke organisaties...'

'Voeg daar ter rechterzijde Pétain in Frankrijk, Franco in Spanje en Salazar in Portugal aan toe, en links alle revolutionaire leiders in communistische landen, plus nog een hele reeks andere "grote democratieën" van vergelijkbare snit. Om nog maar te zwijgen van de Arabische autocraten. En het is toch wel heel merkwaardig, om je te citeren, dat de meesten van hun tegenstanders bij ons zitten...'

'Een prachtige propagandatekst. Maar je vergeet voor het gemak de Afrikaanse dictators, de grote oplichters en de rechters, die...'

Marcas remde gierend en ging op de vluchtstrook staan. Geschrokken klampte Jade zich vast aan haar veiligheidsgordel. Hij wendde zich naar haar.

'Zo is het wel genoeg! Voor alle duidelijkheid, ik ben geen spreekbuis van de vrijmetselarij en smeerlappen vind je overal. Zo werkt het nu eenmaal. Je bent ervan overtuigd dat we allemaal corrupt zijn, ga gerust je gang. Ik probeer je niet te bekeren, dus laat me met rust.'

Jade grijnsde. Ze had de eerste ronde gewonnen. En hij was bijna aantrekkelijk als hij zich zo opwond.

'Ik zou maar doorrijden; het is heel gevaarlijk om op de vluchtstrook te blijven staan.'

'Nee, ik rijd niet door voordat je me hebt uitgelegd waarom je zo vijandig doet.'

De cabine dreunde van de herrie van langsrazende auto's en vrachtwagens. De jonge vrouw werd onrustig.

'Ik wacht.'

Jade zuchtte en vertelde over de zelfmoord van haar vader en het spelletje van de drie vrijmetselaars die hem dwongen te verkopen om de zaak tegen een zacht prijsje te kunnen overnemen. Haar verhaal duurde een kwartier, waarna ze zich terugtrok in stilzwijgen. Tranen stroomden langs haar wangen. Marcas bleef in gedachten verzonken zitten. Haar vader en haar jeugdvriendin. Twee dierbaren die een gewelddadige dood stierven. Twee sterfgevallen waar, om verschillende redenen, vrijmetselaars bij betrokken waren. Dat verklaarde veel. Hij reed zachtjes weg. De auto kwam op snelheid en voegde in. Hij hoorde Jade met een brok in haar keel kortaf zeggen: 'En hou nu je mond tot we er zijn.'

Kroatië,
het kasteel van Kvar

Op een bankje zaten vijf mannen en drie vrouwen naar de rotsige baai te kijken, in gedachten verzonken en in afwachting van Sol. Sommigen waren nog bezig met de pijniging van hun kameraad in de dodelijke omhelzing van de maagd in de kapel iets verderop.

Tweemaal per jaar kwam het directiecomité van de Orden samen in de natuur, in een van de huizen van de Orden, om belangrijke beslissingen te nemen over het verloop van de operaties. Het was een traditie die in de tijd van haar voorloper, het Thule-Gesellschaft, was ingesteld door de baron Sebottendorff, die graag verkondigde dat de natuur de mensen dichter bij het bovenaardse bracht.

Een van de vijf mannen, degene met een fijn gouden brilmontuur, nam het woord: 'Sol zal ons straks bellen; hij is momenteel nog in Frankrijk. We kunnen het beste alvast de lopende zaken afhandelen, hij zal ons vertellen hoe de operatie Hiram verloopt. Houd het kort. Eerst de oorlogskas, ga je gang, Heimdall.'

Elk lid van het comité had een wijdingsnaam die geleend was van het Scandinavische pantheon. Heimdall, een partner van een van de grootste advocatenkantoren van de Londense City, haalde een velletje papier tevoorschijn.

'De Orden bezit ongeveer vijfhonderd miljoen euro aan beleggingen, voornamelijk via ons pensioenfonds in Miami en het consortium van projectontwikkelaars in Hongkong. De stagnerende markt heeft de groei van onze portefeuille belemmerd, hoewel de overname van het staalconcern Paxton de verliezen heeft gecompenseerd. Ik zou graag de toestemming van het bestuur willen om aandelen te kopen van een... Israëlische onderneming.'

De zes Ordenleden mompelden afkeurend. De man glimlachte.

'Ik weet dat onze ethiek duidelijk is: nooit geld pompen in een Joodse onderneming of een firma die wordt geleid door een Jood, maar dit zou een geval zijn van kopen om hooguit een maand later weer te verkopen... De winst zal meer dan behoorlijk zijn.'

De man met de kobaltblauwe ogen achter een gouden brilletje, degene die het eerst had gesproken, onderbrak hem: 'Uitgesloten. Nog iets anders? Nee? Freyja, jouw beurt.'

Een blonde vrouw met een steil kapsel, een beroemde Zweedse arts die tot twee keer toe bijna de Nobelprijs had gekregen voor haar experimenten met klonen, kruiste haar armen.

'Ik heb niets bijzonders. Alle pogingen om het leven van een menselijke kloon te verlengen zijn op niets uitgelopen. Ik zie geen doorbraak in de komende twee jaar. De pseudo-successen die door de media zo breed werden uitgemeten stelden ook niets voor. Onze couveuse in Asunción puilt uit van de onvolgroeide embryo's. Ik stel voor ze te verkopen op de parallelmarkt voor medicijnenonderzoek.'

De andere leden knikten toestemmend. De voorzitter wees naar zijn buurman, een forsgebouwde man.

'Thor, ga je gang.'

'Een stuk of twintig vertegenwoordigers van West- en Oost-Europese politieke groeperingen die verwantschap voelen met onze ideeën, woonden door ons georganiseerde seminars bij. Natuurlijk weten ze niet welk einddoel we nastreven. Ik breng in herinnering dat dit jaar de herdenkingen beginnen van de zestigste verjaardag van de val van het Reich. De opdracht is dat we ons vooral ver moeten houden van elke provocatie. Het is zaak om op het sociale gevoel in te spelen en de vooruitstrevendheid van onze ideeën te benadrukken. Heel Europa kampt met werkloosheid en de democratieën zijn onmachtig om dat probleem te beteugelen.'

'Dat is alles?'

'Nee, er zijn problemen met onze vrienden van de White Power in de Verenigde Staten. De afgevaardigden van de Ku Klux Klan willen de leiding van de organisatie overnemen. Ze gaan de confrontatie aan met de organisatie Christian Identity, die nog het meeste met ons gemeen heeft. Ik stel voor om een extra donatie naar hen over te maken.'

De tweede vrouw, een zestigplusser met een scherpe blik, kwam tussenbeide: 'Nee. Waarom zouden we blijven betalen voor die idioten die de straat opgaan met hakenkruisen op hun arm en daarmee een smet werpen op onze zaak? We proberen verdorie al twintig jaar lang af te komen van de swastika en al die nazisymbolen! Zulke debielen zullen nooit macht krijgen. Laat ze maar klaarkomen voor hun Hitler-portretten! Onze meest succesvolle mensen in de Europese landen maken gebruik van populisme en vreemdelingenhaat. En ze verwerpen uitdrukkelijk elke vergelijking met die periode in de geschiedenis!'

De man met het fijne brilletje, Loki – de god van de listigheid, knikte.

'Je hebt helemaal gelijk. We draaien de kraan dicht. Maar Thor gaat naar Amerika om contacten met ze te leggen om er de meest bruikbare elementen uit te pikken. Laten we niet vergeten dat het hakenkruis met de gebogen armen en de dolk het symbool van onze Orde is. Het bestond al toen Hitler nog maar een arme sloeber was die met zijn schilderijen op de markt stond, en het heeft alles overleefd. We gaan door met de rondvraag. Balder?

Een gezette man met een harde blik, nam het woord.

'Tot mijn leedwezen moet ik u melden dat onze bezitting in Chevreuse bij Parijs is afgebrand en opgeheven.'

De leden van het directiecomité keken hem onthutst aan.

'De tuinman, een van onze meest voortreffelijke Zuid-Afrikaanse gezellen, heeft me vanochtend het nieuws doorgebeld. Hij had de noodprocedure in werking moeten stellen nadat een van onze leden een grote blunder had begaan. Klaarblijkelijk houdt een en ander verband met die foutgelopen operatie Hiram. Sol is er gisteren geweest en zal ons er vermoedelijk meer over kunnen vertellen. Het hele team is uitgeweken naar Londen, behalve het meisje, dat zich bij Sol heeft gevoegd in zijn hotel in Parijs.'

De man die zich Loki liet noemen meende verdriet te beluisteren in Balders stem. Hij wist dat het meisje zijn dochter was. En hij wist ook welke straf er stond in de regels van de Orden: de dood.

Pays de Brenne

De zwarte auto reed door het land van de duizend meren. Na Mézières-en-Brenne had hij drie kilometer over de N17 gereden en had daarna de D44 genomen naar het bezoekerscentrum van het natuurgebied, waar de sleutels van de kapel lagen. Het waren bijna kaarsrechte wegen, aan weerszijden omgeven door water; in de hele regio stonden meer dan tienduizend hectaren land onder water. Marcas kende de streek goed omdat hij een tijd was omgegaan met een zuster van de Droit humain, die directrice was van de Rijksdienst voor monumentenzorg en die in het park een buitenhuisje had. Na een telefoontje had hij dankzij haar toestemming gekregen om de kapel zonder gids te bezoeken.

De wagen stond stil op de al halflege parkeerplaats van het bezoekerscentrum, een oriëntatiepunt voor natuurtoerisme. Ze stapten uit, stijf van drie uur rijden. De zon wierp zijn laatste stralen in het grote meer, groepen toeristen behangen met fototoestellen met enorme telelenzen liepen overal rond. Jade pakte haar tas en liep om de auto heen.

'Zijn dat paparazzi? Wordt er een vedette verwacht?'

Marcas glimlachte.

'De sterren hier zijn de witwangstern, kraagtrap, de tafeleend en natuurlijk de... roerdomp.'

'Roerdomp, die naam past wel bij jou. Arrogant en met je hoofd in de esoterische wolken. Maar alle gekheid op een stokje, dat zijn namen...'

'... van vogels waarvan het hier in bepaalde seizoenen wemelt. We zitten midden in een beschermd natuurgebied, een paradijs voor gevederde vrienden. Vogelaars uit heel Europa komen hier om ze te fotograferen.'

Ze liepen naar de ingang van het huis; overal holden spelende kinderen rond. Marcas voelde even een steek in het hart toen hij bijna een jongetje omverliep dat net zo'n loopje had als zijn eigen zoon. Ze liepen het gebouw in dat een winkel en een restaurant huisvestte. Marcas wees Jade een tafeltje aan naast een grote schouw aan het einde van de zaal.

'Ga daar maar zitten en bestel vast gefrituurde karper, het streekgerecht, en ook een fles biologische cider. Ik haal vast de sleutels.'

Jade ging zitten en bestelde het gerecht dat Marcas had aanbevolen. Ze masseerde haar nek, het was bijna niet te geloven dat ze de vorige dag nog gevangen had gezeten en met de dood was bedreigd.

Twee tafeltjes verderop zaten twee mannen van een jaar of veertig over een landkaart gebogen. Het waren beroepsfotografen die tips uitwisselden over een reis naar Colombia. Een van hen, met een oorringetje, vertelde dat je een budget moest uittrekken voor smeergeld als je in indianendorpen wilde fotograferen. De tweede, een grijzende blonde met een plagerige blik, luisterde met een glas bier in de hand en keek zo nu en dan naar Jade.

Marcas kwam met grote passen terug, een sleutelbos in de hand. Voor hij ging zitten, groette hij de twee mannen en maakte een praatje met ze.

'Ik kwam ze hier vaak tegen. En toch zijn het wereldreizigers. Ze zwerven de hele wereld rond, maar tussen twee tochten door komen ze altijd hier. De ene, Christian, is gespecialiseerd in landschappen. Nicolas is een van de beste dierfotografen ter wereld. Hij vroeg me trouwens of je hier een tijdje bleef.'

Jade keek hem meewarig aan.

'Dank je lekker! Ik kan niet wachten tot ik weer in Parijs ben.'

De dienster bracht twee borden gefrituurde karper en een fles cider. Marcas wachtte tot ze weer weg was en dempte zijn stem: 'En nu ga ik je vertellen wat we werkelijk komen zoeken in de kapel van Plaincourault.'

41

Pays de Brenne

Een enorme wolk spreeuwen zwierde over het Mer Rouge, het grootste meer van de hele streek. Elke dag weer om bijna dezelfde tijd verzamelen er zich duizenden vogels om een plek voor de nacht te vinden. Het ballet duurt een minuut of twintig en dan valt de wolk op een teken van enkele verkenners als bij toverslag uiteen en strijken de vogels massaal neer voor een welverdiende rust.

De zon, de grote balletmeester van deze dans van de schemering, zonk weg in het westen en de nacht nam bezit van het land van de duizend meren. Ook de toeristen waren gevlogen naar hun vakantieverblijven. Op de bewoners van de enkele huizen in deze immense waterwereld na, was er geen spoor meer van menselijke aanwezigheid.

De auto reed door de nacht naar het zuidwesten, in de richting van le Blanc en vervolgens naar het plaatsje Mérigny, de gemeente waar de kapel lag.

Jade dacht na over de uitleg van Marcas. Volgens hem en een zekere Jouhanneau, een hoge pief van Grand Orient, bevond het geheim achter Sophies dood zich op een middeleeuwse muurschildering in die kapel in Nergenshuizen. Daar lag de sleutel van alles.

Ze haalde uit het handschoenkastje een toeristische folder over de kapel, die ze had meegenomen uit het bezoekerscentrum. Volgens de schrijver ervan was Plaincourault in de twaalfde eeuw gebouwd en was bezit van de hospitaalridders van de johannieterorde, waar later de beroemde Maltezer Orde uit zou voortkomen. In die tijd werd het kerkgebouw beschermd door een belangrijke commanderij van die orde en was het slechts toegankelijk voor ridders, in elk geval tot aan de veertiende eeuw. Jade las niet verder.

'Ik begrijp iets niet. Sophie vertelde me dat het een Tempelierskapel was. Maar hier staat dat hij van de johannieters was.'

'Klopt. Het verbaasde mij ook, maar het manuscript van Du Breuil leverde de verklaring. In de dertiende eeuw stapten twee dignitarissen van de Tempeliers, we zouden ze nu deserteurs noemen, over naar de hospitaalridders en werden de opeenvolgende commandeurs van de streek. Du Breuil vond in de gemeentearchieven van du Blanc akten die dat bevestigden. Het waren ongetwijfeld deze twee commandeurs die opdracht hebben gegeven voor de muurschilderingen in de koornis. Ik moet erbij zeggen dat de verhouding tussen de Tempeliers en de hospitaalridders vaak nogal dubbelhartig was. In het Heilige Land bestreden ze elkaar soms fel, maar in Europa waren ze vaak bondgenoten. Toen in 1307 de Tempel viel, zochten heel wat tempelridders hun toevlucht bij de johannieters.'

'En het zijn die muurschilderingen die ons interesseren?'

'Je hebt alles begrepen.'

Jade ging door met lezen. Zoals alle kerkelijke bezittingen, werd Plaincourault tijdens de Revolutieperiode in beslag genomen door de Staat en doorverkocht aan burgers. De kapel werd een hooischuur en raakte in verval. Toch nam in januari 1944 een geheimzinnige ambtenaar van het Vichybewind die bij de Rijksdienst voor monumentenzorg werkte, de beslissing om de kapel te classificeren als nationaal erfgoed. Het gebouw bleef toen nog vijftig jaar afgesloten, aangevreten door de tijd, ten prooi aan regen en wind. Tot aan 1997, toen het *Parc naturel de la Brenne*, het departement, de regio en de Staat de restauratie van de bouwval onder toezicht van monumentenzorg gingen financieren. Drie jaar lang werkten de specialisten om de verwaarloosde kapel in de oude staat te herstellen. Ook de muurschilderingen uit verschillende perioden kregen weer hun glans van weleer.

Na een halfuur rijden waren ze ter plekke. Marcas had zich twee keer vergist voordat hij de juiste plek vond. De kapel stond in het donker boven aan een bocht, op een uitstekend gedeelte, naast een weide en een grote boerderij. Ze parkeerden de auto op een modderig weggetje dat om de kapel heen liep.

Alles was verlaten, de koplampen van de auto hadden twee konijnen opgeschrikt, in de verte blafte een hond.

'We zijn er.'

Marcas stapte uit en liep zonder op Jade te wachten naar de ingang van de kapel. Ze werden verteerd door ongeduld sinds ze aan het begin van de namiddag waren vertrokken. Hij haalde de grote ijzeren sleutel tevoorschijn en stak die in het slot, dat soepel werkte.

'Wacht op mij.'

Hij luisterde niet meer naar haar. Hij drukte op de lichtschakelaar die hem was aangeduid, maar er gebeurde niets. Hij haalde een zaklantaarn uit zijn zak, bescheen de achterwand van de kapel en liet de lichtstraal ronddwalen.

Marcas en Jade liepen langzaam tussen de kerkbanken naar voren, diep onder de indruk van de schoonheid van deze schilderingen uit lang vervlogen tijden, de stille getuigen van een periode waarin het christendom het hele leven beheerste en het denken van de nederigste tot de machtigste mensen beïnvloedde.

Aan de rechterkant was een Sint Aloysius met stralenkrans, bewonderend gageslagen door twee metgezellen, met een grote hamer een hoefijzer aan het smeden. Verderop waakten engelen over andere heiligen met vervaagde gezichten. Links, ter hoogte van de derde bankenrij, werd een middeleeuws bestiarium zichtbaar. Twee luipaarden, waarvan er een gekroond was, gingen elkaar klauwend te lijf.

De lichtbundel streek langs een rijk kleurenpalet, rood en geel oker, grijs met blauwachtige nuances, bleekgroen...

'O Marcas, kijk die daar.'

Op een muur, in de hoogte, speelde een vrolijke vos op een middeleeuws instrument dat op een viool leek, voor een kip met haar kuikens. Daarnaast, net als in een stripverhaal, beet de vos de kip dood.

Plagerig zei Jade: 'Ik heb het raadsel opgelost. De vos staat voor de man die de vrouw verleidt om zijn zin te krijgen, dus haar in zijn bed te krijgen. Die Maltezer ridders hadden gevoel voor humor en inzicht voor hun tijd...'

Marcas moest erom lachen.

'Nee, maar het is wel aardig gevonden. De muurschildering die we moeten hebben is achteraan, bij het altaar.'

Ze deden een paar stappen en liepen door het zwarte hekje voor de apsis. De lantaarn verlichtte het plafond en de muurschilderingen en veroorzaakte een schaduwspel dat de indruk wekte of sommige figuren bewogen. Jade rukte Marcas de lantaarn uit de hand.

'Laat mij kijken wat er aan de hand is...'

Op het eerste gezicht was er niets bijzonders. Hoog in de apsis wees een Byzantijns aandoende Christus Pantocrator naar de hemel. Hij was omringd door de traditionele tetramorf, de vier allegorische afbeeldingen van de evangelisten: de leeuw voor Marcus, de adelaar voor Johannes, de stier voor Lucas, de mens voor Matteüs.

Daarnaast beeldden vier grote schilderingen van ongeveer twee bij twee meter, onderbroken door drie ramen, vier Bijbelse taferelen uit.

'Wat is dat allemaal? Eens kijken hoe Bijbelvast ik ben. De kruisiging, daar, een Heilige Maagd met kind, een weegschaal voor de zielen en helemaal rechts... Adam en Eva rond een... Allemachtig, zie je wat ik zie? Een...'

Marcas liet Jade uitspreken en het magische woord zeggen.

Kroatië,
het kasteel van Kvar

Sinds het vallen van de avond blies er een zacht windje, het weerbericht kondigde slecht weer aan op de Adriatische zee en alle schepen hadden de haven opgezocht. Ver op zee waren lichtflitsen te zien, die werden gevolgd door een hevig gerommel.

In zijn eentje op het bankje op de uitkijkpost gezeten, leek de man met het fijne brilletje helemaal op te gaan in het natuurgeweld. Met zijn gsm tegen het oor geklemd, was hij in gesprek met zijn meester, Sol.

'Een gunstig voorteken, Thor slaat het schuim van de wereld met zijn hamer. De leden van het directiecomité zijn niet tevreden met je uitleg over de operatie Hiram. Behalve Freyja misschien. Ze hebben respect voor je en zouden nooit openlijk je woorden in twijfel durven te trekken, maar toch...'

'Wat toch?'

'Ze zijn van een andere generatie. Ze delen onze politieke ideeën, ze geilen op de macht die de organisatie ze kan verschaffen, maar ze blijven sceptisch ten aanzien van het einddoel. Ze vinden dat de operatie Hiram nergens toe dient. Er is een huis van de Orde vernield.'

Loki stond op en steunde met zijn hand op een van de twee pilaren die de bank flankeerden. Het onweer kwam dichterbij. Sol klonk ontstemd.

'Ze hebben de inwijding ondergaan en ze weten dat het spirituele aspect de hoofdzaak blijft. Als operatie Hiram slaagt, staan we voor een nieuw tijdperk. De terugkeer naar het antieke Thule... Begrijpen ze dat dan niet?'

'In theorie wel, maar het idee dat we een manier gevonden hebben om op goddelijk niveau te communiceren, is te abstract voor ze. Heimdall heeft me al gevraagd of u niet dementeerde.'

Sol wond zich op.

'Ze zullen wel merken dat ik geen seniele oude gek ben! Als ik bedenk welke offers hun voorgangers voor de Orden hebben gebracht. Het directiecomité is verweekt en denkt alleen maar aan het eigen voordeel. Geen van hen zou, zoals ik, zijn toegelaten tot de Waffen-SS, ze hebben de bloeddorst verloren. Ik heb me vergist door hun zeggenschap te geven. Het comité moet worden vervangen en alleen jij kunt dat doen. Ik heb het te druk met operatie Hiram, maar als ik terug ben zullen we een nieuwe nacht organiseren...'

'Een nacht?'

'Een nacht van de lange messen. Niet zo omvangrijk als die waarmee Hitler zich van zijn *Sturmabteilung* heeft ontdaan, maar met dezelfde inzet. Je ijzeren maagd kan zich al gaan verheugen op nieuwe omhelzingen. Genoeg zover, ik heb een afspraak met een paar interessante mensen. Trouwens, je dochter is bij mij, je moet de groeten hebben.'

Hij verbrak de verbinding.

Plaincourault

'Een grote paddenstoel!'

De politieman knikte.

'Een schitterende *Amanita muscaria*, ook wel vliegenzwam genoemd.'

Jade en Marcas gingen dichterbij staan om alle details op de merkwaardige muurschildering te kunnen zien.

De naakte Adam en Eva hielden hun handen voor hun geslacht. Tussen hen in, misschien wel om de nadruk te leggen op hun scheiding, stond een hoge paddenstoel met vijf stelen, elk met een rode hoed.

De slang had zich drie keer om de middelste steel gewikkeld en boog zijn spitse kop naar Eva toe.

Jade volgde met haar vinger de contouren van de schildering.

'Eigenaardig... een hof van Eden met een paddenstoel in plaats van de boom der kennis van goed en kwaad. Een bijzondere visie op de zondeval... De schilders uit die tijd choqueerden de parochianen zeker graag.'

'Nee, vergeet niet dat gewone stervelingen hier niet binnen mochten. Twee eeuwen lang kwamen alleen johannieterridders hier om te bidden en om ter communie te gaan.'

Marcas haalde een fototoestelletje tevoorschijn en legde de afbeelding uit diverse hoeken vast. Jade bestudeerde aandachtig alle details.

'Wat is het verband tussen deze vreemde schildering en de teksten van die vrijmetselaar Du Breuil?'

Marcas stak het fototoestel in zijn zak en ging handenwrijvend op een stenen trede naast het altaar zitten. Zonder dat ze het merkten was de temperatuur flink gedaald, de nachtkou verjoeg de warmte die overdag in de dikke muren was opgeslagen. Jade kwam naast hem zitten. Marcas voelde haar nabijheid. Hij vond het niet onaangenaam.

'Je weet dat Du Breuil de kapel en de omliggende gronden had gekocht, zo ontdekte hij dus deze schildering. Net terug uit Egypte, wilde hij een nieuw ritueel creëren, de bittere beker veranderen die bij de inwijding wordt gedronken en een gat graven midden in de loge om er een boom te planten. Kijk eens naar de wortels van deze geschilderde paddenstoel en de spitse vorm van de stelen; het is bijna een fruitboom.'

'Voor mij blijft het een paddenstoel.'

'Jawel, maar Du Breuil was net als veel vrijmetselaars verzot op parabels en symbolen om dingen op een verholen manier aan te duiden met dieren en planten. Hij wilde deze paddenstoel gebruiken voor zijn eigen ritueel. We hebben de sleutel gevonden. Ik moet direct Jouhanneau bellen, dit is het ontbrekende derde element.'

Jade haalde haar schouders op.

'Maar waarom juist een paddenstoel?'

'Niet zomaar een. Deze heeft waarschijnlijk van alle paddenstoelen de meeste hallucinogene eigenschappen. Al duizenden jaren worden in heidense cultussen overal ter wereld deze paddenstoelen gebruikt om in contact te komen met de goden. Van Siberië tot India, overal waar hij maar voorkomt. Als je deze schildering letterlijk neemt, werden Eva en Adam uit het paradijs verjaagd omdat ze hadden gegeten van deze paddenstoel en niet van een appel. De kennis van de eerste oorzaak der dingen verjaagt de onschuld. En dat door een paddenstoeltje...'

'Ik heb gelezen dat ergens in Zuid-Amerika een cultus bestaat waarbij paddenstoelen worden vereerd.'

'Ja, hallucinogene paddenstoelen worden in heel veel culturen gebruikt door sjamanen. In Mexico, bijvoorbeeld, is dat de Teonanacatl, waarvan het voornaamste bestanddeel psilocybine is, een heel krachtige alkaloïde die intense religieuze hallucinaties geeft. De vertaling van Teonanacatl is dan ook *vlees van de goden*.'

'Hoe weet jij dat allemaal?'

'Een van onze broeders, een topbioloog, heeft eens in de loge een schitterende voordracht gehouden over de rol van hallucinogene paddenstoelen in de religieuze beleving van indianenstammen in Midden-Amerika. Het onderwerp maakte een heftige discussie los, die tot diep in de nacht heeft geduurd. Die broeder lanceerde de stelling dat de teksten van de grote christelijke mystici het resultaat zijn van net zulke hallucinaties als die van de indiaanse sjamanen.'

Jade lachte.

'Eindelijk eens een redelijke verklaring en een vrijmetselaar die me sympathiek lijkt. Had die bioloog nog meer bewijzen om zijn stelling te onderbouwen?'

'Jawel, hij had het ook over een Amerikaans experiment uit het begin van de jaren zestig. Een psychiater, ene dr. Pahnke, heeft proeven gedaan met psilocybine bij een groep christelijke theologiestudenten. Drie op de tien proefpersonen beschreven na inname van een extract van de paddenstoel intense mystieke visioenen met het innige gevoel van eenwording met Christus en de Heilige Maagd. Ik bedoel daarmee dat ze zeiden dat ze Jezus en Maria echt zagen.'

Jade stond op en bekeek de muurschildering.

'Is er nog iets anders te ontdekken?'

'Sophie is hier geweest en ze heeft nog iets gevonden. Maar wat...? Details, alles is vaak een kwestie van details... Deze schildering moet een gecodeerde formule bevatten, of minstens een deel van de formule... In principe gaat het dus om cijfers.'

De Afghaanse keek hem strak aan.

'Voor de cijfercode van de kluis in de ambassade wilde Sophie met alle geweld de schrijfwijze van de Tempeliers voor Plaincourault gebruiken. Ze deed er twee letters bij, wat een totaal van vijftien letters gaf.

Marcas dacht na.

'Laten we ons concentreren op het getal 15 en op deze afbeelding. We zien 5 hoedjes op 5 stelen.'

Jade schudde ontkennend het hoofd.

'Nee, kijk eens goed, uit de middelste dikke steel groeien nog twee dunnere die de grote hoed ondersteunen. Er zijn dus 5 hoedjes en 7 stelen.'

De politieman steunde geconcentreerd zijn hoofd in zijn handen.

'5 en 7, er ontbreekt nog een getal...'

Hij schreef de cijfers op een stukje papier.

5,7,?

Jade lachte opgewonden.

'Ik heb het.'

Ze trok het papiertje uit zijn hand.

3+5+7=15

'Het getal 3. Kijk maar, de slang wikkelt zich in drie slagen om de steel.'

Marcas floot tussen zijn tanden.

'Ik ben onder de indruk. Hebt je een cursus symbolieken gevolgd?'

'Nee. Als kind was ik gek op raadseltjes en intelligentiespelletjes. Nu moeten we alleen nog uitvinden waar die serie van drie getallen op slaat.'

Antoine grinnikte.

'Mijn beurt om jou te verblinden. In de maçonnieke symboliek wordt elke graad aangeduid met een cijfer. 3 is het getal van de Leerling, 5 van de Gezel en 7 het getal van de Meester.'

'Ik maak eruit op dat elk ingrediënt een cijfer krijgt. 3 eenheden van het ene, 5 van het andere en 7 van het derde. Maar dan moet je de goede volgorde nog weten.'

'Juist.'

Marcas toetste het nummer van Jouhanneau en bad vurig dat er bereik was in die uithoek. Het icoontje van de operator knipperde even en bleef toen staan. Hij kreeg de voicemail.

'Met Marcas, mijn batterij is bijna leeg. De derde component is een paddenstoel, de vliegenzwam. De dosering zou 3, 5 en 7 kunnen zijn. Bel me. Broederlijke groet.'

Marcas verbrak de verbinding en ging achter de jonge vrouw staan die door het kerkraam naar de sterren keek. Ze stonden in het pikkedonker, zwakjes bijgelicht door de zaklamp die op de grond lag. Hij legde zijn hand op haar schouder. Jade liet het toe, terwijl ze naar de hemel bleef turen.

Zachtjes zei Antoine: 'Zullen we nu maar de vrede tekenen?'

Ze rilde van de kou, ze legde haar hand op de zijne. Plotseling voelde ze zich beangstigd door die spookachtige omgeving en de geruststellende nabijheid van Marcas bracht onvermoede troost.

Ze was niet bang uitgevallen, maar de griezelige sfeer in die aardedonkere kapel was niet opwekkend. Ze zag voor zich hoe die geheimzinnige hospitaalridders en uitgetreden tempelridders in hun lange mantels met een geborduurd kruis, knielden voor deze ketterse afbeeldingen. Ze drukte op Marcas' hand en wenste dat hij nog zorgzamer, net iets tederder zou zijn. Jezelf zwakheden toestaan als je sterk bent, was een luxe die ze zichzelf best gunde. Ze leunde tegen haar metgezel aan. Hij legde zijn andere hand om haar middel.

Plotseling knalde er een luide stem door de duisternis. Hij kwam van de ingang van de kapel.

'Adam en Eva herenigd voor de boom van goed en kwaad. Een aangrijpend tafereel!'

42

Val d'Oise

Het getinte glas van de ramen weerspiegelde het maanlicht en wierp bleekgroene lichtspetters naar het nabijgelegen bos. De drie zeshoekige gebouwen van het researchcomplex van de multinational Revelant besloegen zestig hectare bosgrond langs de rivier de Oise en waren gedeeltelijk aan het zicht onttrokken door bomen.

Op de tweede verdieping van het hoofdgebouw rondde Patrick de Chefdebien net de maandelijkse marketingplanning af. Bij wijze van uitzondering had hij al zijn commerciële managers naar het researchcentrum laten komen, en niet naar het hoofdkantoor van de onderneming aan de Défense. Hij wilde daarmee tijd winnen om aansluitend te kunnen vergaderen met zijn researchdirecteur.

De vergaderzaal baadde in een blauwachtig licht. Enorme goudkleurige lijsten met foto's van beroemde mannequins bedekten de antracietkleurige muren. Die allemaal even adembenemend mooie bruine, blonde, Aziatische en Afrikaanse modellen waren de ambassadrices van het merk Revelant in alle werelddelen. Vergankelijke schoonheden! Elke twee jaar, op het ritme van de aflopende contracten, verwisselde het onderhoudspersoneel de foto's. De oude affiches werden netjes opgerold en gingen naar het archief in de kelder waar ze werden opgeborgen tussen honderden andere verbleekte foto's. De firma werkte zelden langer dan twee jaar met een model; de klanten hadden voortdurend nieuwe gezichten nodig om zich mee te identificeren. Alleen de topproducten van Revelant, zoals de lipstick Incandescence, de shampoo Reflet boréal en het parfum Ariane bleven vier of vijf jaar trouw aan een en hetzelfde model.

Sinds hij de leiding van de onderneming had overgenomen, had Chefdebien maar één credo: Revelant verkocht geen cosmetische producten, maar jeugd. Vrouwen betaalden voor de belofte van schoonheid. Elk nieuw product uit het assortiment moest maar één doel treffen: de verbeelding van de cliënte. Een dikbetaalde jungiaanse psychoanalyticus en logebroeder van Chefdebien, leidde twee dagen per maand een werkvergadering om de creativiteit te stimuleren van een groep marketing- en communicatiedirecteuren. Het ging erom het diepste van het collectief vrouwelijke onbewuste te raken en te spelen met de archetypes van schoonheid en jeugd. De vorige maand had de psychiater samen met het hoofd design gebrainstormd over een nieuwe parfumfles gebaseerd op de ovale vorm, die volgens hem het symbool van de oervrouwelijkheid was.

In het begin werden de methodes van de nieuwe president-directeur met gehoon ontvangen, maar door de spectaculaire stijging van de verkoopcijfers draaiden ook de grootste sceptici bij.

In het midden van een grote witmarmeren tafel zittend, wachtte Chefdebien tot de laatste spreker zijn presentatie had afgerond, maar hij was er met zijn gedachten niet bij. Jouhanneau had de vorige dag twee korte boodschappen voor hem achtergelaten om hem de namen te geven van de drie actieve bestanddelen van zijn beroemde soma. De president van Revelant had meteen aan zijn researchdirecteur gevraagd om snel aan het werk te gaan met de beschikbare staaltjes. Aangezien de namen van de componenten bekend waren en voorkwamen in de internationale *Index Chemicus*, kon er over hooguit drie dagen een eerste resultaat zijn. Het was een koud kunstje voor de scheidkundigen van Revelant, die niets anders deden dan nieuwe moleculaire verbindingen maken voor de cosmetica van de toekomst.

Op de voicemail had de stem van Jouhanneau gebeefd van opwinding, als een kind dat uitkeek naar een nieuw speelgoed. De oude man had kennelijk iets ontdekt.

Chefdebien was zo in gedachten dat hij niet had gemerkt dat zijn commercieel medewerker was uitgepraat. De directeur buitenland kuchte nadrukkelijk. Chefdebien schrok op en stond op.

'Dames en heren, hartelijk dank voor uw uiteenzettingen en vooral dat u naar deze late vergadering bent gekomen. Ik ben erg verheugd over onze uitstekende verkoopresultaten. Vergeet niet dat morgen om veertien uur een televisieploeg de rondleiding in ons bedrijf komt filmen van Indonesische meisjes die aan de tsunami ontsnapten. Geef ze alle medewerking, want de media zijn onze beste vrienden.'

'We zijn dol op journalisten die ons gratis publiciteit geven,' spotte de verkoopmanager voor het Midden-Oosten zachtjes. Ze wist al dat ze zou worden ontslagen en na de zomervakantie werd vervangen.

De managers verlieten een voor een de vergaderzaal. Chefdebien legde zijn hand op de schouder van de vrouw in het Gucci-pakje.

'Ik heb je gehoord. Wil je erover praten in mijn kamer?'

'Nee, behalve mijn ontslag en het feit dat ik een nieuwe job moet zoeken, gaat alles prima.'

'Het spijt me echt vreselijk, maar Revelant kun je zien als een ketting en door een zwakke schakel kan die ketting breken.'

De vrouw keek hem vuil aan.

'Spaar me je vrijmetselaarsvergelijkingen. Ik ben er ook een en ik denk dat ik meer gevoel heb dan jij voor de diepere betekenis van de ketting als een verbond.'

'Dat siert je. Het heeft me geraakt dat je je lidmaatschap niet hebt gebruikt om je baan te redden.'

'Ik heb mijn principes, weet je. Maar ik hoop wel dat het aantal nullen op mijn rekening aan het eind van de maand het symbool voor de oneindigheid benadert. Zo niet, dan weet ik nu al waar ik mijn passer zal neerzetten, broeder.'

Ze rukte zich los en vertrok zonder hem nog een blik waardig te keuren. Chefdebien grinnikte – die maçonnieke humor toch! – en nestelde zich weer in zijn stoel. Op de telefoon knipperde een lichtje. De intercom kraakte: 'Meneer, de researchdirecteur is er.'

'Mooi, stuur hem maar door.'

Met grote stappen stoof er een man binnen van een jaar of veertig, met een zwarte coltrui en een glimmende kaalgeschoren schedel, die zonder omhaal in de stoel naast die van de president ging zitten.

'Patrick, ben je gek geworden of hoe zit het? Ik heb je... boodschappenlijstje bekeken. Gaat Revelant nu ook al in verdovende middelen doen?'

Antoine en Jade konden het gezicht niet zien van de man die had gesproken. De lichtbundel van zijn sterke zaklamp verblindde hen.

'De vliegenzwam groeit in cirkels die hier heksenkringen heten. Geen wonder, de Berry is altijd het middelpunt van de hekserij in Frankrijk geweest. Steek je handen goed zichtbaar omhoog en ga weg bij die muurschildering.'

Er kwamen drie dreigende silhouetten door de kerk gelopen, een ervan hinkte een beetje. Antoine kon zichzelf wel voor zijn hoofd slaan omdat hij zijn dienstwapen in het handschoenkastje had laten liggen.

Het groepje stond nu tegenover hen en ze konden de gezichten zien. In het midden stond een bejaarde man met sneeuwwit haar, een strak gezicht en een stramme houding. Links van hem herkende Jade Joana, die zwaaide met haar ingezwachtelde hand. Rechts van hem hield een jongeman met kortgeknipt haar hen onder schot met een MP5, het machinepistool van de Amerikaanse speciale eenheden, voorzien van een akoestische absorptiedemper. Geluiddemper, voor de leek. Sol liet de lantaarn zakken.

'Ik ben zo vrij geweest te luisteren naar uw boeiende gesprek over de Amanita. Zijn duivelse reputatie van giftige paddenstoel dateert uit de begintijd van het christendom. Voordien, al sinds het begin der tijden, werd hij beschouwd als de plant die onsterfelijk maakte. Voor dat doel werd hij al gebruikt vanaf het einde van de oude steentijd. De sjamanen en priesters van de heidense godsdiensten vereerden hem als een tegenwoordigheidvan de goden op aarde . Ze noemden hem, net als trouwens andere even heilige paddenstoelen, het vlees van de goden. Jammer genoeg zorgde de groeiende invloed van de Kerk ervoor dat die paddenstoelen werden verlaagd tot ordinaire hekserij-ingrediënten, net goed genoeg voor de bereiding van idiote toverdrankjes. Wist u dat Augustinus een lange tekst heeft geschreven om het gebruik van die bijzondere planten aan te klagen? Maar ik dwaal af. Klaus, kun je me even bijlichten?'

De oude man ging hinnikend van plezier voor de muurschildering staan.

'Wat een opperste blasfemie. De appelboom uit de Bijbel vervangen door een hallucinogene paddenstoel. Die middeleeuwse ridders speelden met hun leven in die inquisitieperiode.'

Marcas hield Jade vast bij de elleboog.
'Wie bent u?'
Sol bleef kijken naar de schildering.
'Men noemt mij Sol. Die naam zegt u vast niets, maar die van mijn Orde daarentegen...'
'Thule, zeker?'
De oude man draaide zich om.
'Heel goed. Uitstekend. Er zijn dus nog vrijmetselaars die hun licht laten schijnen over de geschiedenis van deze wereld... Ik moet u trouwens bedanken, commissaris. Als we u niet al de eerste dag hadden gevolgd na uw vergadering op het ministerie van Binnenlandse Zaken en op al uw omzwervingen tot in Rambouillet om uw charmante vriendin op te halen, zouden we hier niet zo gezellig staan te keuvelen.'
Marcas hield zijn stem neutraal.
'U lijkt niet verbaasd door de afbeelding van die paddenstoel.'
'Nee, ik vermoedde dat hij een van de ingrediënten was van het brouwsel dat me interesseert, maar ik was er niet zeker van. Nu heb ik de drie componenten en u hebt ongetwijfeld de juiste dosering ontdekt. Schitterend, nu moeten we alleen nog weten welke plant bij welk getal hoort en het die lieve...'
Joana onderbrak hem: 'Geef mij het meisje. Ik wil me persoonlijk met haar bezighouden.'
De oude man hief zijn hand op.
'Later. Nu moeten we weg, we hebben nog een hele rit voor de boeg. We gaan een bezoekje brengen aan uw vriend Jouhanneau en dan...'
Marcas kwam ertussen: 'En dan gaat u ons vermoorden? Net zoals Hiram.'
Sol onderdrukte een glimlachje.
'Wie weet. Maar zover zijn we nog niet. Kom!'
Een van de lijfwachten deed een stap naar voren.
'Wie bent u werkelijk?'
Het was de stem van Jade die opsteeg in het gewelf.
'Mijn echte naam? François Le Guermand, ooit net als u Frans staatsburger.'
'En nu?'
Sol was al bijna buiten.
'Nationaliteit heeft geen enkel belang, alleen het ras telt.'

Patrick de Chefdebien zag geamuseerd hoe zijn vriend, dr. Deguy, zich zat op te winden boven zijn lijstje dat zwart zag van de aantekeningen. Ze waren bevriend sinds zijn aantreden in de firma en Deguy was de enige die hem durfde tegen te spreken.

'Die drie chemische stoffen waarvan je me de synthese vroeg zijn alle drie bommen voor het brein.'

'Leg me dat eens uit in wetenschappelijke termen.'

'Ten eerst het Moederkoren dat lyserginezuur bevat.'

'En waarvan men zegt dat het in de middeleeuwen de oorzaak was van ontelbare hallucinatie-epidemies en...'

'Niet alleen in de middeleeuwen. In de jaren 1940 heeft een scheikundige Moederkoren kunnen zuiveren en daaruit het lyserginezuur diethylamide, LSD, kunnen synthetiseren. Het beruchte LSD dat zo populair was bij de hippies van de jaren 1960.'

Chefdebien leunde tevreden achterover in zijn stoel.

'Ik ga door. De Afrikaanse plant Iboga bevat ibogaïne, ook van de familie van de psychoactieve alkaloïden. Niet alleen is het uiterst hallucinogeen, maar het is ook de enige stof die geen verslaving aan andere drugs veroorzaakt. In 1985 heeft een psychiater er patent op gevraagd om er medicijnen mee te maken voor de behandeling van cocaïneverslaafden en alcoholisten.'

'Dus, vermengd met een andere drug, vermindert hij het verslavende effect daarvan en voegt hij er zijn eigen hallucinogene kracht aan toe...'

'Precies. De Amanita, de vliegenzwam, bevat muscazone en muscimol, twee kruisraketten die regelrecht naar de neuronen vliegen en die je gegarandeerd een megatrip bezorgen.'

Chefdebien stond op om zichzelf een glas cognac in te schenken.

'Wil je er ook een?'

'Nee, maar wat wil je dat we vinden?'

'Dat vertel ik je zo, maar leg me eerst even uit hoe die moleculen zich gedragen in de hersenen?'

'Heel eenvoudig, hun scheikundige samenstelling lijkt erg op andere moleculen, die onontbeerlijk zijn voor de werking van onze hersenen, de neurotransmitters. Nou, die spullen van jou nemen hun plaats in en veroorzaken een big bang in je hoofd. Je krijgt visioenen van de kosmos, van Jezus, van de zeven dwergen of van je moeder in de weer met de dalai lama!'

'En een mix van de drie?'

Deguy schonk zichzelf nu ook cognac in.

'Laten we zeggen dat daarbij vergeleken cocaïne en heroïne kruidentheetjes zijn. Reken niet op mij om die troep te testen en vraag me ook niet om er mijn apen aan op te offeren.'

Chefdebien drong aan.

'En kun je door de dosis aan te passen de effecten veranderen?'

'In theorie wel, maar in de praktijk zijn mensen er al op stukgelopen. In de jaren 1950-'60 heeft de CIA er een spelletje mee willen spelen.'

'De Amerikanen?'

'Ja. Het meest geavanceerde medische onderzoek ooit naar de werking van LSD werd in die tijd door hen gefinancierd op bevel van Allan W. Dulles, de toenmalige CIA-baas. Na 1953 wilde hij LSD gebruiken als waarheidsserum voor communisten en daarnaast ook als antidepressivum. Het agentschap financierde een tiental onderzoeksafdelingen van de beroemdste universiteiten van New York, Boston, Chicago, enzovoort. Die zijn ermee beginnen te dollen en goten het spul in de koffie en frisdranken van de CIA-agenten zelf en dat alles onder leiding van een ietwat geschifte arts, ene dokter Gottlieb. Die brave spionnen maakten de meest delirische trips op kosten van de belastingbetaler. Een van hen heeft trouwens zelfmoord gepleegd door uit het raam van zijn hotelkamer te springen; de overheid heeft twintig jaar later, in 1977, haar verantwoordelijkheid toegegeven en betaalde zijn weduwe een schadevergoeding van bijna 750.000 dollar. Een leuk sommetje.'

'Hoe weet jij dat allemaal?'

'Dat leer je in je laatste jaar farmacologie. Ik ga verder. Dokter Gottlieb wilde doorgaan met hallucinogene planten, nadat hij een studie had gelezen van de onderzoeker Gordon Wasson, over heilige paddenstoelen. En in 1954 startte de CIA de operatie "Race naar het vlees", als knipoog naar de bijnaam "vlees van de goden", zoals hallucinogene paddenstoelen in Zuid-Amerika werden genoemd. Specialisten aan 0universiteiten, zoals mycologen, werden van de ene dag op de andere verrast met een smak geld voor hun tot dan toe ondergewaardeerde onderzoek.'

'Ongelooflijk!'

'Het ergste moet nog komen. Dokter Gottlieb, de gekke geleerde van de CIA die zijn brouwsels niet meer mocht uitproberen op agenten, vond weerlozere proefpersonen. Zwarte gevangenen van een strafinrichting in Kentucky kregen, met medewerking van het ziekenhuis van Lexington, de actieve substantie van de paddenstoelen in hun eten. Sommigen dachten dat ze hun vlees en hun bloed verloren.'

'*Het vlees verlaat de botten...*'

'Wat zeg je?'

'Niets, het is een uitdrukking die in de vrijmetselarij wordt gebezigd.'

'Dat broedergedoe van je... Goed, ik wil maar zeggen dat de CIA zich heeft teruggetrokken, na miljoenen dollars voor niets te hebben gespendeerd. Het onderzoek werd stilgelegd. Kortom, je doet niet wat je wilt met die drugs.'

Chefdebien zette zijn glas neer en keek op de klok aan de muur. Het was al laat.

'Ik moet je iets vragen. Maak een staaltje van elk van die drie stoffen voor me en vraag me niet waarom. Dat vertel ik je later.'

Bezorgd kijkend ging de onderzoeker weg, maar Chefdebien wist dat hij zou doen wat hem gevraagd was.

De president van Revelant schonk nog eens in en realiseerde zich daarbij dat hij de laatste maanden nogal vaak naar de fles greep, wat een teken van zwakte was. Hij nam zich voor er gauw iets aan te doen.

De uitleg van zijn researchdirecteur opende voor hem ongekende mogelijkheden, voor zover de mislukking van de CIA niet het definitieve bewijs was van de onmogelijkheid de effecten van die superdrug te beheersen. Sinds de jaren zestig had de wetenschap spectaculaire vooruitgang geboekt en de fouten van toen zouden nu misschien voorkomen kunnen worden. Door de snelheid van de computerberekeningen, zeker van de derde generatie Cray, kon bijna in *real time* een virtuele moleculaire interactie worden gesimuleerd. Dat maakte natuurlijk experimenten op dieren en mensen niet overbodig, maar de tijdwinst voor wat men de screening van de elementen noemde, was gigantisch.

Hij noteerde de namen van de drie substanties in zijn palmtop, met de bedoeling om ze de volgende dag ook aan de informatica-afdeling te geven om hun interactie te laten nabootsen met al bekende neurotransmitters als dopamine en serotonine.

Hij had de oude Jouhanneau beloofd dat hij de flesjes naar Sarlat zou sturen en dat zou hij ook doen. Dat hoefde hem er niet van te weerhouden om zelf onderzoek te laten doen voor lucratievere doeleinden. Persoonlijk geloofde hij niet in een god, en ook niet in een Opperbouwmeester des Heelals. Zijn vrijmetselaarschap was voor hem gewoon een andere manier om nog meer macht te vergaren. Hij was zeer ingenomen met het feit dat hij een historicus, een specialist in de geschiedenis van de Tempeliers, had betaald om de briljante voordracht te schrijven die hij net in de loge Orion had gehouden. Nu zijn toelatingsexamen zo succesvol was verlopen, zat hij er gebeiteld en kon hij rekenen op hun steun bij de volgende verkiezing. Een paar stemmen meer, vooral van zulke invloedrijke broeders, waren een geweldige troef.

Zijn beschermengel had het goed met hem voor.

Uit zijn portefeuille haalde hij zijn geluksdollarbiljet dat hij sinds zijn terugkeer uit de Verenigde Staten, tien jaar geleden, bij zich droeg. Hij keek naar de symbolen die erop afgebeeld waren. Die afgeplatte piramide met een alziend oog, die Latijnse spreuk, *Novus Ordo Seculorum*; allemaal onmiskenbaar maçonnieke tekens. Dit beroemde biljet was uitgegeven in 1935, tijdens het presidentschap van broeder Roosevelt.

En dan te bedenken dat de symbolen op dit dollarbiljet hordes mensen hadden overtuigd van het bestaan van een groot maçonniek complot. Koning dollar is van maçonnieke afkomst, koning dollar domineert de wisselkoersen, dus de broeders regeren de wereld... De internetsites en boeken waardoor die stelling werd verspreid waren niet meer te tellen.

Voor Patrick de Chefdebien vatte deze anekdote de ware kracht van de vrijmetselarij samen, die lag in de fantasie die ze in werking zette, die haar vermeende macht schromelijk overschatte, en haar werkelijke invloed al helemaal.

En een stukje van die machtsprojectie had hij misschien in handen.

43

Sarlat

Jouhanneau parkeerde zijn auto op het stadsplein. Om deze tijd was Sarlat nagenoeg uitgestorven. Hij besloot om door de oude stad naar de loge te lopen. Het was een manier om zijn gedachten te ordenen. Hij had net Chefdebien gebeld om hem de naam van de laatste component door te bellen die door Marcas was ontdekt. De rode paddenstoel met witte stippen die in de sprookjes rondspookte... Binnen enkele uren zou het team van Revelant vast een synthese van de drie actieve stoffen hebben gemaakt... Het doel van een heel mensenleven.

Over hooguit een dag zou hij over zijn soma beschikken en dan...

Toch was er nog iets wat Jouhanneau dwarszat. Hij dacht aan de schriften van zijn vader. Die had zijn maçonnieke engagement heel duidelijk filosofisch onderbouwd. Voor hem telde enkel het werk in de loge. Er bestond geen mystiek brouwsel, geen toverdrank of sleutel tot het goddelijke principe. Nee, je moest gewoon de schoonheid van de symbolen kunnen begrijpen. In de wereld van de mensen sporen van een algehele samenhang kunnen ontdekken. Een geestelijke exercitie die Baudelaire gekend moest hebben, aangezien hij sprak van een wereld waarin alles 'luxe, kalmte en wellust' was.

De oude markies de Chefdebien placht in Sarlat de werkplaats van de Grande Loge de France te bezoeken. Het was een obediëntie die doorging voor spiritualistischer dan de Grand Orient, waarmee ze overigens uitstekende betrekkingen onderhield.

In de namiddag had Jouhanneau de Achtbare Voorzitter van de loge telefonisch van zijn komst op de hoogte gesteld. De reactie was meer dan hartelijk geweest. De broeders van Sarlat waren opgetogen en vereerd de Groot-Archivaris van de GO in hun midden te mogen verwelkomen.

En Jouhanneau was blij dat hij eens een bijeenkomst volgens de Schotse ritus zou kunnen bijwonen. De broeders van de Grand Orient praktiseerden de Franse rite, die soberder was. Het ritueel in de Grande Loge was heftiger, dramatischer.

Volgens broeders die zich erin hadden verdiept, kwamen die verschillen overeen met twee richtingen in de alchemie: de 'droge weg' was herkenbaar in de Franse rite en de 'natte weg' in de Schotse rite. Ze waren evenwaardig. Tenslotte stond er in het evangelie: 'In het huis mijns Vaders zijn vele woningen'.

Bedachtzaam gaf de Voorzittende Meester een slag met de hamer.

'Broeder eerste Opziener, wat hebben wij gevraagd toen we voor het eerst de tempel betraden?'

'Het Licht, Voorzittende.'

'Moge dan het Licht in volle luister schijnen in de loge. Broeders Eerste en Tweede Opziener, ik nodig u uit om u bij mij in het Oosten te voegen om uw kaarsen aan te steken en de sterren zichtbaar te maken. Broeder Ceremoniemeester, klop bij elke formule met uw staf op de grond. Broeder Voorbereider en Ceremoniemeester, sta ons bij.'

Voor het tafeltje van de Achtbare stond een brandende kandelaar. Voorzichtig stak hij er een nieuwe vlam mee aan. De vlam die de tempel en alle broeders zou verlichten.

De Opzieners liepen langs de banken naar voren, ontstaken hun kaars aan de vlam van de Achtbare en namen weer hun plaatsen in op de kolommen. Drie hoge bronzen kandelaars stonden op het tableau dat was uitgerold op de mozaïekvloer.

De Achtbare ontstak de kandelaar in het zuidoosten.

'Moge de wijsheid ons werk geleiden.'

Een klop van de staf galmde door de tempel.

De eerste Opziener ontstak de kandelaar in het noordwesten.

'Moge kracht haar steunen.'

Er klonk nog een klop, terwijl de tempel langzaam minder donker werd.

De tweede Opziener ontstak de kandelaar in de zuidwestelijke zuil.

'Moge schoonheid haar sieren.'

Nu was de tempel helder verlicht. Het werk kon beginnen.

De spreker beheerste zijn onderwerp tot in de puntjes. Het publiek was geboeid door zijn bouwstuk, getiteld 'De reizen van de inwijding'. In de rijen luisterden broeders aandachtig naar de accurate analyse van de elementen die de neofiet konden zuiveren, alvorens hij het licht ontving. Eén ding was opmerkelijk: de spreker behandelde pas als laatste het eerste element, de aarde.

De diepe, zelfverzekerde stem sprak nu over de symbolische waarde van water, lucht en vuur.

'Water, lucht en vuur,' peinsde Jouhanneau.

Sinds het telefoontje van Marcas kon de Groot-Archivaris nog maar aan één ding denken. Hij had nu de drie componenten van de legendarische soma en ook hun verhouding: 3, 5, 7. Er ontbrak hem alleen nog de volgorde van de dosering. Met welke plant moest hij beginnen? Water, lucht, vuur... Ineens kreeg de Groot-Archivaris een ingeving. En als die drie reizen van de inwijding eens overeenkwamen met...?

Eerst het water. De eerste materie, *prima materiaal*. Water als oorsprong van alle leven. Het water waaruit wij voortkomen. Het water van alle begin. Plotseling werd alles hem duidelijk. Iets wat Marcas had gezegd over de Bwiti-cultus. De deelnemers aan dat inwijdingsritueel zeiden dat ze dankzij de Iboga terugkeerden naar de oorsprong. De hallucinogene stof die naar Bwiti leidde, bracht hem op voorouders. Bwiti voerde terug naar het ontstaan. Bwiti oftewel het water.

Nu de lucht. De *Amanita muscaria* misschien? De vliegenzwam... Een vlieg? Een andere herinnering kwam boven bij Jouhanneau. Hij dacht terug aan wat hij had gelezen op school. In de Griekse les. De 'Gouden Ezel' van Apuleius. Dat was een van de standaardwerken voor liefhebbers van het esoterisme die er een metafoor voor de alchemistische queeste in lazen. In een van de hoofdstukken wordt de vlieg voorgesteld als het symbool voor lucht. Het element van de hogere wereld.

Het vuur. In gedachten kamde Jouhanneau een heel woud van symbolen uit. Het vuur. De hallucinatie-epidemieën veroorzaakt door het Moederkoren. *Le mal des ardents*. Het Sint-Antoniusvuur. Het Moederkoren ontstak het vuur.

De Iboga, de Vliegenzwam, het Moederkoren. Water, lucht, vuur: de drie elementen van de inwijding.

'U hebt natuurlijk gemerkt dat ik nog niets heb gezegd over de aarde. Eigenlijk is de beproeving van de aarde niet echt een reis. De kandidaat zit eenzaam in de Kamer van Overpeinzing, waar hij moet nadenken over de symbolen die er staan om zich voor te bereiden op de beproevingen die hem te wachten staan. Een verblijf in die donkere kamer is in feite een psychologische voorbereiding op de echte inwijding. Maar we mogen niet vergeten dat het verblijf in die donkere kamer er tevens de essentiële voorwaarde voor is. Zonder dat is er geen echte inwijding.'

De spreker was klaar. De Achtbare bedankte hem. De vragenronde kon beginnen.

Jouhanneau had nu alles begrepen. Er ontbrak echter een essentieel element. De beproeving van de aarde. De eerste beproeving.

Er klonk handgeklap.

'U hebt het woord, broeder.'

'Achtbare Meester, en u, mijn broeders in alle graden en hoedanigheden. De spreker heeft wel op schitterende wijze de symbolische herkomst van de drie elementen besproken die de beproevingen van onze inwijding vormen, maar wat kan hij zeggen over het verblijf in de Kamer van Overpeinzing, die model staat voor de onderaardse wereld? Wat is daar de oorsprong van?'

De spreker bladerde even door zijn aantekeningen.

'Ik denk dat we die oorsprong allemaal kennen. Vooral in onze streek. Het is de grot, de prehistorische grot waar de religieuze beleving van onze voorouders is begonnen. U weet dat men die beschilderde grotten heel lang heeft beschouwd als tempels van kunst. Als een soort musea... Een prehistorische grot is eerst en vooral een heiligdom. Een plek die niet meer van deze wereld is en die is gewijd aan religieuze rituelen. De laatste jaren zijn de meeste serieuze prehistorici geneigd om die grotten met hun geschilderde of ingegrifte afbeeldingen te zien als heilige plaatsen, waar mensen in contact konden treden met het hogere. Als een ruimte die, net als onze tempel, de aangewezen plek is voor het inwijdingsritueel.

Jouhanneau klapte in zijn handen. De eerste Opziener gaf hem het woord.

'Achtbare Voorzittende Meester en mijn broeders in alle graden en hoedanigheden. Een enkele vraag: welke grot zou de meest volmaakte tempel zijn?'

De spreker antwoordde zonder te aarzelen.

'Lascaux.'

44

Ergens in het zuiden van Frankrijk

De zwarte bestelwagen had de hoofdweg verlaten en was een weggetje ingeslagen dat vervormd was door modderige karrensporen. Het vale licht van de ochtendstond vervaagde de nachtelijke schaduwen die nog wat bleven treuzelen in de eeuwenoude eiken. Op een meter of twintig achter de bestelwagen reed een lichtblauwe sedan, waarin Jade en Antoine zaten, aan handen en voeten geboeid.

Er waren drie uren verstreken sinds het vertrek uit Plaincourault en het konvooi was halverwege de tocht.

Aan het eind van het weggetje, midden in het woud, stond een huis van grijze steen, twee verdiepingen hoog, met openstaande bruine luiken. Ernaast stond een half ingestort duivenhok. Op de benedenverdieping brandde licht. Een man in een jagersvest en met een pijp in de mond schoof het gordijn opzij en zwaaide naar de nieuwkomers.

De bestelwagen en de auto parkeerden voor het bordes dat werd verlicht door een lantaarn in de vorm van een waterspuwer. De man met de pijp kwam naar buiten en liep Sol en Joana tegemoet over de met onkruid begroeide strook die bij het huis uitkwam.

Sol zei tegen de jonge vrouw: 'Onze vriend de tuinman komt ons begroeten.'

Joana trok een zuur gezicht.

'Dat is vriendelijk van hem, maar van mij had het niet gehoeven.'

'Kom, wees aardig tegen hem. Hij heeft een huis voor ons gevonden, zodat we kunnen uitrusten.'

'Wat een toewijding! Waarom heeft hij dat niet door een hulpje laten doen?'

'Dat is een goede vraag. Ik vrees dat hij van onze vrienden van het directiecomité de opdracht heeft om ons in de gaten te houden. Het is die verdomde Heimdall...'

De tuinman stond nu voor hen en begroette Sol, zonder Joana een blik waardig te keuren.

'Goed u weer te zien. Ik heb wat te eten laten aanrukken en de kamers zijn klaar voor u en onze geëerde gasten.'

'Dank u, ik zal uw organisatietalenten zeker aanprijzen in hoge sferen. Hoe hebt u deze plek gevonden?'

De goedmoedige snor liet zijn hand in zijn zak glijden en haalde een versleten leren tabakszak tevoorschijn.

'De Orden bezit in Frankrijk drie van zulke buitenverblijven waar onze leden kunnen komen uitrusten. De inrichting is eenvoudig, maar...'

De oude man onderbrak hem glimlachend: 'Het is prima voor de korte tijd dat we hier zullen zijn. Begeleid onze gasten naar binnen, zodat ze kunnen mee-eten.'

De tuinman streek langs zijn ongeschoren wang.

'Eten, echt waar? Ik had eerder een behandeling met de snoeischaar in gedachten.'

'Nee. Doe wat u wordt opgedragen.'

'En zij?' vroeg de tuinman, naar Joana wijzend of ze een stuk vuil was.

'Zij assisteert mij bij deze operatie. Beschouw haar dus als uw meerdere.'

De jonge vrouw lachte voldaan.

'Heb je dat gehoord? Doe je job, huisknecht, en ga de gevangenen halen.'

De man keek haar minachtend aan.

'We spreken elkaar aan het eind van deze missie. Neem dat van me aan.'

Hij stapte opzij om hen door te laten en liep vervolgens naar de bestelwagen toe. Sol en Joana liepen door een grote hal die was versierd met oude hertengeweien met koperen plaatjes waarop het jaartal stond waarop hun eigenaars waren afgeschoten. De data gingen terug tot het begin van de vorige eeuw.

In de grote eetzaal stond een tafel met aan de beide uiteinden opgemaakte schotels. Een zwijgende man zette er gauw nog twee borden bij.

Van de muren keken landjonkers in achttiende-eeuwse jagerskledij op de bezoekers neer alsof ze ongewenste gasten waren. Hier en daar opgestelde oude landbouwwerktuigen moesten het vertrek een landelijke sfeer geven. Sol nam plaats in een van de bewerkte houten stoelen en keek rond.

'De aarde liegt niet.'

Met haar goede hand schoof Joana een stoel tegenover hem.

'Wat wil dat zeggen?'

'Maarschalk Pétain placht dat te zeggen over de zuiverheid van het landleven.'

'De enige Franse militair die we kennen in Kroatië is generaal De Gaulle.'

Sol schaterde.

'Ondanks zijn hopeloze seniliteit heb ik altijd de maarschalk verkozen boven de generaal.'

'O ja?'

'*Ik houd mijn beloften en zelfs die van anderen*. Hoe bedenk je het!'

In de hal klonken voetstappen. De tuinman en de jonge lijfwacht van Sol brachten Jade en Antoine binnen, die waren losgemaakt.

Sol wees ze twee lege stoelen aan: 'Ga zitten, beste mensen en eet wat.'

Het gezicht van Joana vertrok van haat toen ze Jade zag.

De gevangenen keken elkaar even aan en gingen toen zwijgend zitten.

Voor hen stonden drie grote schalen met wortelen, bieten, sla, lof, radijzen en tomaten. Een terrine met een dampende kastanjerode soep en een grote schaal met gekookte aardappelen completeerden het menu. Antoine schepte wat groenten op zijn bord.

'U bent geen vleeseter.'

Sol bediende zichzelf gul en knikte bevestigend.

'Nee, vlees is ons uitdrukkelijk verboden. Ik heb het al zestig jaar niet meer gegeten. Dat is het geheim van een lang leven...'

Jade, die het eten niet aanraakte, onderbrak hem: 'Weet u wat er in dit land gebeurt als je een lid van de ordediensten ontvoert? Dan wordt er een opsporingsbericht verspreid in alle politiecommissariaten van Frankrijk. U komt hier nooit mee weg!'

Joana zei schel: 'Kop dicht. Nog een zo'n bedreiging en ik maak je af. Langzaam, heel langzaam.'

'Met welke hand, je rechter?'

De moordenares stond met een ruk op, met geheven tafelmes.

'Af!' gromde Sol.

Met tegenzin gehoorzaamde Joana. De oude man wendde zich tot Antoine.

'Over vlees gesproken. Voor ons zijn vleesgerechten bronnen van toxines die ziekten veroorzaken. Fruit en groenten hebben een buitengewoon hoge voedingswaarde. Ik kan u die pompoensoep van harte aanbevelen, die is echt heerlijk.'

'Is dat de Thule-leer?'

'Onder meer.'

Vreemd genoeg had Antoine trek gekregen en die oude man met zijn jeugdig voorkomen intrigeerde hem.

'Aangezien u de moeite doet om ons zo verantwoord te voeden, kunt u ons ook misschien enige uitleg geven?'

'Waarom ook niet. Het komt zelden voor dat ik met een vrijmetselaar praat. Meestal laat ik ze vermoorden. Brandt u maar los!'

'Wat is het doel van Thule?'

'Dat is een heel verhaal, maar het komt erop neer dat we ervoor zorgen dat ons bloed het overwicht behoudt in de onophoudelijke invasie van andere rassen. Ons genootschap, waarvan ik de eer heb deel te mogen uitmaken, is een soort beschermingsmaatschappij. Zwarten, Arabieren, Joden, Aziaten en alle mogelijke halfbloeden nemen elke dag een beetje meer bezit van de wereld die ons toebehoort. Wij proberen te doen wat we kunnen om die raciale invasie een beetje in te dammen.'

Jades stem droop van spot: 'Een dierenbescherming voor het superieure ras. Een giller!'

Antoine moest erom grinniken, maar wilde het gesprek voortzetten.

'Hoe hebt u weet gekregen van de archieven van onze obediëntie?'

Sol schudde lachend zijn vinger.

'Ik vertel liever hoe onze orde is ontstaan. Misschien begrijpt u het dan vanzelf. Hoewel ik het betwijfel, aangezien u vrijmetselaar bent. Maar kijk eens naar die buste die achter u staat.'

Antoine en Jade keken om en zagen op een driepoot het borstbeeld staan van een man met een bol voorhoofd, een wrede mond en gefronste wenkbrauwen.

Sol joeg de brand in een sigaar en legde zijn handen op de stoelleuningen.

'Deze man heette Rudolf Grauer. Aan hem danken wij alles. Zijn borstbeeld staat in alle huizen van de Orden. Hij heeft lang voordat de nazipartij bestond het Thule-Gesellschaft opgericht. Dit genie wiens naam geen mens meer kent en naast wie Hitler een afgestompte bruut was, heeft het aangezicht van de wereld veranderd. Deze zoon van een spoorwegarbeider doorkruiste eerst, aan het einde van de jaren 1890, als zeeman de wereld. Vervolgens streek hij neer in Turkije waar hij een aanzienlijk fortuin opbouwde, en keerde naar Duitsland terug omdat hij een missie te vervullen had. In zijn vaderland liet hij zich adopteren door een aristocraat en werd graaf Rudolf van Sebottendorff. In die tijd gistten in het Duitsland van de Kaiser nationalistische gevoelens die een uitweg vonden in talrijke patriottistische, antisemitische groeperingen die allemaal een gemeenschappelijke noemer hadden, *völkisch*.

Antoine miste geen woord van de uitleg van de oude man.

'En antimaçonnieke gevoelens, veronderstel ik?'

'Wat denkt u? Onze oprichter werd lid van een van die groepen, de *Germanenorde*, en werd er al snel heel invloedrijk. In 1918 ging hij naar München om er een vereniging op te richten die hij het Thule-Gesellschaft doopte. Binnen vier maanden had hij de hele sociale elite in zijn zak, gaf hij twee kranten uit, waaronder de *Völkische Beobachter*, de toen toekomstige spreekbuis van de nazi's, en had hij invloedrijke netwerken gesticht. Sterker nog, hij had de manier van werken van zijn beweging afgekeken van de vrijmetselarij, die hij goed had bestudeerd.'

'Wat heeft hij afgekeken?'

'De kandidaat-leden, uiteraard van het Germaanse ras, worden ingewijd; er worden geheime herkenningstekens uitgewisseld; er wordt een ritueel toegepast dat ontleend is aan het Scandinavische heidendom. En Sebottendorff had het idee om als symbool van zijn beweging het zonnewiel, de swastika met de gebogen winkelhaken, te gebruiken die al in de mode was in sommige racistische kringen. Dat embleem straalt nu boven een wrekende dolk.'

'Eigenaardig, de dolk kom je ook tegen bij hoge maçonnieke graden...'

Sol ging niet in op deze overeenkomst.

'Al heel snel dicteerde Sebottendorff het eerste en enige gebod van de organisatie: het blanke ras moet de wereld regeren. Hij was een ziener wiens credo in één woord was samengevat: *Halgadom*.'

Jade was uitgeput en had de indruk dat ze naar het onsamenhangende geraaskal van een gek zat te luisteren. Opperste waanzin die werd uitgekraamd door een zachte, kalme, beheerste stem.

'*Halgadom* betekent "heilige tempel". Daar waar jullie vrijmetselaars de tempel van de Jood Salomo willen herbouwen, wensen wij vurig een heiligdom op te richten voor alle volkeren die afstammen van het Arische ras van Thule en die over Europa zijn uitgezwermd: Scandinaviërs, Germanen, Engelsen, Saksen, Kelten en ook Fransen. Allemaal zijn we het resultaat van de volksverhuizingen van barbaarse stammen, de raszuivere Franken en Goten.'

'Onze tempel is er een van broederschap, van gelijkheid en van de hele mensheid.'

'Laat me niet lachen! Jullie waren de eersten die in jullie loges het elitarisme hebben ingevoerd.'

Sol schonk zichzelf een glas water in.

'Maar ik dwaal af. Sebottendorff wist dat slechts het volk – de proletariërs – het Arische ras nieuw bloed konden geven en hij wilde dat zijn ideeën ingang vonden bij de werkende klasse. Een van zijn adjudanten, een zekere Harrer, richtte met dat doel een vereniging op. In januari 1919 zien we Anton Drexler aan het hoofd van de Duitsc arbeiderspartij waar later zich een zekere Adolf Hitler bij aansluit, die er de nazipartij van maakt.'

Antoine wierp tegen: 'Hitler kon enkel gedijen op de puinhopen van de wapenstilstand '14-'18, de werkloosheid in Duitsland en het oplaaiende nationalisme.'

'Jawel, maar op de achtergrond waakte Thule, dat wel geen directe invloed had op de Führer, maar zijn entourage infiltreerde. Hess, Rosenberg, Himmler… Gelooft u echt dat Hitler aan de macht gekomen zou zijn als zijn plannen niet waren gefinancierd door grote Duitse industriëlen? Daar zaten veel Thule-leden bij. Maar Hitler heeft gefaald, hij heeft grootheidswaanzin gekregen. We hadden hem onderschat.'

Jade kon haar woede niet meer bedwingen.

'Miljoenen Joden uitgeroeid, volkeren tot slavernij gedwongen, overal oorlog en haat. Een mooi programma en prachtig uitgevoerd ook!'

Sol gaf zijn lijfwacht een teken.

'Bij de volgende stemverheffing, mevrouw, laat ik u een kogel door het hoofd jagen.'

Antoine zag dat hij het meende en legde zijn hand op de knie van zijn buurvrouw. Hij probeerde het gesprek op een ander onderwerp te brengen.

'En hoe kwam u in dat alles verzeild? Hoe kon een Fransman...'

Het gezicht van de grijsaard lichtte op met een voldane glimlach.

'Heel eenvoudig. In de oorlog ben ik bij de Waffen-ss gegaan en leden van Thule hebben me eruit gepikt om ingewijd te worden. Door net zo'n coöptatie als bij de vrijmetselarij.'

Jade ging over haar nek van die oude fascist.

'Aandoenlijk verhaal... Opa, de Franse ss'er, vertelt over zijn avonturen. Mag ik gewoon uit nieuwsgierigheid even weten hoeveel Joodse vrouwen en kinderen je hebt vermoord?'

Met duidelijk plezier sloeg Joana haar in het gezicht. Jade wilde haar aanvliegen, maar de lijfwacht ging voor haar staan. Sol keek haar misprijzend aan.

'De Charlemagne-divisie vocht aan het front tegen andere soldaten, wij hebben nooit deelgenomen aan de moordpartijen in de concentratiekampen. Ik heb mijn rang van Obersturmbannführer verdiend met mijn dapperheid.'

'En toen?'

'Toen werd ik uitverkoren.'

'Uitverkoren?'

Sol schonk nog wat water in.

'Ik kreeg de opdracht om kisten te verbergen waarin de vrijmetselaarsarchieven zaten die waren meegenomen uit Frankrijk en die van groot belang werden geacht voor onze orde. Begrijpt u het nu?'

'Maar vanwaar dat belang?'

'Een van de Thule-cellen binnen de ss, het instituut Ahnenerbe, bestudeerde het Arische India. Ze hadden zodoende het bestaan van een heilige drank ontdekt, de soma. Al snel gingen ze in een kasteel in Westfalen experimenteren met hallucinogene planten. Ze rekruteerden archeologen en plantkundigen om de soma na te maken. Als proefkonijnen namen ze Russische gevangenen, want die mengsels hadden bepaalde heel spectaculaire ongewenste bijwerkingen.'

'Wat is het verband met die archieven?'

'Een van de onderzoekers, een zekere professor Jouhanneau, was vrijmetselaar. Hij had toegestemd om mee te werken.'

'Dat geloof ik niet!'

'Hij had een zwangere vrouw... Hij had in de archieven van de Grand Orient een handschrift gevonden dat een heel speciaal ritueel beschreef waarbij een heilige drank werd gedronken.'

Antoine beet op zijn lip.

'Het schaduwritueel...'

Sol stak nog een sigaar op.

'Inderdaad. Wat die Jouhanneau betreft, Ahnenerbe liet hem overbrengen naar Berlijn waar hij die in Parijs gestolen dozen moest gaan doorzoeken. Na twee maanden vond hij losse aantekeningen over dat ritueel. Er was een studie bij over Moederkoren en een manuscript van een zekere Du Breuil. Natuurlijk hebben we die gekopieerd.'

'En hoe kwam u te weten dat er drie elementen zijn?'

'Een ander stuk van het Du Breuil-manuscript, niet genoemd in uw inventaris, omdat het na de oorlog in ons bezit is gebleven, zinspeelde op drie componenten. Waaronder een plant uit het Verre Oosten... De rest weet u al.'

'En Jouhanneau?'

'Die had gefaald. Thule heeft maar een enkel element kunnen achterhalen, het Moederkoren. En de manuscripten van Du Breuil waren in die tijd onbegrijpelijk voor ons. Jouhanneau was nutteloos geworden en werd naar Dachau gestuurd.'

'En uzelf?'

In 1945 liep mijn konvooi op een versperring van het Rode Leger, ik ben de enige overlevende. Na de schermutseling met de Russen heb ik de overgebleven archiefstukken opgehaald, waaronder de studie over het Moederkoren en een kopie van het Du Breuil-manuscript. Ik verstopte alles in de kerk van een stukgeschoten dorp.'

Schaterlachend voegde Sol eraan toe: 'Onder het hoofdaltaar. Daarna probeerde ik door de geallieerde linies te komen.'

Marcas keek ondoorgrondelijk. Sol ging door.

'En verder hebt u al het werk voor ons gedaan. Jouhanneau, bijvoorbeeld, toen hij dat telefoontje uit Israël kreeg, van die Joodse archeoloog... Wij stonden klaar.'

'De steen van Thebbah?'

Sol knikte voordat hij verder ging.

'Ja. En u kan ik niet genoeg bedanken voor de *Amanita muscaria*...!'

'En nu? Wat gebeurt er met ons?'

Sol gaapte en stond op.

'U heb ik nog even nodig. Onze Joana zal zich te zijner tijd met veel plezier over uw vriendin ontfermen. Dat herinneringen ophalen heeft me uitgeput. Ik ben aan rust toe. We zien elkaar straks terug om contact op te nemen met uw broeder, Jouhanneau, die nu ergens in de Dordogne moet zitten.'

'Hoe weet u dat?'

'We hebben hem laten volgen.' De man met het perkamenten gezicht, laatste getuige van een vervlogen tijdperk, leek ineens stokoud.

Marcas waagde het nog een laatste vraag te stellen: 'Wat betekent die naam, Sol...'

'Die komt van een Latijnse spreuk uit de Romeinse Mithra-cultus, *Sol Invictus*. "Onoverwonnen zon". Zo heette ook de dag van de zonnewende, de eenentwintigste december, waarop de zon herboren wordt en de dagen weer beginnen te lengen. Het christendom heeft dat feest overgenomen, verschoof het tot de vijfentwintigste en maakte er Kerstmis van. Maar net als de zon zal ik onoverwonnen zijn.'

45

Val d'Oise

Het etui van zwart leer bevatte twee injectiespuiten die allebei eenzelfde etiket droegen waarop de samenstelling en dosering stonden vermeld, een flesje met een desinfecteermiddel en een zakje watten. Er zaten ook een paar reservenaalden in.

Chefdebien deed de ritssluiting dicht aan de zijkant van het etui en gaf het aan de veiligheidsman.

'Hebt u het goed begrepen? Bij het kasteel de Beune geeft u dit etui onmiddellijk af aan meneer Jouhanneau. Daarna volgt u hem onopvallend en u belt mij elk uur uw rapport door. Het vliegtuig staat voor u klaar op de startbaan van Le Bourget.'

De veiligheidsman knikte zwijgend en verliet gehaast de kamer van de president-directeur van Revelant. Chefdebien rekende uit dat de dignitaris van de loge Orion de producten aan het begin van de middag zou hebben. Zijn researchers hadden prima werk geleverd door de drie moleculen te isoleren en ze te synthetiseren. De president had Jouhanneau ervan overtuigd het mengsel liever te injecteren dan te drinken, waarmee hij niet alleen misselijkheid voorkwam, maar waardoor het product veel sneller zou werken. Hij had zich een dealer gevoeld die een verslaafde zijn dagelijkse dosis bezorgde.

Uit voorzorg had Chefdebien nog een paar identieke staaltjes laten maken, die de apen in het laboratorium op dat moment kregen ingespoten.

Het huis van de Orden,
Zuidwest-Frankrijk

Een gigantisch oog, omsloten door een driehoek, zweeft boven de piramide. Op de achtergrond suizen rode wolken langs een dreigende, donkere hemel. Marcas kan zich niet bewegen, zijn voeten zitten vast in de bodem van zwart graniet. Hij voelt zich machteloos en nietig onder dat alziende oog. Dan nadert er in de verte in volle galop een ridder zonder helm, die met een brandende stok zwaait. Antoine wil vluchten, maar zijn benen zijn aan de grond genageld. De hemel kleurt bloedrood. De ridder stijgt af en komt zwaaiend met zijn stok op hem af. Zijn stem dondert in de rode nacht en overstemt het geloei van de ijzige winden. Hij herkent die ridder... Hij is het... zijn dubbelganger. Marcas wil schreeuwen, maar hij kan geen geluid uitbrengen. Zijn grijnzende kloon heft de stok op om hem op het hoofd te slaan. Antoine schreeuwt uit alle macht: 'Het vlees verlaat de botten'. Zijn dubbelganger deinst vol afgrijzen achteruit. De wind rukt aan de wankelende piramide. Het oog begin te bloeden. Antoine herhaalt de bezwering: 'Het vlees verlaat de botten'.
De ridder te paard verdwijnt als in een film die wordt teruggedraaid.

Het geschreeuw van Antoine wekte Jade ruw uit haar slaap.

'Rustig maar.'

Antoine droop van het zweet en probeerde zich ondanks zijn boeien op te richten.

'Ik had een nachtmerrie.'

'Als het je kan troosten, ik heb geslapen als een roos.'

De kamerdeur ging open en er verscheen een gewapende wachter. Jade riep tegen hem: 'We willen naar het toilet. Begrijp je me?'

De man schudde het hoofd.

'Nein. Nein.'

Jade trok haar meest dreigende gezicht.

'Sol. Schnell!'

De man aarzelde even en verliet de kamer die hij achter zich op slot deed. Antoine voelde onder zijn smerige kleren het zweet prikken. Hij draaide zich naar Jade.

'Het ligt niet echt lekker zo. Heeft het hoofd beveiliging ener ambassade niet een verborgen zendertje in haar schoenen of iets van die strekking?'

'Reuze lollig. Kun jij niet telepathisch aan de Opperbouwmeester des Heelals vragen of hij je broeders waarschuwt?'

Ze keken elkaar lachend aan; hij ongeschoren en met blauwe kringen onder de ogen, zij, bleek met plakkerige haren.

Het slot knarste weer en de wachter verscheen in gezelschap van Joana.

'Sol slaapt. Maar hier ben ik. Wat moeten jullie?'

Zonder het antwoord af te wachten liep ze naar het bed van Jade en ging naast haar zitten. Onwillekeurig probeerde de Afghaanse weg te kruipen.

'We willen ons wassen en naar het toilet,' zei Marcas.

Joana haalde een nijptangetje uit haar zak.

'We zijn geen monsters. Klaus zal met u meegaan. Maar eerst wil ik even een pinkje lenen van uw vriendin. Uiteindelijk had de tuinman best gelijk.'

Voordat Jade besefte wat er gebeurde knipte Joana de pink door van de Afghaanse, die krijste van de pijn. Antoine vocht om los te komen. Tevergeefs.

'Stop daarmee...'

'Kop dicht, rotzak! Dit is nog niets vergeleken met wat zij met mij uithaalde,' zei Joana, haar gefolterde hand ophoudend. 'Als we strakjes met jullie klaar zijn, zal ze me smeken om haar te doden. Met opgeheven handen misschien, maar zeker niet met haar vingers.'

Jade bleef kermen. De pijn werd onhoudbaar.

Kroatië,
het kasteel van Kvar

De ondergrondse crypte in de funderingen van het kasteel werd zwakjes verlicht door drie zilveren kandelaars. Loki keek peinzend naar de steen van zwart marmer waarin het zonnewiel stond gebeiteld dat gebruikt werd bij de vieringen van de zonnewende. Hij had al vierentwintig uur niets meer van Sol gehoord en begon zich ongerust te maken over zijn dochter. Sinds zijn laatste telefoongesprek met Sol keken de leden van het comité hem een beetje scheef aan. Wat gaf het ook, binnenkort zou hij af zijn van die slappelingen.

Heimdall had hem uitgenodigd voor een gesprek onder vier ogen.

Op de stenen trap klonken zware voetstappen. Loki draaide zich om en zag Heimdall, samen met een bewaker.

'Ik dacht dat je alleen zou komen?'

'Loki is de god van de list, vergeet dat nooit. De operatie Hiram is afgelast.'

Loki week uit naar het altaar.

'Met welk recht? Sol zal razend zijn.'

'Het comité heeft dat net besloten.'

'Dat kan niet. Dat was dan zonder mij.'

'Jij hoort niet meer bij Thule.'

Loki vervloekte zichzelf dat hij geen wapen had meegebracht.

'Onzin.'

'Je gsm is afgeluisterd en we hebben natuurlijk onze conclusies getrokken uit Sols instructies over een nacht van de lange messen die ons betreft. Je begrijpt onze zorg.'

Er naderden meer voetstappen. Nog twee gewapende mannen kwamen de crypte binnen. Loki klemde zich vast aan het altaar.

'Jullie moeten begrijpen dat operatie Hiram van levensbelang is voor de toekomst van Thule.'

'Sol is een kindse oude man die hersenschimmen najaagt en door hem zijn we bijna ontdekt door de Franse politie. Hij heeft de ene fout na de andere begaan. Die moorden op vrijmetselaars waren idioot. En door zijn Palestijnse moordenaar hebben de Israëliërs ons netwerk opgerold. Ben je de geboden van Sebottendorff dan vergeten? Onze kracht ligt in onze onopvallendheid. Zolang we onzichtbaar gedijen, zijn we onaantastbaar.'

'Ik weet beter dan jij...'

'Houd op! Er is bevel gegeven om af te rekenen met Sol en je dochter, samen met hun gevangenen op de plek waar ze nu zijn. En jou gaan we vergezellen bij een bezoekje aan je vriendin.'

Loki leek niet te begrijpen wat de bedoeling was.

'... Een maagd nog wel...'

'Je wilt toch niet...'

'Een ijzeren maagd!'

Het huis van de Orden,
Zuidwest-Frankrijk

Het konvooi stond weer klaar om te vertrekken. Sol keek tevreden naar de weer geboeide gevangenen die naar de bestelwagen werden gebracht.

'Ik rijd met u mee, ons gesprek was nog niet beëindigd. Maar we gaan eerst onze gastheer, de tuinman, bedanken voor zijn gastvrijheid.'

De jeugdige lijfwacht van Sol duwde de man met de snor naar voren, wiens gezicht was gezwollen.

'Onze beschermer van bloemen en planten had het ongelukkige idee om u vannacht te willen vermoorden. Gelukkig was Klaus er. Ik veronderstel dat hij handelde in opdracht van het directiecomité van de Orden. Joana, wil jij de zaak afronden?'

De moordenares verscheen met een mes in haar hand op het bordes. Ze ging voor de tuinman staan. Met een snel gebaar plantte ze het mes in zijn onderbuik en trok het naar rechts. De man zakte jammerend in elkaar. Zonder naar hem om te kijken, wandelde Sol naar de bestelwagen.

'Als Joana de kunst niet verleerd is, heeft hij nog twintig minuten nodig om te sterven. Is het niet prachtig hoe zelfstandig de vrouwen van tegenwoordig zijn en in bepaalde dingen gelijk of superieur aan mannen. Persoonlijk ben ik een voorstander van gelijkheid.'

De tuinman kronkelde als een in tweeën gehakte pier die in de grond probeert te kruipen.

Jade en Antoine werden in de bestelwagen geduwd. Vijf minuten later verliet de karavaan het domein, de creperende folteraar achterlatend.

Op de voorbank bestudeerde Sol fluitend een wegenkaart. Marcas zette het gesprek voort: 'U hebt nog niet verteld hoe de oorlog voor u afliep.'

Sol draaide zich om.

'Dat is gauw verteld. Nadat ik me had ontdaan van de Franse patrouille die me onderschepte, ben ik naar Zwitserland gegaan om me te melden bij Odessa.'

'Odessa?'

'Wat een gebrek aan historische kennis! In de herfst van 1944, begrepen de SS-officieren, onder wie natuurlijk aan aantal Thule-leden, dat de nederlaag onvermijdelijk was. Ze zetten daarom een evacuatienetwerk op poten naar neutrale landen. Vooral naar Zuid-Amerika, maar ook naar Arabische landen als Syrië en Egypte.'

'Was Odessa de naam van dat netwerk?'

'Odessa stond voor *Organisation der ss-Angehörigen*. Bedrijven die met de oorlogsbuit van de ss waren opgekocht vingen in die landen de vluchtelingen op. Er werden bankrekeningen geopend bij banken in fatsoenlijke landen, zoals Zwitserland, natuurlijk.'

'Gelukkig heeft die zak van een Hitler daar niet meer van kunnen profiteren!' blies Jade woedend.

Sol zond haar een glimlach.

'U hebt geen idee hoezeer u gelijk heeft. Hitler was een schurk.'

'Hoezo?'

'In zijn val heeft hij miljoenen Ariërs meegesleurd; ons bloed is weggevloeid in zijn oorlog.'

'Houdt u ons voor de gek?'

Sol glimlachte opnieuw.

'Vanzelfsprekend deelt u mijn zienswijze niet. Thule had geen directe invloed op Hitler. Het kon hoogstens sommige van zijn beslissingen sturen. Vooral toen hij steeds dieper wegzonk in een allesverwoestende waanzin. Thule heeft dat benut door het Odessa-netwerk te gebruiken.'

'En u?'

'Nadat ik vertrokken was, begon ik een ander leven en ik klom op binnen de Orden. Na de val van het communisme zijn we de vrijmetselaarsarchieven die ik had verstopt, gaan ophalen. Tijdens de Sovjetbezetting van de DDR was de kerk een museum van het atheïsme geworden. Na de val van de Muur werd dat allemaal verwaarloosd. En toen die archiefstukken eenmaal waren bestudeerd...'

Sols ogen kregen een ijzige glans.

'... begreep ik van welke onschatbare waarde die documenten waren.'

'Maar wat wilt u er toch mee?' riep Marcas. 'In contact treden met God, soms?'

'Niet met die van u, beste vriend. Mijn God is veel ontzagwekkender.'

46

Lascaux, in de Dordogne

Toen de sterren zichtbaar werden stak er een frisse wind op. Tegenover de sluis, die de ingang vormde, keek de conservator nog eens goed naar de onverwachte bezoeker. Doorgaans verzocht men maanden tevoren om toegang. De enkele bezoekers die van het ministerie van Cultuur een bijzondere toestemming kregen, moesten eerst door de ingewikkelde administratieve molen. Het was een slepende procedure, waarvan deze conservator al vijftien jaar lang elke stap volgde. Net zoals de weg naar de Hel, was de lange, moeilijke tocht naar de grotten geplaveid met beproevingen. Elke uitverkorene die de grot betrad, besefte dat het een voorrecht, bijna een mirakel, was dat hij er binnen mocht. In die bedwelmende plek.

De enkele toponderzoekers en hooggeplaatste personen die zo'n uitzonderlijke toestemming hadden gekregen, gedroegen zich allemaal gepast nederig voor de unieke ervaring die ze gingen beleven. Ze betraden de grot als verlegen en eerbiedige kinderen aan wie een onverwacht cadeau was beloofd.

De bezoeker van vandaag hoorde niet thuis in die categorie. De lange gestalte in een donkere jas, met een wollen sjaal om de nek en een grijs tasje in de hand, was moeilijk te plaatsen. Hij zei weinig en keek strak naar een vast punt in de nacht.

De conservator had er een hekel aan om bezoekers voor te gaan in de grot; het gaf hem het gevoel een onherstelbare heiligschennis te begaan. De grot was ontdekt in 1940 en werd drieëntwintig jaar later gesloten, toen men de schade opnam die was aangericht door de kooldioxide die in de loop der jaren was uitgeademd door tientallen miljoenen bezoekers. De rotswanden en de schitterende tekeningen waren in korte tijd sluipenderwijs aangetast door verzuring, terwijl ze duizenden jaren probleemloos hadden doorstaan toen ze nog luchtdicht waren afgesloten.

In de verschillende zalen van de grot stonden nu receptoren, die waren aangesloten op een ingewikkeld computersysteem, dat dag en nacht de vochtigheidsgraad, de temperatuur en de CO_2-waarden mat. De technici van het laboratorium van de Rijksdienst voor monumenten konden op afstand zien of er een mens of een dier in het heiligdom was binnengedrongen.

De conservator vond het allemaal maar niets. Als het aan hem lag kregen de hoge bezoekers duikerspakken aan.

In alle vroegte had hij een fax gekregen van het ministerie in Parijs, geparafeerd door de directeur van het kabinet, die hem opdroeg aan het begin van de avond klaar te staan voor meneer Jouhanneau.

Een halfuur later had een telefoontje hem meer bijzonderheden verschaft over dat bevel uit de hoogste regionen. Het was bijna een vordering, dacht de conservator zuur. Vanaf 21.00 uur moest hij de grot opendoen voor meneer Jouhanneau en hem dan alleen laten. Punt uit.

De medewerker van de minister was heel kortaf geweest. Op de vraag hoe laat de onverwachte bezoeker weer moest worden opgehaald, waarbij de conservator nog de nadruk had gelegd op 'onverwacht', kreeg hij te horen: 'Dat laten we u nog weten.'

's Middags had de conservator nog naar de prefectuur van Périgueux gebeld. Ongerust en een beetje zenuwachtig had hij raad gevraagd aan de secretaris van het kabinet van de prefect. Het was een aardige, verstandige man die hij al jaren kende. Die had zijn antwoord direct klaar: 'Beste man, u bent net als ik ambtenaar, een eenvoudige ambtenaar. Vergeet dat vooral niet.'

De conservator had niet verder aangedrongen. Hij kon ook niet weten dat Jouhanneau het gespeeld had via een van de adviseurs van de minister, een lid van de Fraternelle des Enfants de Cambarérès, van homoseksuele broeders van de GO. Jouhanneau had ze ooit geholpen om in contact te komen met een vorige Grootmeester van de obediëntie, om zijn aandacht te vragen voor het probleem van discriminatie in veel bedrijven.

Om negen uur stipt opende de conservator dus de deur van de toegangssluis.

Op een parkeerplaats in het centrum van Montignac, het stadje dat het dichtst bij Lascaux ligt, stak Sol zijn zoveelste sigaar op. Op de achterbank zaten Marcas en Zewinski, geboeid en zwijgend. Ze waren al een hele tijd uitgepraat. Naast de auto beëindigde Joana een telefoontje. Ze boog zich naar het raampje van de bestelbus, Sol draaide het open.

'Ze zijn net binnen.'

'Hoeveel?'

'Twee.'

Sol stapte uit. Hij moest even zijn benen strekken. En ook nadenken. De zaken op een rijtje zetten.

Eerst was er die onbekende geweest, die in een huurauto bij het kasteel was aangekomen. Het spoor terug volgen was een koud kunstje geweest. Van de gehuurde auto naar de luchthaven, van de luchthaven naar het vliegtuig, van het vliegtuig naar de firma Revelant. Van de onderneming naar haar president, een bekende vrijmetselaar. Een ambitieuze man wiens firma uitstekende laboratoria had voor moleculaire scheikunde...

Daarop had Jouhanneau Beune verlaten om een onbekende te ontmoeten voor de ingang van de grotten van Lascaux. Die onbekende had de sleutel van het geheim. De sleutel van het prehistorische heiligdom.

Men gaat op den duur altijd denken als de tegenstanders, peinsde Sol. Ik zou precies hetzelfde hebben gedaan. Lascaux! De Sixtijnse kapel van de prehistorie! Daar gaat hij de goddelijke soma ontdekken.

'Sol?'

Het was Joana.

'Ja,' antwoordde hij kalm.

'We hebben de auto geïdentificeerd van de man die bij Jouhanneau is. Het is de conservator van de grotten van Lascaux.'

Het gezicht van Sol klaarde op. Als een gloeiend kooltje dat opvlamde onder de as.

'De conservator... Jouhanneau zal niet willen dat hij erbij is... Die gaat weer weg. Is het nog ver naar de grot?'

'Nee, maar een paar...'

'Opschieten, de tijd dringt.'

Teruglopend naar de auto, zag Sol het gezicht van Joana. Zijn leven lang had hij altijd maar stukjes van de waarheid verteld. Daar moest hij mee doorgaan. Tot het bittere einde.

Hij pakte even haar hand vast.
'Jij ook, Joana, ook jij zult de openbaring meemaken.'

Lascaux

Langzaam liep Jouhanneau door de spelonk. De conservator beschreef hem de indeling.
'De grot van Lascaux bestaat eigenlijk uit twee haaks op elkaar staande grotten. Voor u ligt het ronde gewelf en de axiale zaal. De linkergang gaat naar het schip, de apsis, en rechtdoor naar de galerij van de leeuwen. Welk gedeelte wilt u eerst zien?'
De Groot-Archivaris voelde aan het etui in zijn jaszak. Ze kwamen in een eerste rond gewelf. Alle wanden waren bedekt met schilderingen. Herten, oerossen, paarden en bizons. Een bestiarium in schitterende kleuren. Het zag eruit of ze pas geleden gemaakt waren.
'Prachtig. Ik had er foto's van gezien, maar...'
De conservator haalde diep adem.
'Lascaux is absoluut uniek. Het is een meesterwerk uit het Magdalénien, tussen 15.240 en 14.150 voor onze jaartelling.'
'Hoe kunt u dat zo precies zeggen?'
'Er zijn hier meer dan vierhonderd vuurstenen werktuigen en stukjes bot gevonden. Die zijn gedateerd met de C14-methode.'
'Ik ben diep onder de indruk. Maar zijn hier alleen maar dieren afgebeeld?'
'Nee, en dat is nu juist wat Lascaux zo raadselachtig maakt. Vlak bij de ingang staat er bijvoorbeeld een eenhoorn.'
'Het mythische dier?'
'Ja, de Magdalénienners fantaseerden ook.'
Jouhanneau dacht aan het wandtapijt *De Vrouwe met de eenhoorn* in het museum de Cluny in Parijs. Een enorm tapijt waarop een prachtige plantenweelde stond afgebeeld. Middeleeuwenspecialisten beweerden zelfs dat enkele van die planten hallucinogene eigenschappen hadden...
'Heel intrigerend zijn de geometrische figuren. Het zijn er honderden. Dambordmotieven, vakken. We weten niet wat ze betekenen.'
'Een godsdienstige betekenis?'

'Mogelijk. Volgens de specialisten hebben die tekens een symbolische waarde. Ze verwijzen niet naar een tastbare werkelijkheid, zoals de dieren. Ongetwijfeld zijn ze een overblijfsel van rituele ceremonies die hier plaatsvonden.'

'U denkt dus dat Lascaux een soort heiligdom is?'

'Het was een tempel! Helaas weten we niet waarvan.'

De conservator ging zijn gast voor in een smalle gang die naar twee grote zalen leidde en vervolgens doodliep in een cirkelvormig gewelf.

'De Put! Kijk eens naar dit tafereel.'

Jouhanneau keek naar de wand. Voor een dreigende bizon lag, met uitgespreide armen, een man met zijn penis in erectie. Een man die ging sterven.

'Hij heeft een vogelkop. Het is ongetwijfeld een sjamaan.'

Jouhanneau huiverde bij dat woord.

'Een sjamaan?'

'Ja. De voorhistorische mensen probeerden hier in contact te treden met de wereld van de geesten. De sjamaan was de tussenpersoon.'

Jouhanneau keek weer naar de man met de vogelkop.

'Maar hij lijkt wel dood.'

'Zijn dood is symbolisch. Voor de wedergeboorte in het geestelijke leven. Daarom is er vlak naast hem een vogel getekend. Het bevrijde bewustzijn van de sjamaan stijgt op naar de wereld van de geesten.'

Geboeid bleef Jouhanneau naar die afbeelding staren. De conservator vertelde: 'We zijn hier mijlenver van het Lascaux als bakermat van de kunst... zoals men al die jaren heeft gedacht. Hier is alles symboliek. In deze grot waren geen schilders aan het werk, maar mensen die begeesterd waren door het sacrale.'

'Maar die afbeeldingen van dieren dan?'

'Veel onderzoekers zijn nu geneigd te geloven dat het visioenen zijn, producten van hallucinaties. Na hun rituele ceremonies schilderden de prehistorische mensen wat ze in hun roes hadden gezien...'

Ze waren door twee grotere zalen gekomen, de apsis en het schip. De conservator liep terug naar het ronde gewelf bij de ingang.

'En wat is daar?' vroeg Jouhanneau, wijzend op een gang die zich verloor in de duisternis.

'De axiale zaal. Met schilderingen van dieren, waaronder een steenbok en...'

De conservator keek op zijn horloge. Hij moest nu afscheid nemen. Dit was het hachelijkste moment.

'Ik moet u nu alleen laten. Ik word, denkelijk, gewaarschuwd als...'

'En...?'

'Wilt u nog iets weten?'

'U zei: "Een steenbok en..."'

De conservator was al bijna bij de uitgang.

'... en een ondersteboven getekend paard, dat uit een spleet komt. Alsof hij door de rotswand is gestapt. Een visioen.'

Jouhanneau hoorde de droge klik waarmee de deur werd gesloten. Hij keerde zich om. De schilderingen staken schitterend af tegen het bleke steen van de kalkgrot. Hij was nu moederziel alleen.

Val d'Oise

De eerste resultaten kwamen binnen. Twee pagina's met analyses. Met tabellen. Met technisch jargon...

Chefdebien nam ze snel door. Wat hij wilde weten moest op de tweede pagina staan. Hij herkende het kriebelige handschrift van Deguy. De bioloog was zo voorzichtig geweest om zelf de eindconclusie te schrijven.

Chefdebien legde het rapport op tafel en ging sigaretten zoeken. Hij rookte maar heel zelden. Maar hij had nog nooit een betere reden gehad.

Voordat hij doorging met lezen, keek hij nog even naar het onderzoeksprotocol. Dat was heel eenvoudig. Inspuiting van een niet nader bestudeerde stof, hierna te noemen S 357, bij een volwassen resusaap. Omstandigheid van het onderzoek: het dier zal voor de duur van het experiment worden gefilmd. Elk halfuur bloedafname en -analyse. Bestudering van het bioritme. Scanner en MRI.

Voordat hij aan de conclusie van de Deguy begon, bekeek Chefdebien de analyse van de klinische gegevens.

Observatie van het proefdier tijdens het experiment heeft drie ongewone veranderingen laten zien:

- *op de controlemonitor: overgang van een ongeregeld hartritme, zichtbaar als een chaotische golfbeweging, naar een bijna perfecte sinusoïdale curve van een heel regelmatige polsslag variërend tussen 60 en 70 per minuut.*
- *meting door elektro-encefalogram: sterk wisselende en zeer significante veranderingen van de hersengolven. Opleving van hersenactiviteit bij frequenties hoger dan 15Hz. Periodieke terugkeer van dit verschijnsel.*
- *op de hersen-MRI is heel duidelijk de toename van activiteit in de voorste cingulaire cortex te zien. Eveneens een voortdurende geprikkeldheid van het gebied van de thalamus en de hersenstam. Vertraagde activiteit in het linkerbovendeel van de pariëtale hersenschors.*

De president van Revelant inhaleerde diep voor hij zijn sigaret neerlegde. De details van al die parameters ontgingen hem. Maar de gevolgen ervan niet! Die aap had een wereldtrip beleefd!

... analyse van de verkregen gegevens duidt op aanzienlijke veranderingen in het bewustzijn van het subject. De ongebruikelijke activiteit van bepaalde hersendelen en hun onderlinge uitwisseling, vertalen zich in een uitzonderlijke zintuiglijke en emotionele gevoeligheid. Dit verschijnsel is gekoppeld aan een verhevigde toestand van wat men de REM-slaap noemt, de droomfase in de slaap van zoogdieren.
De verandering van de bewustzijnstoestand lijkt een stabiele en regelmatige hartslag tot gevolg te hebben.
In de huidige stand van zaken van de wetenschap, kunnen alleen experimenten met de flexibiliteit van de hersens deze tegelijkertijd cerebrale en fysiologische verschijnselen op elkaar laten inwerken. Daarmee doel ik op het vermogen van het bewustzijn zelf om onder bepaalde omstandigheden bepaalde neuronale verbindingen tot stand te brengen of te reactiveren. De synapsen houden zich ofwel slapende, of passen zich aan en maken andere, ongeziene neuronale verbindingen...
Het gaat dan om een uniek geval van herprogrammering van de hersenactiviteit.

De hand waarmee Chefdebien zijn sigaret uitdrukte beefde. Het soma van de goden!

Alleen! Nog nooit had hij zo'n intense eenzaamheid ervaren als in deze grot waarin de fantomen van al meer dan vijftienduizend jaar geleden uitgestorven mensen rondspookten. Hij voelde zich een onbeduidend stofje.

Zelfs bij zijn inwijding als vrijmetselaar, toen hij tegenover het doodshoofd in de Kamer van Overpeinzing zat, had hij zich niet zo alleen gevoeld.

De stieren, bizons en gestalten van mensen op de rotswanden zouden er nog staan als hij al lang tot stof vergaan zou zijn.

Het was nu of nooit. Hij streek het manuscript van Du Breuil glad en legde het op de grond.

Het schaduwritueel.

Hij ritste het etui open dat de koerier van Chefdebien hem had gebracht, de twee spuiten glinsterden in de lichtstraal van de lantaarn die hij tegen de rotswand had gezet. Hij doordrenkte een stukje watten met pure alcohol, ontsmette zijn linkeronderarm en pakte een van de twee spuiten uit het etui.

De soma, de drank van de goden, die toegang gaf tot de eeuwigheid. En dat alles zat in die enkele kubieke centimeters blauwige vloeistof. Hij dacht aan zijn vader, aan Sophie, aan alle mensen die door Thule waren vermoord... Het lot had hem aangewezen om de kennis van het Al te doorgronden.

Het moment was aangebroken om het schaduwritueel te beginnen en zichzelf dan de heilige vloeistof in te spuiten. Met een kompas bepaalde hij waar het oosten was, dat hij aangaf met een steentje. Daar tegenover legde hij twee steentjes die de kolommen Jakin en Boaz aanduidden die aan de ingang van elke loge staan. In het midden trok hij de rechthoek die Du Breuil had voorgeschreven in zijn tekst en hij groef een putje waarin hij het takje legde dat hij had meegebracht. De tempel was ingewijd. Symbolisch legde hij zijn 'metalen', zoals zijn horloge en andere persoonlijke spullen, buiten het nu afgebakende heiligdom.

Hij sprak de rituele formules voor het begin van het werk.

Als zijn logebroeders hem konden zien, zouden ze hun ogen niet geloven en hem voor gek verslijten.

Hij hief de injectiespuit en dreef de naald in de blauwe ader die onder zijn huid klopte. Hij voelde het prikje, hij balde zijn vuist een paar keer om het bloed goed te laten circuleren en strekte zich uit op de koude grond in het midden van de tempel.

De reis ging beginnen, de tocht die hem naar de grens van het bewuste zou brengen, misschien zelfs tot bij de Opperbouwmeester des Heelals. Er verstreken een paar minuten. Ineens werden zijn benen warm, net of hij in een heet bad werd gegooid, de schok plantte zich voort tot in zijn hersenen.

Hij voelde de kou van de grond niet meer, de geschilderde dieren leken zich los te maken van hun stenen achtergrond en gingen bewegen. In de verte klonk geschal, zijn hart reageerde door sneller te gaan kloppen, zijn benen schopten zo nu en dan.

Hij draaide zijn hoofd en zag dat hij niet meer alleen was in de grot. Uit de donkere hoeken om hem heen klonk gemompel. Silhouetten van gehurkte mensen prevelden bezweringen en hij werd bevangen door kille angst.

Er klonk gekras op steen. Hij huilde en betreurde bitter zijn roekeloosheid om het verbodene te hebben willen aanschouwen, zijn ledematen voelden aan als vreemde dode dingen.

'Ik mag niet... Ik kan niet...'

Wat hem nog restte aan bewustzijn fluisterde dat de mensen van Chefdebien zich hadden vergist in de dosering, of erger nog, in de samenstelling. Er was geen andere verklaring voor de nachtmerrie die begon.

Zijn lichaam drong in de zware duistere grond alsof het voorgoed wilde verdwijnen. Hij voelde hoe rottende aarde zijn mond vulde en zijn vlees binnendrong. Naarmate de ontzetting bezit nam van zijn geest, viel ook zijn lichaam uiteen in de aarde. Hij smeekte het wezen met de rode ogen dat op hem neerkeek in de kloof waarin hij aan het verdwijnen was.

Du Breuil had gelogen en hij had het maçonnieke ritueel verdorven, het was niet het licht dat hij aanschouwde, maar een dreigende schaduw die zijn gezichtsveld volledig verduisterde. Chaos verzwolg alles wat hij ooit was geweest. Het wezen met de rode ogen lachte alsof het zich laafde aan zijn lijden.

De angst verteerde zijn zenuwen en tastte nu ook zijn ziel aan. Zijn spieren scheurden aan flarden, zijn nagels groeiden krom, zijn huid trok open.

Het vlees verlaat de botten.

Ineens begreep hij de ultieme betekenis van deze aanroeping bij het vinden van de gedode meester Hiram en hij schreeuwde het uit van angst.

Zijn kreten gingen verloren in de duisternis van de grot.

Het onderzoekslaboratorium van de Rijksdienst voor monumentenzorg, het controlecentrum van de grot van Lascaux

De technicus van dienst trok door en maakte mopperend zijn gulp dicht. Hij had nog een uur te gaan voordat hij naar huis en naar zijn gezin kon gaan. Hij zou net zo goed meteen kunnen vertrekken, want de kans dat er in de grot van Lascaux iets zou gebeuren was nul komma nul. Hij was al elf jaar verantwoordelijk voor het onderhoud van de meetinstrumenten in de voorhistorische grot en hij had nog nooit het minste voorval meegemaakt. Behalve misschien die ene keer, toen een groepje 'hoge' gasten, een Aziatische minister en zijn liefje, stiekem waren gaan rampetampen in de Stierenzaal. Dankzij de verklikkers had hij dat *life* kunnen volgen aan de hand van de stijging van de temperatuur van hun lichamen en de stijging van kooldioxide op het moment van klaarkomen.

Hij liep terug naar zijn kantoortje om door te gaan met het uit elkaar halen van een verklikker die hij de vorige week had moeten vervangen. Met een beetje geluk duurde het monteren van een diode en het herijken maar een kwartiertje en dan kon hij weg.

In een halfdonker kamertje flikkerde het scherm van de hoofdcomputer. Grafieken in groen, rood en blauw vertaalden de bijna niet waar te nemen atmosferische veranderingen in de grot.

In het kantoortje ernaast en ervan gescheiden door een glazen deur, maakte de technicus het meetinstrumentje open met een kruiskopschroevendraaier. Plotseling klonk er uit de controlekamer het aanhoudende belsignaal dat aangaf dat de afstandsmeting iets abnormaals had gesignaleerd in de grot. Hij legde zijn gereedschap neer en duwde de scheidingsdeur open. Op het computerscherm knipperden als razenden drie staafgrafieken. De man zuchtte en pakte zijn telefoon. Het zou de conservator wel weer zijn die zonder te waarschuwen een rondje maakte en wiens gsm in die ondergrondse grot niet werkte.

Hij draaide zijn stoel naar het scherm, schakelde het alarm uit en bekeek de controlegegevens. Volgens de waarde van de uitgeademde kooldioxide, moesten er verschillende mensen in de grot zijn. De conservator trakteerde zeker een vip op een rondleiding. Hij tikte op zijn toetsenbord om het programma te zoeken dat de kooldioxidewaarde zou omzetten in per persoon uitgeademde eenheden, om te weten te komen hoeveel mensen er in de grot waren.

Het cijfer zes verscheen op het scherm.

Hij deelde de resultaten met het aantal in de grot verspreide verklikkers, waardoor hij precies zou kunnen zien waar de nachtelijke bezoekers zaten. Een ervan was al in de Put, vijf anderen kwamen via de zalen diezelfde kant uit. Foeterend zette de technicus de computer uit. Ze gingen hun gang maar. Hij werd tenslotte niet betaald om de veldwachter uit te hangen als er een stelletje hoge omes voor luxetoeristen speelde.

47

Kroatië,
Kvar

Met de moed der wanhoop probeerde Loki te ontkomen, maar de boeien van Russische makelij waarmee zijn handen en voeten vastzaten, gaven hem geen greintje ruimte. De bewakers tilden hem op alsof hij een kind was, en droegen hem weg als een zak aardappelen. Boven zijn hoofd zag hij zijn geliefde pijnbomen voorbijkomen, waartussen heldere sterren pinkelden.

Hij huilde hartverscheurend, hij smeekte zijn kameraden van de Orden om genade, maar besefte tegelijkertijd met afgrijzen dat hij daarmee alleen maar minachting oogstte. Hijzelf had ook nooit enig erbarmen getoond. In de Balkanoorlog had hij aan het hoofd van een commando-eenheid zonder te verblikken of verblozen heel wat onschuldigen over de kling gejaagd, zonder ooit het minste medelijden te voelen.

Het ruisen van de branding steeg op en vermengde zich met het gezang van de nachtegalen in de taxusbomen op de overhangende rots.

Het groepje liep naar de kapel, die het toneel was geweest van zoveel gruweldaden dat tussen de muren nog de nagalm hing van het geschreeuw uit de ijzeren maagd.

Loki hoopte alleen nog maar dat zijn beulen de maagd instelden op een snelle dood en dat de ijzeren staven zijn lichaam in één ruk zouden doorboren.

Aan weerszijden van de wrede maagd stonden de leden van het directiecomité zwijgend in een halve cirkel onder de lijdende Christus. Loki werd overeind gezet en in het marteltuig gelegd.

Hij hield op met huilen en zei ferm tegen zijn gezellen: 'Ik neem de verantwoording voor al mijn daden en ik blijf een trouwe dienaar van de Orden. Mijn hele leven heb ik in dienst gesteld van de komst op deze aarde van Halgadom. Gun mij tenminste een genadige en snelle dood.'

De groep was rond de maagd komen staan. Heimdall verbrak als eerste het zwijgen: 'Ben je dan zelf genadig geweest voor die broeder uit Londen, de laatste keer dat je de machine die je zelf in deze kapel hebt geïnstalleerd afstelde?'

'Nee... maar hij had geld verduisterd...'

'Hij was mijn beste vriend. Ik heb toen niets gedaan om hem te redden, want de Orden gaat voor alles. Ter ere van zijn nagedachtenis zul jij hetzelfde lot ondergaan. Denk maar aan Sol en je lieve dochter Joana die nu ook in het Walhalla moeten zijn, als onze vriend de tuinman de bevelen heeft uitgevoerd. We zullen elk spoor uitwissen van operatie Hiram en weer voortzetten wat we hadden moeten blijven doen: onopvallend in het geheim voortwerken. Tot de dag waarop we ons aan de mensheid zullen openbaren.'

De bewakers lieten het deksel neer dat zich knarsend sloot boven Loki's hoofd.

Naarmate de lichtstraal tussen het deksel en de zijkant van de sarcofaag smaller werd, zag Loki ook de stalen pennen dichterbij komen. De laatste woorden die hij ooit hoorde, kwamen van de doffe stem van Heimdall: 'Je hebt nog twintig minuten te leven, geniet maar lekker van de liefdesbeet van de maagd.'

De duisternis sloot hem onverbiddelijk in.

Lascaux

Antoine begreep dat de reis ten einde gekomen was en hij zag geen enkele uitweg meer uit de klauwen van Thule voor hem en Jade. Ze waren de grot probleemloos binnengekomen, de lijfwacht van Sol had bij de ingang de man die de sleutels had van de toegangssluis bewusteloos geslagen en het groepje was snel afgedaald in het heiligdom.

Sol had de lichtschakelaars gevonden van het uitgekiende systeem, dat de schilderingen indirect verlichtte om ze niet te beschadigen en de grot halfduister liet.

De verdoemde ziel van Thule liep ongewoon traag voor de groep uit en leunde op een stevige stok die hij vlak voor de ingang had opgeraapt. Hij leek het moeilijk te hebben, zijn ademhaling ging hortend, waarschijnlijk wegens zuurstofgebrek. Achter hem liep Joana, die niet eens keek naar de muurschilderingen en die een sigaret rookte zonder zich te bekommeren om de schade die ze daarmee aanrichtte. Jade liep voor Marcas, ze was doodsbleek en ging gebukt onder de helse pijn in haar verminkte hand. Ze draaide zich even om en wierp hem een steels lachje toe. Ze wisten allebei dat de oude man hen zonder het minste gewetensbezwaar ging vermoorden.

Doodgaan in een prehistorische grot, in Lascaux nog wel...

Marcas moest aan iets denken. Een paar dagen tevoren nog, toen hij in de Bibliothèque François-Mitterrand had zitten peinzen over de moord op Sophie Dawes, had hij zich afgevraagd waar hij zelf zou sterven. Hij had niet kunnen vermoeden dat het antwoord zo snel zou komen.

Hij bedacht hoe grillig de spelingen van het lot waren en herinnerde zich zijn trip naar Rome. Als hij de uitnodiging van zijn Italiaanse broeders had aangenomen om na zijn voordracht bij het broedermaal te blijven, zou hij nooit naar dat feestje op de Franse ambassade zijn gegaan...

Het groepje kwam tegenover de zaal van de Put te staan.

Er zat een man die hun komst volkomen onaangedaan gadesloeg. Mysterieus bracht hij zijn handen in een driehoek gevouwen naar zijn mond. Er verscheen een glimlachje op zijn gezicht.

Marcas herkende direct Jouhanneau en zag naast hem een etui liggen met een injectiespuit die gevuld was met een blauwachtige vloeistof. Een andere spuit lag gebroken op de grond.

Sol ging triomfantelijk voor Jouhanneau staan.

'Ik zie dat u me voor bent geweest. Hoe voelt het om een te zijn met de goden?'

Jouhanneau besteedde geen aandacht aan de woorden van de man van Thule en zei tegen Marcas: 'Het spijt me ontzettend, broeder, dat ik je hierin heb meegesleurd. Ik vrees echter dat het stortregent...'

Antoine begreep direct wat hij bedoelde; met 'het regent' waarschuwen vrijmetselaars elkaar voor de aanwezigheid van profanen. Sol gaf een teken aan zijn lijfwacht, die Antoine en Jade tegen de rotswand duwde. Joana hield zich afzijdig aan de overkant.

Jouhanneau stond stil als een standbeeld. Zijn ogen hadden een eigenaardige glans. Hij zag er net zo uit als anders, maar er was iets veranderd in zijn gelaatsuitdrukking. Er ging een vreemde energie, een stille kracht, van hem uit. Zelfs Marcas verdroeg die gloeiende blik niet.

Sol had enkel oog voor het etui. Hij griste de spuit eruit en woog hem op zijn hand.

'Het maakt niet uit dat u blijft zwijgen. Zo te zien heeft deze drug heel weinig bijwerkingen. Ook mijn reis eindigt op deze heilige plek, die werd gesticht door mannen die geloofden in de krachten van de natuur. Mannen die niet waren aangetast door de God van de Joden en zijn bastaardzoon.'

Jouhanneau keek hem aan en zei toonloos: 'U hebt geen idee van wat is, wat was en wat er zal zijn. De sluier van de onwetendheid zal nooit voor u worden weggenomen.'

'O nee? Dat zullen we eens zien.'

Sol strekte zijn arm en prikte met zijn andere hand de spuit in de perkamenten, met ouderdomsvlekken bezaaide huid. Hij sloot zijn ogen om beter van het moment te kunnen genieten.

Antoine en Jade drukten zich tegen elkaar aan alsof elk van hen bij de ander bescherming zocht. Sol opende zijn ogen, nam zijn stok die hij tegen de rotswand had gezet en wees ermee naar Jouhanneau.

'Op je knieën, vrijmetselaar!'

De stem van de Achtbare Meester van de loge Orion schalde door het gewelf: 'Nee. Een vrij mens knielt voor niemand.'

Sol gaf de lijfwacht een sein.

Een schot verscheurde de oernacht in de grot van Lascaux.

Jouhanneau greep naar zijn buik en zakte in elkaar. Antoine brulde: 'Vuile fascist...'

Met een nekslag bracht Joana hem tot zwijgen. Antoine zocht wankelend steun bij de rots. Jade wilde hem helpen, maar werd tegengehouden door haar boeien.

Sol keek neer op Jouhanneau, die nu toch op de knieën was gedwongen.

'Ik voel een geweldige kracht in me opkomen. Het is alsof mijn jeugd terugkeert.'

Zijn gezicht vertrok tot een wreed masker.

'Ik ben weer de SS'er uit de Charlemagne-divisie, ik marcheer voor de glorie van het Westen. Vertel me voordat ik je afmaak wat je werkelijk hebt gevoeld, vrijmetselaar. Heb je God gezien?'

Jouhanneau keek hem strak aan.

'Dat zul jij nooit begrijpen. Ik heb mijzelf gezien. Dat is alles.'

'Lieg niet, smeerlap!'

Sol hief de stok op en liet hem krakend neerkomen op de schouder van Jouhanneau. De vrijmetselaar gaf geen kik. Sol leek nu wel bezeten.

'In de oertijd probeerden sjamanen hun goden gunstig te stemmen met dieroffers. Kijk maar naar deze muurschilderingen. Jij bent voor mij niet meer dan een dier. Ik word door hitte verteerd, ik voel hoe de pure kracht zich in mij uitstort.'

Hij liet zijn stok nog een keer neerkomen, ditmaal op de hals. Antoine en Jade moesten de executie machteloos aanzien en rukten aan hun boeien. Sol brulde: 'Zeg je me nu wat je hebt gezien?'

Jouhanneau lag op de grond, zijn hoofd tegen zijn schouder geknakt. Hij verzamelde zijn laatste krachten voor zijn laatste woorden, voordat de laatste klap kwam.

'Ik sterf zoals... mijn meester... Hiram... Dat is een eer. Jij... hebt niets begrepen... net als de foute broeders... Je moet zuiver van hart zijn, anders...'

De Groot-Archivaris stak een hand uit.

'Antoine... mijn broeder... Ik voel geen angst meer. Dat is het geheim van het schaduwritueel... Weet je, Antoine... ik ben door het hermetische zwart gegaan en toen was er... Niet de Opperbouwmeester... maar ik, alleen ik... Ik ben nu niet bang meer... Nooit meer bang!'

Sol lachte een waanzinnige lach. Hij hief een laatste keer zijn stok op en sloeg Jouhanneau de schedel in.

Marcas huilde: 'Waarom? Waarom hij en al die anderen? Waarom imiteer je de moord op Hiram?'

Sol kwam met verende tred op hem af. Hij leek even de eeuwige jeugd te bezitten.

'Ik wek alleen maar een heel oude profane gewoonte weer tot leven. Niemand weet wie dat bloedritueel heeft bedacht, maar de stichter van onze orde, graaf Von Sebottendorf, heeft het in Duitsland weer ingevoerd door zelf het voorbeeld te geven. Toen Thule bij de opkomst van het nazidom besloot ondergronds te gaan, besloot het jouw broeders tekens van zijn aanwezigheid te geven. Is er een mooier visitekaartje denkbaar dan jullie te vermoorden zoals Hiram werd gedood en zelf op de achtergrond te blijven? Maar ik sta mijn tijd te verdoen, ik heb nog zoveel te doen. Ik heb mijn bestemming bereikt.'

Hij begon te wankelen alsof hij te veel gedronken had. Zijn lijfwacht schoot toe om hem te ondersteunen, maar Sol weerde hem ongeduldig af. Ook Joana wilde hulp bieden aan de oude man die op de grond spuugde.

'Het is niets. Ik ga even zitten, ontferm je over hen. Dood ze. *Ik voel geen angst meer*... Dat zei hij: *ik ben niet bang meer*...

Antoine zocht Jades blik.

'Het spijt me zo, ik had zo graag...'

Ze kuste hem op de lippen.

'Zeg maar niets...'

Sol begon ongecoördineerd te bewegen. Hij kwijlde, zijn stem jankte van angst: 'Nee! Niet zij! Ze staan allemaal om mij heen. Doe dat niet! Zien jullie ze? Zie je ze? Laat ze niet dichterbij komen. Achteruit, ik ben van de SS, jullie moeten doen wat ik zeg... Nee!'

Joana stortte zich op Sol. In paniek richtte de lijfwacht zijn pistool op Marcas.

Antoine kneep zijn ogen dicht. *Ik ben niet bang meer!*

Er viel een schot, en daarna nog een. Marcas viel. Het laatste wat hij zag was hoe Sol op de grond lag te kronkelen als een dolle hond.

Epiloog

48

Een oostelijke voorstad van Parijs,
Hospice de la Charité

De oude man in de gecapitonneerde kamer huilde dag en nacht. De verpleegsters hadden medelijden met hem. Als een kind dat bang is in het donker bleef hij ze smeken om het licht te laten branden. Zijn wanhopig gejammer werd afgewisseld door onbeheersbare angstaanvallen, die zelfs met de sterkste anxiolitica niet konden worden onderdrukt. De psychiaters wisten geen weg met dit vreemde geval en legden zich erbij neer dat zijn smart waarschijnlijk ongeneeslijk was. De enkele keren dat zijn ogen droog bleven, herhaalde hij aan een stuk door het woord 'vergiffenis'.

Uit voorzorg werd hij in een dwangbuis gestopt om te voorkomen dat hij zelfmoord zou plegen.

Bordeaux,
Clinique de l'Arche-Royale

Toen hij wakker werd was zijn geest wazig en zijn zicht troebel. Hij knipperde met zijn ogen om beter te focussen. Boven hem verscheen het gezicht van Jade.

'Niet bewegen. Je bent nog in shock.'

'Waar ben ik?'

'In veiligheid. Je hebt enorm geluk gehad.'

'Ik heb dorst...'

Jade gaf hem een flesje mineraalwater. Hij dronk alsof hij al dagen droogstond. Zijn gebarsten lippen werden zacht door het contact met de vloeistof. Die was lekker fris. Hij wilde opstaan, een pijnscheut trok door zijn onderbuik, aan de rechterkant.

'Ik zei toch dat je niet mocht bewegen. Je werd bijna naar het hiernamaals geschoten. De artsen hebben twee weken bedrust in deze kamer voorgeschreven en daarna nog een maand herstellen voor de littekenvorming.'

'Wat is er gebeurd?'

Jade streek over zijn voorhoofd.

'We danken ons leven aan een volslagen onbekende, ene Mac Bena, een uit Schotland afkomstige veiligheidsman van de firma Revelant. Hij was door zijn directeur gestuurd om de spuiten aan Jouhanneau te geven en ook... om hem in de gaten te houden. Toen hij ons met Sol op onze hielen in die grot zag aankomen, begreep hij dat er iets goed fout zat. Hij is een ex-militair en dus is hij de grot in gegaan en heeft de lijfwacht van Sol neergeschoten toen die op het punt stond om jou te grazen te nemen. Helaas heeft die kleine nazi je nog net voordat hij stierf een kogel in je buik geschoten.'

'En Sol?'

'Samen met Joana gevangengenomen. Zij is overgebracht naar de gevangenis van de buitenlandse inlichtingendienst om te worden ondervraagd over de Orden en zijn vertakkingen. En Sol zit in een psychiatrische inrichting.'

'Waarom?'

Marcas voelde zich weer wegzakken, Jades stem kwam ineens van heel ver.

'Dat hoor je nog wel.'

En hij ging weer onder zeil.

Een oostelijke voorstad van Parijs,
Hospice de la Charité,
een maand later

Het enige wat het oude hospice de la Charité-Dieu uit zijn glorietijd had overgehouden, was een bebost park dat nog nooit een tuinman had gezien. De bomen strekten hun honderdjarige takken uit naar de façade met ramen met ronde bovendorpels. Tralies waren er niet, de meeste patiënten waren volstrekt ongevaarlijk. Ze zaten opgesloten in hun stilzwijgen en in hun wanen; de buitenwereld was nog maar een vage herinnering voor hen.

De linde die nog was geplant tijdens de bouw van het ziekenhuis, reikte met haar takken naar de kamers op de eerste verdieping. De geur van haar bloesem in de frisse nacht drong door tot in de verlaten gang. Toen hij door het raam naar binnen was gestapt, haalde de man uit zijn tas een witte doktersjas die hij aantrok. Aan de borstzak klipte hij een identiteitskaart van het ziekenhuis. Hij moest nu alleen nog maar kamer 37 zien te vinden.

Bij de deur met dat nummer aangeland, moest de man glimlachen toen hij de naam van de bewoner las. François Le Guermand. Je wordt duidelijk altijd ingehaald door je verleden. En Thule haalt altijd haar veroordeelde leden in.

Antoine Marcas kwam de kamer binnen toen de verpleegster net begon met het afleggen van de dode. De directeur van het ziekenhuis had direct rechter Darsan op de hoogte gesteld, die onverwijld Marcas waarschuwde.

De man die zich Sol genoemd had lag nu op een bed van ijzer. Onder de deken tekende zich zijn uitgemergelde lichaam af. De handen met de bebloede knokkels waren vastgebonden aan de bedspijlen. Van onder de deken steeg een zware stank op.

De verpleegster bloosde toen ze Marcas zag.

'Het spijt me, ik ben nog niet klaar en... bent u familie?'

'Nee.'

'Ze laten alles lopen, begrijpt u...'

De commissaris viel haar in de rede.

'Haal de dienstdoende dokter, wilt u.'

De verpleegster holde weg.

Marcas bekeek het gezicht van de oude SS'er van de Charlemagne-divisie. De mond was verwrongen in een ijzige grimas. De voor altijd geopende ogen staarden in doodsangst naar het plafond.

De arts, een jonge man met een ringmap onder zijn arm, kwam binnen. Antoine liet hem zijn politiekaart zien.

'Wat is de doodsoorzaak?'

'Kent u het medische dossier?'

'Gedeeltelijk.'

'De patiënt leed aan een dwangpsychose als gevolg van een onomkeerbare hersenbeschadiging.'

'Wat voor psychose?'

'Angstpsychose, meneer.'

De verpleegster probeerde ondertussen de oogleden te sluiten om de dode blik te verbergen. Maar het wilde niet lukken.

De arts haalde zijn schouders op.

'Sommige mensen gaan met open ogen de dood in. Geef hem maar een blinddoek.'

De commissaris ging naar buiten. De warmte in het park deed hem goed. Hij nam een sigaret. Zijn handen trilden een beetje.

'Je zou moeten stoppen met roken.'

Hij keek om. Op een bankje onder een linde waarvan de bladeren ritselden in de wind, zat Jade. Marcas trapte de sigaret uit.

'Darsan heeft het me verteld. Het is warm vanochtend, vind je niet?'

Ze stond op. Antoine zag dat ze handschoenen droeg. Ze liepen het hek uit. Buiten begon de dag.

'Ik heb een vraag voor je,' kondigde Jade aan.

'Wat?'

'Het geheim van het schaduwritueel!'

Marcas liet zijn blik langs de ziekenhuismuren gaan.

'De soma bant de angst uit.'

'Is dat alles?'

'Dat is veel meer dan alles! Stel je een leven zonder angst voor, niet voor de toekomst, niet voor de ander, niet voor de ouderdom of de dood. Niets wat je nog kan verlammen. Nooit meer obstakels zien. De absolute gemoedsrust. Jouhanneau glimlachte toen Sol hem doodde. Hij kende geen angst meer. In alle godsdiensten is God de enige die geen angst kent. Wij mensen beginnen het leven met de angst om uit de moederschoot te komen en we sterven bang om het leven te verlaten.'

De Afghaanse keek hem verbaasd aan.

'Maar waarom had die drug niet hetzelfde effect bij Sol?'

'Hij was niet zuiver van hart.'

'Maar...'

'... Dus werkte het bij hem andersom en gaf het hem voor eeuwig een gevoel van schuld. Daar kom je aan de kracht van het maçonnieke geheim: die bestaat uit de inwijding en de uitvoering van het ritueel. Zo zie ik het tenminste. Sol streefde naar het licht, als een junkie naar een shot. En hij raakte verslaafd aan de woede van God.'

Zewinski ging langzamer lopen.

'Heb jij geen neiging om het experiment te doen?'

'Nee, ik ben zo hoogmoedig om te denken dat ik zonder drug, hoe hemels ook, vooruit kan komen op de weg van het weten. Maar de verbluffende effecten van dat mengsel werpen interessante vragen op. Als het sacrale en het religieuze voortkomen uit ontregeling van de chemische verbindingen onder invloed van uitwendige stimulerende middelen, berusten alle godsdiensten op bedrog. God zou dan slechts een verdovend middel zijn. En de goddelijke openbaring een neuronale big bang. Maar...'

'Wat maar?'

'Misschien kan dat middel ons wel echt in contact brengen met iets dat ons verstand te boven gaat...'

Jade grinnikte.

'Je bent schattig als je zo plechtstatig doet. Enig is dat. De vrijmetselaar in je is niet tot zwijgen te brengen. Jullie moesten jezelf eens wat minder serieus nemen... En breng die soma vooral niet op de markt, de hele drugshandel zou instorten.'

Hij begon te schateren van het lachen.

Voor een krantenkiosk stond een bezorger net een vracht tijdschriften uit te laden. Door een rukwind viel de bovenste stapel uiteen op het trottoir. Met zijn voet hield Marcas een exemplaar tegen dat in de goot dreigde te belanden. Hij bukte om het op te rapen. De cover toonde een passer en een winkelhaak.

ONTHULLEND

HET GEHEIM VAN DE VRIJMETSELAARS ONTSLUIERD

Exclusief interview met

Patrick de Chefdebien

Hij bladerde het tijdschrift door. Bij het interview stond een kadertekst: *... en alles zit de briljante president-directeur van Revelant mee, die ook de ophanden zijnde lancering aankondigt van een nieuw revolutionair antidepressivum op basis van planten: Somatox...*

Dat allemaal voor een antidepressivum!

Marcas smeet het tijdschrift weg.

Jade stond voor hem. Ze had haar handschoenen uitgedaan. Hij nam de uitgestoken hand aan. In de verte bescheen de opkomende zon de verlaten straat. Op naar het Oosten.

Dankwoord

Dank aan Béatrice Duval, Anne-France Hubau en Marie-France Dayot van Fleuve Noir voor hun goede raad. Aan Frédérika voor haar aanmoediging, aan Virginie voor haar geduld.

Bijlagen

De vrijmetselaarsarchieven

Het Du Breuil-manuscript en de archieven waarin sprake zou zijn van het schaduwritueel en de steen van Thebbah zijn fictief. De plundering van de loges en de inbeslagname van de archieven van de Grand Orient en de Grande Loge nationale française die in dit boek worden beschreven, komen in grote lijnen overeen met wat er werkelijk gebeurd is. De meer dan 750 dozen die in de jaren 2000-2001 door Rusland werden teruggegeven zijn opgeslagen in de hoofdzetel van de Grand Orient de France in de rue Cadet in Parijs, in afwachting van verdere bestudering. Een ander deel van de archieven ligt in de hoofdzetel van de Grande Loge nationale française. Bernadette Arnaud en Patrick Jean-Baptiste schreven er al een uitstekend artikel van twintig pagina's over, dat is verschenen in *Sciences et Avenir*, nr. 672, van februari 2003.

Vichy en de vervolging van de vrijmetselarij

'De vrijmetselarij is de voornaamste oorzaak van onze ellende; zij heeft de Fransen belogen en heeft ze leren liegen.'

'Een Jood kan het niet helpen dat hij Jood is, vrijmetselaar is men uit eigen vrije keuze.'

Maarschalk Philippe Pétain

Het aantreden van maarschalk Pétain, in juli 1940, had al snel een aantal antimaçonnieke wetten tot gevolg. Op 13 augustus 1940 werden alle geheime genootschappen ontbonden, om te beginnen met alle maçonnieke obediënties. In oktober 1940 werd er in het Parijse Petit Palais een grote antimaçonnieke tentoonstelling ingericht door de directeur van het tijdschrift *l'Illustration*.

Een jaar later, op 11 augustus 1941, bepaalde een andere wet dat vrijmetselaars vanaf de graad van Meester geen publieke functies meer mochten uitoefenen, een verbod dat driekwart van de Franse vrijmetselaars trof. Niet alleen verloren vrijmetselaars in die oorlogstijd hun middelen van bestaan, maar ze werden ook publiekelijk aan de schandpaal genageld doordat de Franse Staatscourant vanaf 12 augustus lijsten met hun namen publiceerde. Op 2 december 1941 werd er een speciale commissie voor geheime genootschappen ingesteld, die als voornaamste taak had om in het hele land de strijd tegen de vrijmetselaars op te voeren.

Die Franse dienst voor geheime genootschappen registreerde 64.350 vrijmetselaars. Ruim duizend van hen werden afgevoerd naar concentratiekampen. Anders dan voor Joden het geval was, werden vrijmetselaars niet systematisch gedeporteerd. Broeders werden meestal gearresteerd en gedeporteerd omdat ze deel uitmaakten van verzetsnetwerken, zoals Patriam Recuperare en Liberté. Het clandestiene comité Action Maçonnique coördineerde de samenkomsten. Pierre Brossolette, ingewijde van de loge Emile Zola, en Jean Moulin horen bij de grote martelaren van het verzet, maar onder de gevallenen zijn ook heel wat anonieme leden van verschillende obediënties, wier namen na de oorlog pas bekend werden. Het boek *La Franc-Maçonnerie française durant la guerre et la Résistance* van Maurice Vieux (van de Grande Loge de France) geeft een opsomming van al die namen. Gallice Gabriel van de loge Arago, Jacques Arama van de loge Les Inséparables d'Osiris, Joseph Marchepoil van de Etoile écossaise... Op 17 december 1945 werd in de Grand Orient een rouwzitting gehouden om hen te eren: Bascan van de Amis philanthropes, Fourneyron van de Démophiles, Gilloty van de Aurore sociale.

Naar het evenbeeld van het Frankrijk uit die dagen, waren niet alle vrijmetselaars in het verzet en sommige collaboreerden ook. Na de bevrijding verstootten alle obediënties deze schurftige schapen, zoals Br:. L, 'die toetrad tot de rechterlijke macht van Pétain en die fortuin maakte op het bureau Affaires juives' (uit vertrouwelijke maçonnieke brieven van januari 1958).

De repressie van vrijmetselaren werd natuurlijk aangemoedigd door de Duitsers, maar ze is vooral het werk van Pétain en zijn gevolg. Zij waren rechtse nationalisten en aanhangers van de antidemocratische oprichter van de Action Française, Charles Maurras; vooral Raphaël Alibert, de toenmalige minister van Justitie. De maarschalk zelf stak nooit zijn afkeer van vrijmetselaars onder stoelen of banken. De komst van Pierre Laval, die niet zo vijandig stond tegenover vrijmetselaars, remde die antimaçonnieke ijver een beetje af.

Deze sombere periode wordt uitvoerig beschreven in het zeer complete werk, *La Franc-Maçonnerie sous l'Occupation, persécutions et résistance* (Editions du Rocher). Lees verder: Dominique Rossignol, *Vichy et les Francs-Maçons* (J.C. Lattès); Lucien Botrel, *Histoire de la F-M sous l'Occupation* (Editions Détrad).

De auteur Henry Coston beschrijft de bezettingsperiode vanuit het tegenovergestelde perspectief; hij was voorstander van de collaboratie en werkte in de bezette lokalen van de Grande Loge de France: *Les Francs-Maçons sous la Francisque* (Publications H.C. 1999).

De vrijmetselarij in Nederland en België op internet

www.vrijmetselarij.nl; de officiële website van de Orde van Vrijmetselaren onder het Grootoosten van Nederland.
www.mason.be; de gemeenschappelijke website van de vier Belgische obediënties.
http://vrijmetselarij.startkabel.nl; achtergronden, Graden, Loges. Europa en de rest van de wereld.

Het genootschap Thule en de Ahnenerbe

Het esoterische geheime genootschap Thule en zijn oprichter graaf Rudolf von Sebottendorff hebben werkelijk bestaan. De biografie *Hitler*, het tweedelige standaardwerk van historicus Ian Kershaw, gaat in op de rol van Thule bij de oprichting van de Duitse arbeiderspartij DAP, het embryo van de latere nazipartij. Volgens Kershaw leest de lijst van aanhangers van Thule als 'de Who's who van de eerste nazisympathisanten en -voormannen in München'. Met de opkomst van Hitler werd Thules rol teruggedrongen en volgens de meeste historici verloor het genootschap toen snel aan invloed.

Om andere redenen hebben heel wat auteurs zich met Thule beziggehouden. We kunnen er natuurlijk niet omheen om hier vooral Louis Pauwels en Jacques Bergier, de schrijvers van de bestseller *De dageraad der Magiërs* te noemen.

Alfred Rosenberg, de partij-ideoloog van de nazi's, schrijver van *Der Mythus des zwanstigsten Jahrhunderts* en vooraanstaand Thule-lid, beval hoogstpersoonlijk de plundering van een deel van de maçonnieke archieven, omdat hij ervan overtuigd was dat de vrijmetselaars een occult geheim bewaarden. Hij liet Reichsleiter Martin Bormann weten dat 'er in de Parijse loges Grand Orient en de Grande Loge immense schatten waren gevonden'. Deze anekdote die wordt vermeld op de 'Thule' genaamde neonazi-website is correct.

De Ahnenerbe, het instituut voor de 'erfenis der voorouders', werd in 1935 opgericht op bevel van Heinrich Himmler. In het instituut verrichtten honderden geleerden natuurwetenschappelijk, historisch en esoterisch onderzoek. Er gingen expedities naar de Himalaya om de oorsprong van het Arische ras te ontdekken, er werd gezocht naar de Heilige Graal en er werden Bijbelse symbolen bestudeerd (de serie *Indiana Jones* is erop geïnspireerd). Astrologie, sporen van de Vikingen in aardewerk, heidense erediensten, experimenten met helderzienden... Ahnenerbe volgde gehoorzaam alle grillen van de SS-leiding.

Minder folkloristisch was de H-afdeling van Ahnenerbe, waar artsen gruwelijke medische experimenten uitvoerden in concentratiekampen, vooral Dachau en Natzweiler. Wolfram Sievers, de eerste secretaris van Ahnenerbe, werd op het proces van Neurenberg ter dood veroordeeld en geëxecuteerd. Een groot deel van de archieven van de organisatie, die de wetenschappelijke tegenhanger was van het Thule-genootschap, werd nooit teruggevonden.

De Charlemagne-divisie, ten slotte, bestond uit 8000 Franse SS'ers, van wie er een honderdtal Berlijn tot het laatste toe hebben verdedigd.

De kapel van Plaincourault

De kapel staat in de gemeente Mérigny (departement Indre) en heeft schitterende muurschilderingen, waaronder de zo raadselachtige afbeelding van Adam en Eva die bij een grote paddenstoel staan, in plaats van bij de boom der kennis van goed en kwaad. De kapel wordt in de zomermaanden opengesteld voor publiek.

Hallucinogene planten

De auteurs raden de consumptie van de drie hallucinogene substanties die in hun boek worden genoemd, ten stelligste af. Het effect ervan dat wordt beschreven is volledige fictief.

Er bestaat echter wel degelijk een discipline in de biologie die zich bezighoudt met de entheogene eigenschappen van planten. Deze wetenschappers proberen meer inzicht te krijgen in het verband tussen het gebruik van sommige planten en paddenstoelen en religieuze en mystieke ervaringen in alle culturen en alle tijden. Het wetenschappelijk gezien origineelste en meest complete boek over de werking van hallucinogenen is ongetwijfeld Ceryl Pellerins' *Trips – How hallucinogens work in your brain* (Seven Stories Press, 1998).

Bwiti. Bij de spirituele ceremonieën van de Bwiti-cultus in het West-Afrikaanse Gabon wordt het extract van de Iboga-wortel gebruikt. Het heeft een sterk hallucinerende werking en wordt daardoor beschouwd als de goddelijke weg naar Bwiti. In Amerika wordt ibogaïne ook als geneesmiddel gebruikt en vooral als middel dat ingezet kan worden tegen verslaving aan drugs, nicotine en alcohol. In Nederland is gebruik van ibogaïne vooralsnog niet toegestaan. www.iboga.nl. De site Meyaya is helemaal gewijd aan iboga en de Bwiti-cultus: www.iboga.org

Moederkoren. Deze schimmel die voorkomt op graan, veroorzaakte in de middeleeuwen hallucinatie-epidemies op het platteland. Onze beschrijving van zijn rol in de uitvinding van de LSD is volledig getrouw aan de werkelijkheid.

Amanita muscaria. Dit is de eerste hallucinogene paddenstoel in de geschiedenis van de mensheid die werd gebruikt door sjamanen van verschillende culturen. Er zijn heel wat studies aan gewijd, waaronder het beroemde boek uit 1968 van de onderzoeker Robert Wasson: *Soma, divine mushroom of immortality* (Harcourt, Brace, Jovanovitch). De consumptie van deze paddenstoel is levensgevaarlijk.

CIA. De Amerikaanse inlichtingendienst heeft werkelijk onderzoek gefinancierd naar hallucinogene plantensoorten, waaronder de operatie 'God's flesh' in Mexico; de daarover vermelde feiten zijn juist. Lees ook: Gordon Thomas, *The true story of secret CIA mind control and medical abuse* (Bantam Books, 1989).

Maçonnieke woordenschat

Aanrakingen: tekens van wederzijdse herkenning, wisselen per graad.

Alziend oog (of lichtende Delta): een stralend oog in een gelijkzijdige driehoek, die boven het Oosten hangt.

Azuren gewelf: Symbolisch loge-plafond, het hemelgewelf uitbeeldend.

Bouwstuk: voordracht in een logebijeenkomst.

Broederketen: rituele handeling aan het einde van een logebijeenkomst, waarbij de broeders elkaar de hand geven en een kring vormen.

Broedermaal (*agape*): de gemeenschappelijke maaltijd aan het einde van een logebijeenkomst.

Ceremoniemeester: de officier die in de loge de rituele handelingen begeleidt.

Cordon: ordelint dat tijdens bijeenkomsten gedragen wordt door de bestuursleden.

Debbhir: Hebreeuwse naam voor het Heilige der Heiligen in de Tempel van Salomo. In de door de auteurs beschreven loges het Oosten van de maçonnieke tempel.

Dekker: de officier die tijdens een logebijeenkomst de deur bewaakt.

Droit humain: internationale federatie van gemengde (m/v) vrijmetselarij. In Nederland zijn er 22 gemengde loges.

Graden: door inwijding verkregen. Aan de graden is een titel of waardigheid verbonden: 1ste graad = Leerling; 2e graad = Gezel; 3e graad = Meester.

Grande Loge de France: spiritualistisch georiënteerde obediëntie met ca. 27.000 leden.

Grande Loge féminine de France: obediëntie van vrouwelijke vrijmetselaars met ca. 11.000 leden.

Grande Loge nationale française: de enige Franse erkende obediëntie. Heeft ca. 33.000 leden.

Grand Orient de France: de eerste obediëntie die in Frankrijk werd opgericht. Is strikt adogmatisch en heeft ca. 46.000 leden.

Grootmeester: de hoogste gezagsdrager van een obediëntie.

Handschoen: altijd wit en verplicht tijdens de logebijeenkomst.

Hoge Graden: na de meestergraad bestaan er nog veel voortgezette werkwijzen, waarin het maçonnieke gegeven wordt uitgebreid en verdiept. De Schotse ritus, bijvoorbeeld, kent 33 graden.

Hèkkàl: Hebreeuwse naam voor het Heilige in de Tempel van Salomo. In de door de auteurs beschreven loges de middenruimte van de maçonnieke tempel.

Hiram: de legendarische architect die de Tempel van Salomo bouwde. Hij werd vermoord door drie boze gezellen die hem zijn geheim wilden ontstelen om zelf meester te worden. Is de mythische voorvader van alle vrijmetselaars.

Kolommen: zuilen aan de ingang van een tempel die Jakin en Boaz heten. Ook bankenrijen in het Noorden en het Zuiden, waar de broeders tijdens een bijeenkomst plaatsnemen heten kolommen.

Loge: plaats waar vrijmetselaars hun arbeid verrichten.

Mozaïekvloer: zwart-wit geblokte rechthoek in het midden van de tempel.

Obediënties: federaties van loges. In het boek worden de belangrijkste Franse obediënties genoemd: de GODF, de GLF, de GLNF, de GLFF en de Droit humain.

Officieren: worden gekozen om de activiteiten in de werkplaats te leiden.

Oosten: het Oosten in een loge is de symbolische plaats waar de Voorzitter en de bestuursleden zitten.

Opzieners: de Eerste- en de Tweede-. Maçonnieke gezagsdragers in de loge.

Ordeteken: symbolisch gebaar dat dient als herkenningsteken. Iedere graad heeft een eigen teken.

Oulam: de Hebreeuwse naam voor 'Voorhof'.

Passer: is met de winkelhaak het belangrijkste maçonnieke symbool.

Profaan: een niet-vrijmetselaar.

Tableau: tapijt met maçonnieke voorstellingen, dat tijdens rituele bijeenkomsten in het midden van de tempel op de grond ligt.

Tempel: zo wordt de loge tijdens een bijeenkomst genoemd. Is een aanduiding van de ruimte waar rituele ceremonies worden gehouden en arbeid wordt verricht.

Redenaar: functionaris die de arbeid toetst aan maçonnieke normen en tradities.

Schootsvel: voor elke graad verschillend symbolisch kledingstuk, dat tijdens bijeenkomsten wordt gedragen.

Vochtige kamer: lokaal buiten de tempel, waar na zittingen de broedermaaltijd wordt gehouden. De term wordt in Nederland niet gebruikt, daar vindt het broedermaal plaats in het Voorhof.

Voorbereider: functionaris die de kandidaten ontvangt en voorbereidt bij het inwijdingsritueel en de verheffing in graden.

Voorhof: ruimte voor de tempel, meestal grenzend aan de tempelruimte.

Voorzittend Meester: het hoogste ambt in de loge. De meester-vrijmetselaar die door zijn broeders is verkozen om de werkplaats te leiden. Hij zit op het Oosten.

Westen: het Westen in de loge is de symbolische plaats waar de Eerste- en de Tweede Opzieners zitten en de Dekker staat.

Winkelhaak: zie passer.